새로운 개정 교육과정 반영

+

총망라

UP
내신업
중간고사 대비
중학 수학 3·1

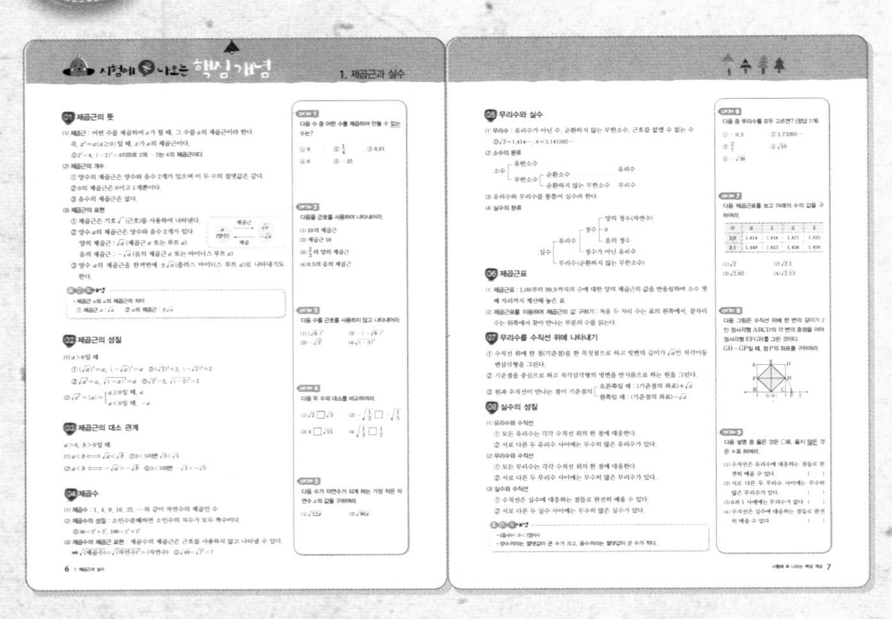

> 시험에 꼭 나오는 핵심 개념

각 단원에서 꼭 알아야 할 핵심 개념을 꼼꼼하게 정리하였고, 포인트 개념을 두어 중요한 개념을 한눈에 확인할 수 있도록 하였습니다.

> 예제

각 개념의 정의와 공식을 단순히 적용하여 학습한 개념을 바로 확인할 수 있는 기초 문제로 구성하였습니다.

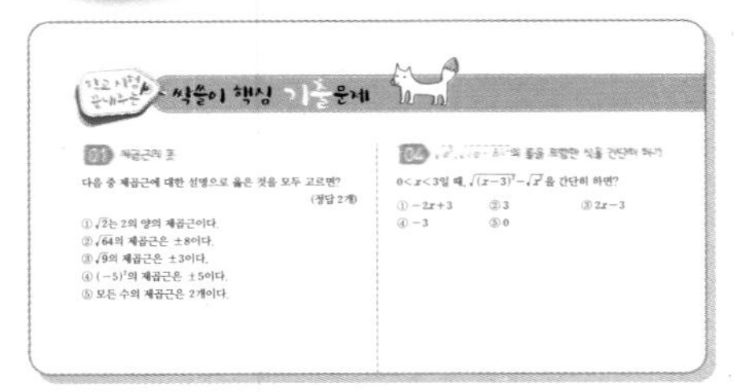

| 싹쓸이 핵심 기출문제 |

전국 1,000여 개 중학교의 5년간 기출문제를 분석하여 출제율이 높은 핵심 25문제를 엄선하여 시험 직전에 최종 확인할 수 있도록 하였습니다.

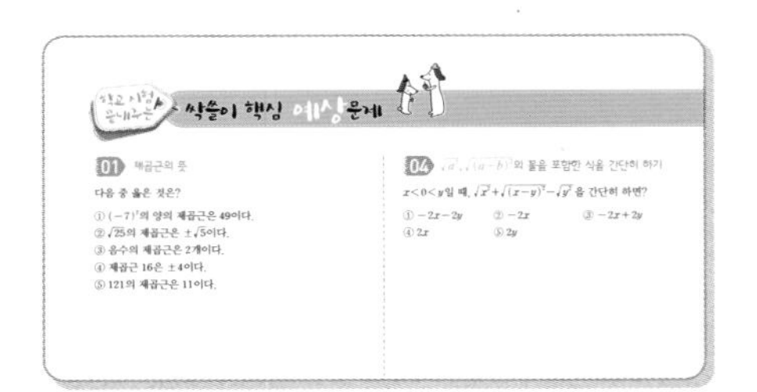

| 싹쓸이 핵심 예상문제 |

싹쓸이 핵심 기출문제의 25가지 유형에 대하여 '숫자를 바꾼 문제', '표현을 바꾼 문제'로 구성하여 25가지 유형을 확실히 익힐 수 있도록 하였습니다.

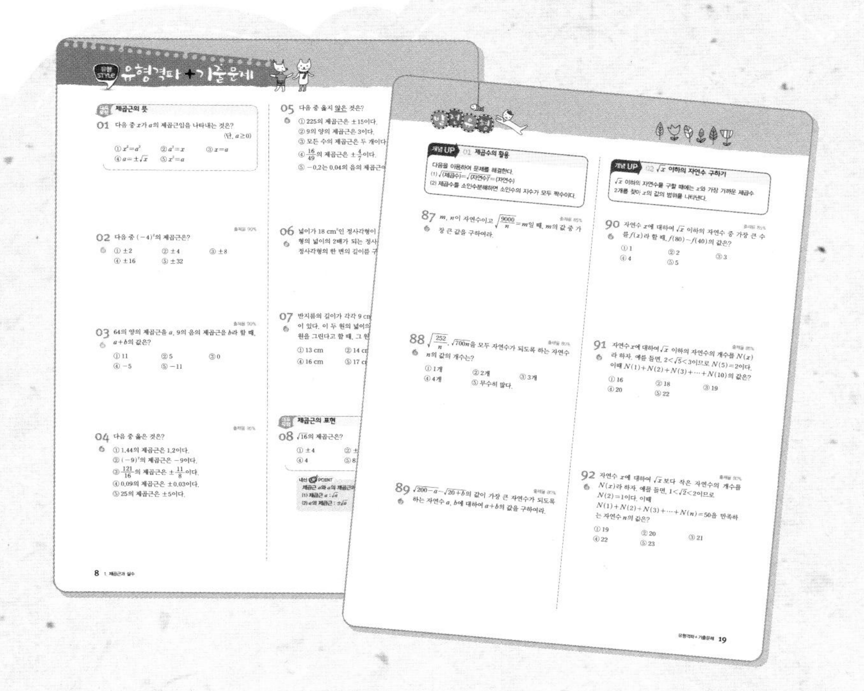

> 유형격파 + 기출문제

2015 개정 교육과정의 새 교과서와 전국 1,000여 개 중학교의 5년간 기출문제를 분석하여 시험에 꼭 나오는 대표유형과 그 유사문제를 난이도, 출제율과 함께 실었습니다.

> 내신 UP POINT

문제 해결을 위한 도움말을 제공하였습니다.

> 발전 유형

까다로운 기출문제를 유형별로 분석하여 발전 개념과 함께 구성하였습니다.

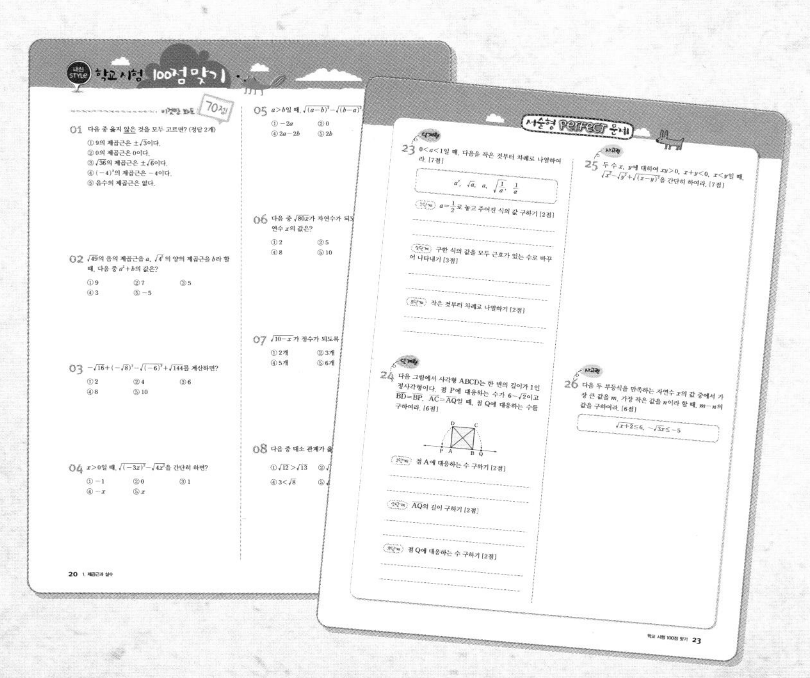

> 학교시험 100점 맞기

전국 1,000여 개 중학교의 5년간 기출 사이클 분석을 바탕으로 중간고사 적중률 100%에 도전하는 문제들을 수록하였습니다.

> 서술형 PERFECT 문제

실제 학교 시험과 유사한 서술형 문제로 단계형, 실생활, 사고력, 융합형 문제를 실었습니다.

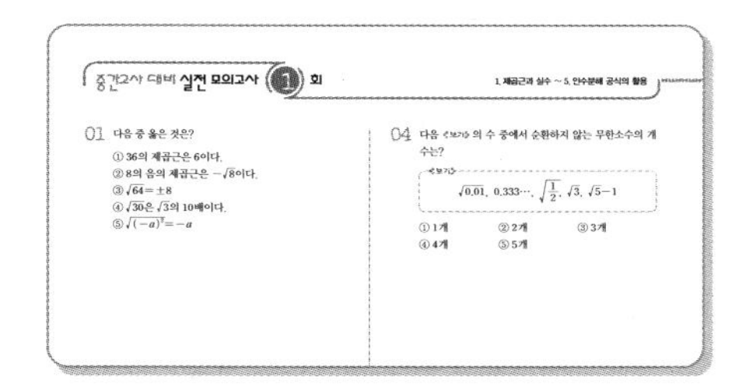

| 실전 모의고사 |

실제 시험과 같이 구성한 실전 모의고사를 총 4회 실어 시험에 대한 자신감을 기를 수 있도록 하였습니다.

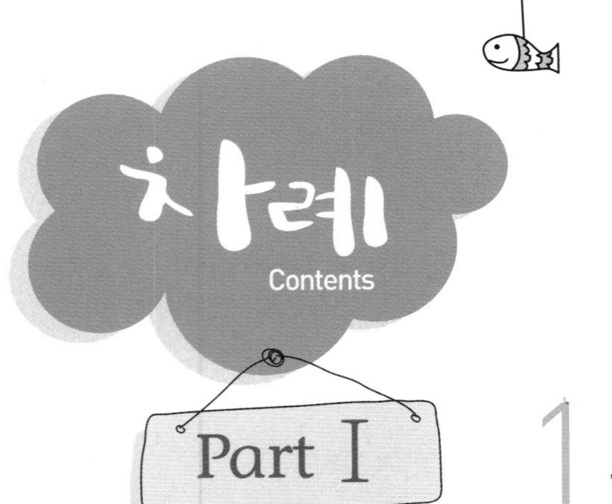

Part Ⅰ

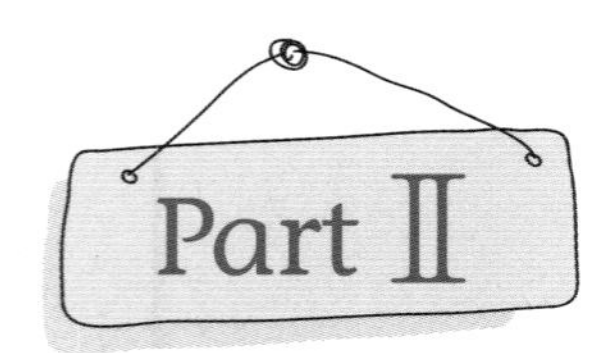

Part I

시험에 꼭 나오는 핵심 개념

유형격파 + 기출문제

학교시험 100점 맞기

01 제곱근의 뜻

(1) 제곱근 : 어떤 수를 제곱하여 a가 될 때, 그 수를 a의 제곱근이라 한다.
즉, $x^2=a(a\geq 0)$일 때, x가 a의 제곱근이다.
예 $2^2=4$, $(-2)^2=4$이므로 2와 -2는 4의 제곱근이다.

(2) 제곱근의 개수
① 양수의 제곱근은 양수와 음수 2개가 있으며 이 두 수의 절댓값은 같다.
② 0의 제곱근은 0이고 1개뿐이다.
③ 음수의 제곱근은 없다.

(3) 제곱근의 표현
① 제곱근은 기호 $\sqrt{\ }$(근호)를 사용하여 나타낸다.
② 양수 a의 제곱근은 양수와 음수 2개가 있다.
양의 제곱근 : $\sqrt{a}$ (제곱근 a 또는 루트 a)
음의 제곱근 : $-\sqrt{a}$ (음의 제곱근 a 또는 마이너스 루트 a)

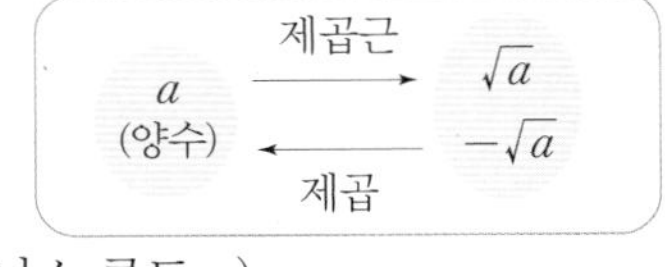

③ 양수 a의 제곱근을 한꺼번에 $\pm\sqrt{a}$(플러스 마이너스 루트 a)로 나타내기도 한다.

포인트 개념
- 제곱근 a와 a의 제곱근의 차이
① 제곱근 a : $\sqrt{a}$ ② a의 제곱근 : $\pm\sqrt{a}$

02 제곱근의 성질

(1) $a>0$일 때
① $(\sqrt{a})^2=a$, $(-\sqrt{a})^2=a$ 예 $(\sqrt{2})^2=2$, $(-\sqrt{2})^2=2$
② $\sqrt{a^2}=a$, $\sqrt{(-a)^2}=a$ 예 $\sqrt{2^2}=2$, $\sqrt{(-2)^2}=2$

(2) $\sqrt{a^2}=|a|=\begin{cases} a\geq 0\text{일 때, } a \\ a<0\text{일 때, } -a \end{cases}$

03 제곱근의 대소 관계

$a>0$, $b>0$일 때
(1) $a<b \Longleftrightarrow \sqrt{a}<\sqrt{b}$ 예 $3<5$이면 $\sqrt{3}<\sqrt{5}$
(2) $a<b \Longleftrightarrow -\sqrt{a}>-\sqrt{b}$ 예 $3<5$이면 $-\sqrt{3}>-\sqrt{5}$

04 제곱수

(1) 제곱수 : 1, 4, 9, 16, 25, …와 같이 자연수의 제곱인 수
(2) 제곱수의 성질 : 소인수분해하면 소인수의 지수가 모두 짝수이다.
예 $36=2^2\times 3^2$, $100=2^2\times 5^2$
(3) 제곱수의 제곱근 표현 : 제곱수의 제곱근은 근호를 사용하지 않고 나타낼 수 있다.
➡ $\sqrt{(\text{제곱수})}=\sqrt{(\text{자연수})^2}=(\text{자연수})$ 예 $\sqrt{49}=\sqrt{7^2}=7$

예제 1
다음 수 중 어떤 수를 제곱하여 만들 수 없는 수는?
① 9 ② $\frac{1}{4}$ ③ 0.01
④ 0 ⑤ -25

예제 2
다음을 근호를 사용하여 나타내어라.
(1) 10의 제곱근
(2) 제곱근 10
(3) $\frac{2}{3}$의 양의 제곱근
(4) 0.5의 음의 제곱근

예제 3
다음 수를 근호를 사용하지 않고 나타내어라.
(1) $(\sqrt{6})^2$ (2) $-(-\sqrt{6})^2$
(3) $-\sqrt{3^2}$ (4) $\sqrt{(-3)^2}$

예제 4
다음 두 수의 대소를 비교하여라.
(1) $\sqrt{2}$ □ $\sqrt{3}$ (2) $-\sqrt{\frac{1}{2}}$ □ $-\sqrt{\frac{1}{5}}$
(3) 4 □ $\sqrt{15}$ (4) $\sqrt{\frac{1}{3}}$ □ $\frac{1}{2}$

예제 5
다음 수가 자연수가 되게 하는 가장 작은 자연수 x의 값을 구하여라.
(1) $\sqrt{12x}$ (2) $\sqrt{90x}$

05 무리수와 실수

(1) 무리수 : 유리수가 아닌 수, 순환하지 않는 무한소수, 근호를 없앨 수 없는 수

예 $\sqrt{2}=1.414\cdots$, $\pi=3.141592\cdots$

(2) 소수의 분류

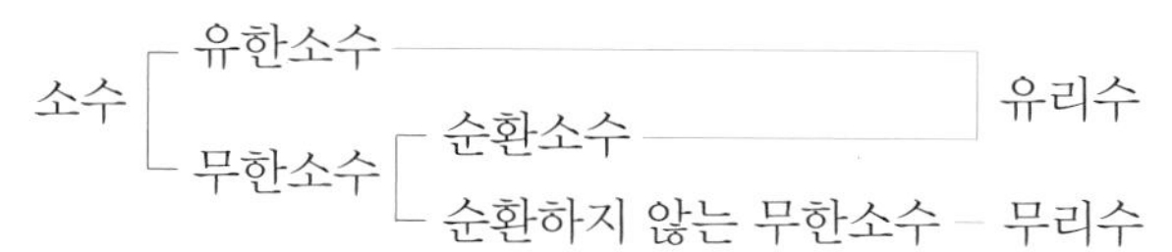

(3) 유리수와 무리수를 통틀어 실수라 한다.

(4) 실수의 분류

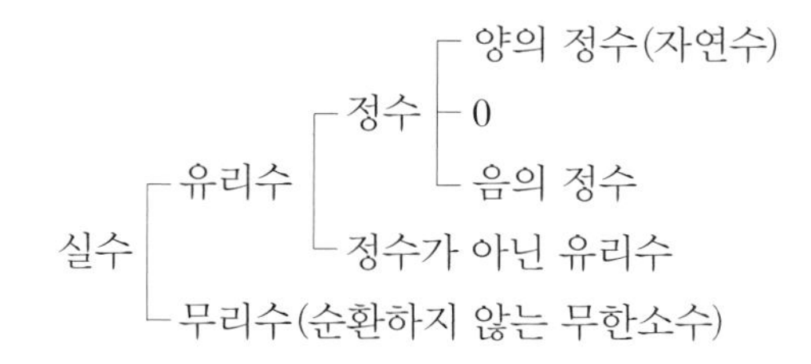

06 제곱근표

(1) 제곱근표 : 1.00부터 99.9까지의 수에 대한 양의 제곱근의 값을 반올림하여 소수 셋째 자리까지 계산해 놓은 표

(2) 제곱근표를 이용하여 제곱근의 값 구하기 : 처음 두 자리 수는 표의 왼쪽에서, 끝자리 수는 위쪽에서 찾아 만나는 부분의 수를 읽는다.

07 무리수를 수직선 위에 나타내기

① 수직선 위에 한 점(기준점)을 한 꼭짓점으로 하고 빗변의 길이가 $\sqrt{a}$인 직각삼각형을 그린다.

② 기준점을 중심으로 하고 직각삼각형의 빗변을 반지름으로 하는 원을 그린다.

③ 원과 수직선이 만나는 점이 기준점의
- 오른쪽일 때 : (기준점의 좌표)$+\sqrt{a}$
- 왼쪽일 때 : (기준점의 좌표)$-\sqrt{a}$

08 실수의 성질

(1) 유리수와 수직선

① 모든 유리수는 각각 수직선 위의 한 점에 대응한다.

② 서로 다른 두 유리수 사이에는 무수히 많은 유리수가 있다.

(2) 무리수와 수직선

① 모든 무리수는 각각 수직선 위의 한 점에 대응한다.

② 서로 다른 두 무리수 사이에는 무수히 많은 무리수가 있다.

(3) 실수와 수직선

① 수직선은 실수에 대응하는 점들로 완전히 메울 수 있다.

② 서로 다른 두 실수 사이에는 무수히 많은 실수가 있다.

포인트 개념

- (음수)$<0<$(양수)
- 양수끼리는 절댓값이 큰 수가 크고, 음수끼리는 절댓값이 큰 수가 작다.

예제 6

다음 중 무리수를 모두 고르면? (정답 2개)

① -0.3　② $1.73205\cdots$

③ $\frac{2}{7}$　④ $\sqrt{10}$

⑤ $-\sqrt{36}$

예제 7

다음 제곱근표를 보고 아래의 수의 값을 구하여라.

수	0	1	2	3
2.0	1.414	1.418	1.421	1.425
2.1	1.449	1.453	1.456	1.459

(1) $\sqrt{2}$　(2) $\sqrt{2.1}$

(3) $\sqrt{2.02}$　(4) $\sqrt{2.13}$

예제 8

다음 그림은 수직선 위에 한 변의 길이가 2인 정사각형 ABCD의 각 변의 중점을 이어 정사각형 EFGH를 그린 것이다. $\overline{GH}=\overline{GP}$일 때, 점 P의 좌표를 구하여라.

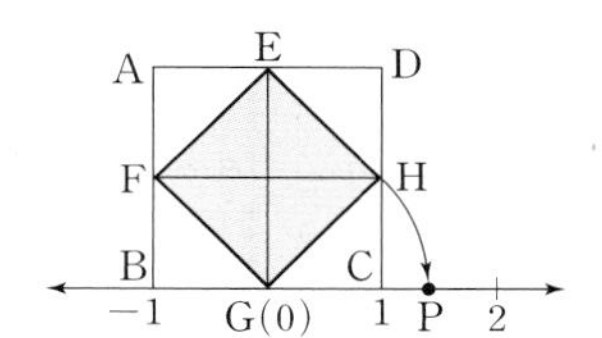

예제 9

다음 설명 중 옳은 것은 ○표, 옳지 않은 것은 ×표 하여라.

(1) 수직선은 유리수에 대응하는 점들로 완전히 메울 수 있다. (　　)

(2) 서로 다른 두 무리수 사이에는 무수히 많은 무리수가 있다. (　　)

(3) 0과 1 사이에는 무리수가 없다. (　　)

(4) 수직선은 실수에 대응하는 점들로 완전히 메울 수 있다. (　　)

대표유형 **제곱근의 뜻**

01 다음 중 x가 a의 제곱근임을 나타내는 것은? (단, $a \geq 0$)

① $x^2=a^2$ ② $a^2=x$ ③ $x=a$
④ $a=\pm\sqrt{x}$ ⑤ $x^2=a$

출제율 90%

02 다음 중 $(-4)^2$의 제곱근은?

하

① ±2 ② ±4 ③ ±8
④ ±16 ⑤ ±32

출제율 90%

03 64의 양의 제곱근을 a, 9의 음의 제곱근을 b라 할 때, $a+b$의 값은?

하

① 11 ② 5 ③ 0
④ -5 ⑤ -11

출제율 95%

04 다음 중 옳은 것은?

중

① 1.44의 제곱근은 1.2이다.
② $(-9)^2$의 제곱근은 -9이다.
③ $\frac{121}{16}$의 제곱근은 $\pm\frac{11}{8}$이다.
④ 0.09의 제곱근은 ±0.03이다.
⑤ 25의 제곱근은 ±5이다.

출제율 95%

05 다음 중 옳지 않은 것은?

중

① 225의 제곱근은 ±15이다.
② 9의 양의 제곱근은 3이다.
③ 모든 수의 제곱근은 두 개이다.
④ $\frac{16}{49}$의 제곱근은 $\pm\frac{4}{7}$이다.
⑤ -0.2는 0.04의 음의 제곱근이다.

출제율 90%

06 넓이가 18 cm^2인 정사각형이 있다. 넓이가 이 정사각형의 넓이의 2배가 되는 정사각형을 만들 때, 새로운 정사각형의 한 변의 길이를 구하여라.

중

출제율 85%

07 반지름의 길이가 각각 9 cm, 12 cm인 두 원 O와 O′이 있다. 이 두 원의 넓이의 합과 넓이가 같은 새로운 원을 그린다고 할 때, 그 원의 반지름의 길이는?

상

① 13 cm ② 14 cm ③ 15 cm
④ 16 cm ⑤ 17 cm

대표유형 **제곱근의 표현**

08 $\sqrt{16}$의 제곱근은?

① ±4 ② ±2 ③ $\pm\sqrt{2}$
④ 4 ⑤ 8

내신 UP POINT

제곱근 a와 a의 제곱근의 차이
(1) 제곱근 a : $\sqrt{a}$
(2) a의 제곱근 : $\pm\sqrt{a}$

출제율 95%

09 다음 중 그 값이 나머지 넷과 <u>다른</u> 하나는?

하

① 3의 제곱근 ② 제곱근 3
③ $\pm\sqrt{3}$ ④ $x^2=3$을 만족하는 x의 값
⑤ 제곱하여 3이 되는 수

출제율 90%

10 다음의 주어진 수의 제곱근을 구할 때, 근호를 사용하지 않고 나타낼 수 있는 것은 모두 몇 개인가?

하

$2,\quad \sqrt{9},\quad \sqrt{196},\quad (-5)^2,\quad 81$

① 1개 ② 2개 ③ 3개
④ 4개 ⑤ 5개

출제율 90%

11 다음 중 근호($\sqrt{\ }$)를 사용해야만 나타낼 수 있는 수는?

하

① $\sqrt{81}$ ② $\sqrt{0.25}$ ③ $\sqrt{\frac{4}{25}}$
④ $\sqrt{0.4}$ ⑤ $\sqrt{36}$

출제율 95%

12 다음 중 옳은 것은?

중

① $\sqrt{625}$의 제곱근은 ±5이다.
② $(-4)^2$의 제곱근은 ±2이다.
③ -8은 -64의 음의 제곱근이다.
④ $\sqrt{121}=\pm11$
⑤ 제곱근 49는 $\pm\sqrt{7}$이다.

출제율 95%

13 다음 중 옳지 <u>않은</u> 것을 모두 고르면? (정답 2개)

중

① 제곱근 4는 2이다.
② 0의 제곱근은 없다.
③ 음수의 제곱근은 음수 1개뿐이다.
④ $\sqrt{81}$의 제곱근은 ±3이다.
⑤ 넓이가 10인 정사각형의 한 변의 길이는 $\sqrt{10}$이다.

출제율 95%

14 다음 보기 중 옳은 것은 모두 몇 개인가?

중

보기

ㄱ. 7의 양의 제곱근은 2개이다.
ㄴ. 제곱하여 a가 되는 수를 a의 제곱근이라 한다.
ㄷ. 제곱근 16의 제곱근은 ±2이다.
ㄹ. $\sqrt{64}=\pm8$
ㅁ. -6의 제곱근은 없다.

① 1개 ② 2개 ③ 3개
④ 4개 ⑤ 5개

출제율 95%

15 $(-5)^2$의 양의 제곱근을 A, $\sqrt{16}$의 음의 제곱근을 B라 할 때, $A+B$의 값은?

중

① 7 ② 3 ③ 0
④ -3 ⑤ -7

출제율 95%

16 $\sqrt{121}$의 양의 제곱근을 a, 0.16의 음의 제곱근을 b라 할 때, a^2-10b의 값은?

중

① 7 ② 11.4 ③ 15
④ 121.4 ⑤ 125

출제율 90%

17 중 오른쪽 그림과 같이 가로의 길이가 7 cm, 세로의 길이가 5 cm인 직사각형과 넓이가 같은 정사각형의 한 변의 길이를 구하여라.

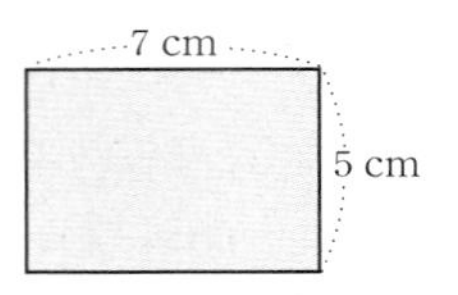

출제율 85%

18 중 한 변의 길이가 2 cm인 정사각형과 가로의 길이, 세로의 길이가 각각 3 cm, 5 cm인 직사각형의 넓이의 합과 넓이가 같은 정사각형을 그리려고 할 때, 새로운 정사각형의 한 변의 길이는?

① $\sqrt{17}$ cm ② $\sqrt{19}$ cm ③ $\sqrt{21}$ cm
④ $\sqrt{23}$ cm ⑤ 5 cm

대표유형 제곱근의 성질

19 다음 중 그 결과가 나머지 넷과 다른 하나는?

① $\sqrt{7^2}$ ② $\sqrt{(-7)^2}$ ③ $(-\sqrt{7})^2$
④ $-\sqrt{7^2}$ ⑤ $(\sqrt{7})^2$

출제율 95%

20 하 다음 중 옳은 것은?

① $(\sqrt{7})^2=49$ ② $-\sqrt{(-6)^2}=6$
③ $(-\sqrt{0.3})^2=-0.3$ ④ $\left(-\sqrt{\frac{3}{5}}\right)^2=-\frac{3}{5}$
⑤ $\sqrt{(-12)^2}=12$

출제율 95%

21 중 다음 중 옳은 것은?

① $\sqrt{(-2)^4}=4$
② $-\sqrt{(-5)^2}=5$
③ $\sqrt{169}=14$
④ $(-\sqrt{9})^2=3$
⑤ $a>0$일 때, $\sqrt{(-a)^2}=-a$

출제율 90%

22 중 다음 중 가장 큰 수는?

① $\sqrt{0.2^2}$ ② 0.03 ③ $-\sqrt{0.04}$
④ $(-\sqrt{0.01})^2$ ⑤ $\sqrt{(-0.1)^2}$

출제율 85%

23 중 $a>0$일 때, 다음 보기 중 같은 결과를 가지는 것끼리 바르게 짝지은 것은?

보기
ㄱ. $(\sqrt{a})^2$ ㄴ. $-\sqrt{(-a)^2}$ ㄷ. $\sqrt{(-a)^2}$
ㄹ. $(-\sqrt{a})^2$ ㅁ. $-\sqrt{a^2}$

① ㄱ, ㅁ ② ㄴ, ㅁ ③ ㄱ, ㄷ, ㅁ
④ ㄴ, ㄷ, ㅁ ⑤ ㄷ, ㄹ, ㅁ

출제율 85%

24 상 $\sqrt{a^2}=9$일 때, a의 값은?

① $\pm\sqrt{3}$ ② ± 3 ③ ± 9
④ ± 18 ⑤ ± 81

출제율 85%

25 $\left(-\frac{3}{4}\right)^2$의 양의 제곱근을 A, $\frac{25}{9}$의 음의 제곱근을 B라 할 때, AB의 값을 구하여라.

상

대표유형 제곱근의 성질을 이용한 계산

26 $\sqrt{100}-\sqrt{(-13)^2}+(-\sqrt{2})^2$을 계산하면?

① 25 ② 21 ③ -1
④ -2 ⑤ -5

출제율 95%

27 다음을 계산하여라.

하

$$\sqrt{49}-\sqrt{(-4)^2}+\sqrt{3^2}-(-\sqrt{3})^2$$

출제율 90%

28 $\sqrt{\left(\frac{1}{2}\right)^2}+\sqrt{4^2}-\sqrt{(-3)^2}+\sqrt{0.5^2}$을 계산하면?

하

① 3.5 ② 2 ③ 0
④ -4 ⑤ -9

출제율 95%

29 $(-\sqrt{5})^2+\sqrt{(-8)^2}\times(-\sqrt{(-3)^2})$을 계산하면?

중

① -19 ② -11 ③ 11
④ 13 ⑤ 19

출제율 90%

30 $\sqrt{(-7)^2}-\sqrt{81}+\sqrt{144}\div(-\sqrt{4^2})$을 계산하여라.

중

출제율 85%

31 $\sqrt{64}-2\sqrt{(-1)^2}-\sqrt{5^2}\times(-\sqrt{3})^2$을 계산하면?

중

① -9 ② -5 ③ 17
④ 21 ⑤ 25

대표유형 $\sqrt{a^2}$의 꼴을 포함한 식을 간단히 하기

32 $a<0$일 때, $\sqrt{a^2}+\sqrt{(-2a)^2}$을 간단히 하면?

① 0 ② $-a$ ③ $-2a$
④ $-3a$ ⑤ $-4a$

내신 UP POINT

$\sqrt{(\text{양수})^2}=(\text{양수})$, $\sqrt{(\text{음수})^2}=-(\text{음수})$이므로 $\sqrt{(\quad)^2}$일 때, ( ) 안의 값이 양수인지 음수인지를 따져 본다.

출제율 90%

33 $a>0$일 때, $\sqrt{(-a)^2}-\sqrt{4a^2}-\sqrt{(-3a)^2}$을 간단히 하면?

중

① 0 ② $-a$ ③ $-2a$
④ $-3a$ ⑤ $-4a$

출제율 85%

34 두 수 a, b에 대하여 $a>b$, $ab<0$일 때, $\sqrt{a^2}-\sqrt{(-2a)^2}+\sqrt{b^2}$을 간단히 하면?

상

① $a+b$ ② $-a-b$ ③ $3a+b$
④ $a-b$ ⑤ $-a+b$

대표 유형 **$\sqrt{(a-b)^2}$의 꼴을 포함한 식을 간단히 하기**

35 $x>0$일 때, $\sqrt{(-x)^2}+\sqrt{(x+2)^2}$을 간단히 하여라.

내신 UP POINT

$\sqrt{(a-b)^2}$의 꼴의 식을 간단히 할 때에는 $a-b$의 부호를 먼저 알아본다.

(1) $a-b>0$일 때, $\sqrt{(a-b)^2}=a-b$

(2) $a-b<0$일 때, $\sqrt{(a-b)^2}=-(a-b)=-a+b$

출제율 95%

36 $-2<x<5$일 때, $\sqrt{(x+2)^2}+\sqrt{(x-5)^2}$을 간단히 하면? (하)

① -7 ② 3 ③ 7
④ $x-3$ ⑤ $-x+3$

출제율 95%

37 $x<-3$일 때, $\sqrt{(x+2)^2}+\sqrt{(x+3)^2}$ 을 간단히 하면? (중)

① -1 ② 1 ③ $2x+5$
④ $2x-1$ ⑤ $-2x-5$

출제율 90%

38 $x<0$일 때, $\sqrt{x^2}+\sqrt{(x-2)^2}+2\sqrt{(-x)^2}$ 을 간단히 하면? (중)

① 2 ② -2 ③ $-4x+2$
④ $-4x-2$ ⑤ $4x+2$

출제율 90%

39 $2<a<3$일 때, $\sqrt{(1-a)^2}+\sqrt{(3-a)^2}$ 을 간단히 하면? (중)

① 2 ② $-2a$ ③ $2a-2$
④ $2a-4$ ⑤ $4-2a$

출제율 80%

40 세 수 a, b, c에 대하여 $a>0$, $b>0$, $c>0$이고 $a>b>c$일 때, 다음 식을 간단히 하여라. (상)

$$\sqrt{(a-b)^2}-\sqrt{(b-c)^2}-\sqrt{(c-a)^2}$$

대표 유형 **제곱근의 대소 관계**

41 다음 중 두 수의 대소 관계가 옳은 것은?

① $\sqrt{8}<3$ ② $-\sqrt{15}<-4$ ③ $0<-\sqrt{2}$
④ $\frac{1}{2}>\sqrt{\frac{1}{2}}$ ⑤ $\sqrt{10}<\sqrt{9}$

내신 UP POINT

제곱근의 대소 관계

(1) (음수)$<0<$(양수)

(2) 양수끼리는 근호 안의 수가 큰 수가 크고, 음수끼리는 근호 안의 수가 큰 수가 작다.

(3) 근호가 있는 수와 근호가 없는 수의 대소를 비교할 때에는 근호가 없는 수를 근호가 있는 수로 바꾸어 비교하는 것이 편리하다.

출제율 95%

42 다음 중 두 수의 대소 관계가 옳지 <u>않은</u> 것은? (중)

① $2>\sqrt{2}$ ② $-\sqrt{8}<-2$ ③ $\sqrt{\frac{3}{4}}<\frac{3}{2}$
④ $\sqrt{\frac{1}{5}}<\sqrt{\frac{1}{6}}$ ⑤ $-\sqrt{13}>-4$

출제율 90%

43 $a=-3$, $b=-\sqrt{12}$, $c=-\sqrt{10}$일 때, 세 수의 대소 관계로 옳은 것은? (중)

① $a<b<c$ ② $a<c<b$ ③ $b<a<c$
④ $b<c<a$ ⑤ $c<a<b$

출제율 85%

44 다음 수 중 가장 큰 수와 가장 작은 수를 차례로 구하여라.

중

$-\sqrt{28},\quad -4,\quad -\sqrt{30},\quad \sqrt{8},\quad 5$

출제율 85%

45 다음 수를 큰 수부터 차례로 나열할 때, 두 번째로 큰 수는?

상

① $\frac{2}{5}$ ② $\sqrt{\frac{2}{5}}$ ③ $\sqrt{\frac{4}{5}}$
④ $\sqrt{\frac{1}{10}}$ ⑤ $\sqrt{\frac{1}{2}}$

대표유형 **제곱근을 포함한 부등식**

46 $\sqrt{x}<3$을 만족하는 자연수 x의 개수는?

① 6개 ② 7개 ③ 8개
④ 9개 ⑤ 10개

내신 UP POINT
$\sqrt{x}<a$(a는 양수)를 만족하는 자연수 x의 값을 구하는 방법
[방법1] 각 변을 제곱하여 근호를 없앤다.
[방법2] $a=\sqrt{a^2}$과 같이 근호가 있는 수로 고친다.

출제율 90%

47 $\sqrt{3n}\le5$를 만족하는 자연수 n의 값 중 가장 큰 값을 구하면?

하

① 5 ② 6 ③ 7
④ 8 ⑤ 9

출제율 90%

48 $\frac{3}{2}<\sqrt{\frac{x}{2}}$를 만족하는 자연수 x의 값 중 가장 작은 값을 구하여라.

하

출제율 90%

49 $-3.5\le-\sqrt{x}$를 만족하는 자연수 x의 개수는?

중

① 5개 ② 8개 ③ 10개
④ 11개 ⑤ 12개

출제율 90%

50 $-\sqrt{2n-3}>-3$을 만족하는 자연수 n의 값들의 합은?

중

① 6 ② 9 ③ 10
④ 12 ⑤ 15

출제율 85%

51 $a<\sqrt{20}$을 만족하는 자연수 a를 모두 구하여라.

중

출제율 85%

52 $-\sqrt{8}$에 가장 가까운 정수를 A, $\sqrt{35}$에 가장 가까운 정수를 B라 할 때, $A+B$의 값은?

중

① 2 ② 3 ③ 4
④ 5 ⑤ 27

출제율 80%

53 중 다음 두 부등식을 동시에 만족하는 자연수 x의 값들의 합을 구하여라.

$$-\sqrt{x}<-2 \qquad x\leq\sqrt{48}$$

대표유형 제곱수

54 $\sqrt{18n}$이 자연수일 때, n의 값으로 옳지 않은 것은?

① 2 ② 4 ③ 8
④ 18 ⑤ 32

내신 UP POINT

(1) 제곱수 : 1, 4, 9, 16, 25, …와 같이 자연수의 제곱인 수
(2) 제곱수의 제곱근은 근호($\sqrt{\ }$)를 사용하지 않고 나타낼 수 있다. 즉, $\sqrt{(\text{제곱수})}=\sqrt{(\text{자연수})^2}=(\text{자연수})$
(3) $\sqrt{A}$가 자연수가 되려면 A를 소인수분해했을 때, 소인수의 지수가 모두 짝수이어야 한다.

출제율 95%

55 하 $\sqrt{120x}$가 자연수가 되도록 하는 가장 작은 자연수 x의 값은?

① 4 ② 10 ③ 15
④ 20 ⑤ 30

출제율 85%

56 하 $5<n<25$일 때, $\sqrt{60n}$이 정수가 되도록 하는 자연수 n의 값을 구하여라.

출제율 80%

57 하 $\sqrt{19+x}$가 자연수가 되도록 하는 가장 작은 자연수 x의 값은?

① 2 ② 3 ③ 4
④ 5 ⑤ 6

출제율 95%

58 중 $\sqrt{20-a}$가 정수가 되도록 하는 자연수 a의 값들의 합은?

① 54 ② 70 ③ 76
④ 84 ⑤ 90

출제율 85%

59 상 $\sqrt{\frac{280}{n}}$이 자연수가 되도록 하는 가장 작은 자연수 n의 값을 구하여라.

대표유형 유리수와 무리수 구별하기

60 다음 중 무리수인 것은?

① $-\sqrt{9}$ ② $\sqrt{1600}$ ③ $\sqrt{0}$
④ $\sqrt{7}$ ⑤ $\sqrt{\frac{25}{4}}$

출제율 95%

61 하 다음 중 무리수는 모두 몇 개인가?

$$\sqrt{0.01},\quad \sqrt{2},\quad \pi,\quad \sqrt{\frac{1}{16}},\quad 2.45,\quad \sqrt{45}$$

① 1개 ② 2개 ③ 3개
④ 4개 ⑤ 5개

출제율 90%

62 다음 보기 중 순환하지 않는 무한소수를 모두 고른 것은?

중

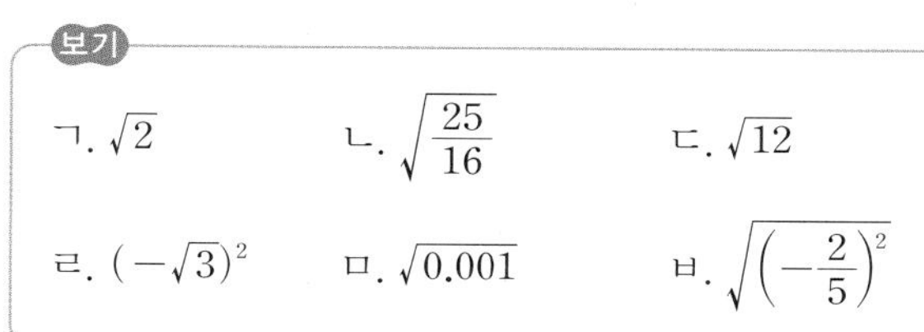

① ㄱ ② ㄱ, ㄷ, ㅁ ③ ㄱ, ㄷ, ㅂ
④ ㄴ, ㄹ, ㅂ ⑤ ㄱ, ㄴ, ㄷ, ㅁ

대표유형 **무리수의 이해**

63 다음 중 $\sqrt{5}$에 대한 설명으로 옳은 것은?

① 순환소수이다.
② 정수가 아닌 유리수이다.
③ 순환하지 않는 무한소수이다.
④ 유한소수로 나타낼 수 있다.
⑤ $\frac{b}{a}$의 꼴로 나타낼 수 있다. (단, $a \neq 0$, a, b는 정수)

내신 UP POINT

(1) 무리수는 순환하지 않는 무한소수로 나타내어진다.
(2) 무리수는 $\frac{(\text{정수})}{(0\text{이 아닌 정수})}$의 꼴로 나타낼 수 없다.
(3) 무리수이면서 유리수인 수는 없다.

출제율 95%

64 다음 중 옳지 <u>않은</u> 것은?

하

① 유한소수는 모두 유리수이다.
② 근호를 사용하여 나타낸 수는 모두 무리수이다.
③ 무한소수 중에는 유리수도 있다.
④ 순환하지 않는 무한소수는 무리수이다.
⑤ 무리수는 유리수가 아닌 수이다.

대표유형 **실수의 분류**

65 다음 학생들이 실수에 대하여 발표한 내용 중 옳지 <u>않은</u> 것은?

① 유빈 : 무리수는 무수히 많다.
② 선예 : 실수는 유리수와 무리수로 되어 있다.
③ 선미 : 모든 유리수는 분수로 나타낼 수 있다.
④ 소희 : 무리수는 근호를 써서 나타낸 수를 말한다.
⑤ 예은 : 무리수이면서 유리수인 수는 없다.

출제율 80%

66 다음 중 □ 안에 속하는 수를 모두 고르면? (정답 2개)

하

실수
- 유리수
  - 정수
    - 양의 정수(자연수)
    - 0
    - 음의 정수
  - 정수가 아닌 유리수
- □

① $\sqrt{0.9}$ ② $\sqrt{\frac{64}{49}}$ ③ $1.\dot{4}$
④ $\sqrt{6.25}$ ⑤ π

출제율 95%

67 다음 설명 중 옳지 <u>않은</u> 것은?

중

① 소수는 유한소수와 무한소수로 나누어진다.
② 유리수와 무리수를 통틀어 실수라 한다.
③ 모든 순환소수는 무리수이다.
④ 모든 실수는 서로 대소 관계를 파악할 수 있다.
⑤ 일반적으로 서로 다른 임의의 두 실수 사이에는 무수히 많은 실수가 있다.

대표유형 제곱근표

68 다음 제곱근 표를 보고 $\sqrt{x}=3.035$, $\sqrt{9.12}=y$일 때, $x+y$의 값을 구하면?

수	0	1	2	3
9.1	3.017	3.018	3.020	3.022
9.2	3.033	3.035	3.036	3.038

① 12.0 ② 12.23 ③ 13.022
④ 13.5 ⑤ 14.285

내신 UP POINT

제곱근표를 이용하여 제곱근의 값 구하기

예 제곱근표에서 $\sqrt{5.47}$의 값을 찾을 때

수	6	7	8
5.3	2.315	2.317	2.319
5.4	2.337	**2.339**	2.341
5.5	2.358	2.360	2.362

표의 맨 왼쪽에서 5.4의 가로줄과 맨 위쪽에서 7의 세로줄이 만나는 곳에 있는 수를 읽으면 된다.
즉, $\sqrt{5.47}=2.339$

출제율 95%

69 (하) 다음 중 주어진 제곱근표를 이용하여 구한 제곱근의 값이 옳지 <u>않은</u> 것은?

수	5	6	7	8
6.0	2.460	2.462	2.464	2.466
6.1	2.480	2.482	2.484	2.486
6.2	2.500	2.502	2.504	2.506
6.3	2.520	2.522	2.524	2.526

① $\sqrt{6.07}=2.464$ ② $\sqrt{6.15}=2.480$
③ $\sqrt{6.25}=2.5$ ④ $\sqrt{6.28}=2.506$
⑤ $\sqrt{6.36}=2.524$

출제율 85%

70 (하) 위 **69**의 제곱근표를 이용하여 $\sqrt{49}-\sqrt{6.35}$의 값을 구하여라.

대표유형 무리수를 수직선 위에 나타내기

71 다음 그림과 같이 수직선 위에 직각이등변삼각형 ABC가 있다. 점 A를 중심으로 하고 선분 AC를 반지름으로 하는 반원을 그렸을 때, 수직선과의 교점을 각각 P, Q라 하자. 이때 점 P, Q의 좌표를 각각 구하여라.

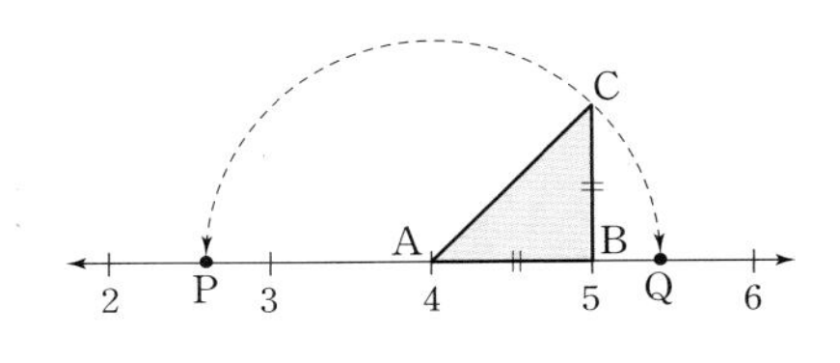

출제율 85%

72 (하) 오른쪽 그림과 같이 한 눈금의 길이가 1인 모눈종이 위의 직각삼각형 OAB에 대하여 빗변의 길이를 구하여라.

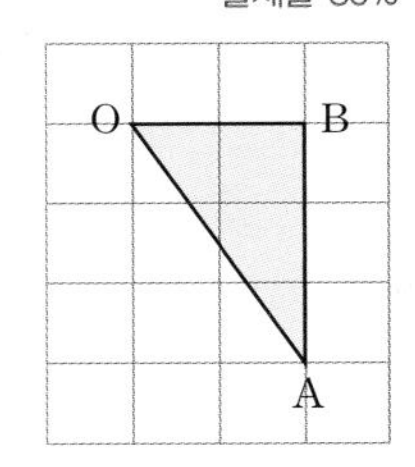

출제율 90%

73 (중) 다음 그림과 같이 한 눈금의 길이가 1인 모눈종이 위에 수직선과 두 직각삼각형 ABC, DEF를 그리고 $\overline{CA}=\overline{CP}$, $\overline{DF}=\overline{DQ}$가 되도록 수직선 위에 두 점 P, Q를 정할 때, 두 점 P, Q에 대응하는 수를 각각 구하여라.

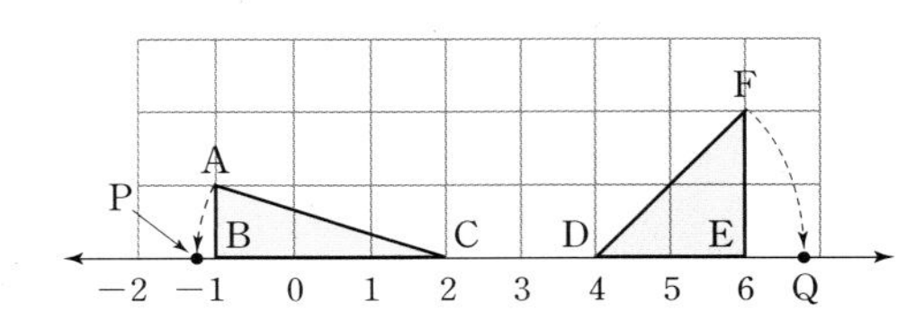

출제율 90%

74 하 다음 그림과 같이 수직선 위에 다섯 개의 정사각형이 있을 때, $\sqrt{2}-2$에 대응하는 점을 구하여라.

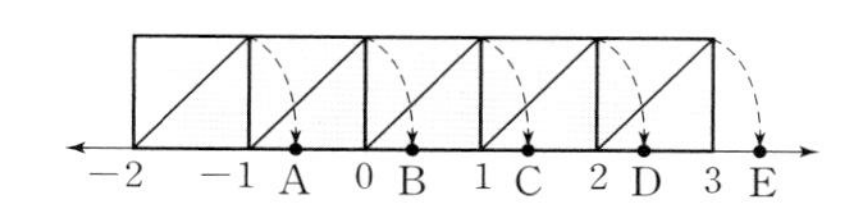

출제율 85%

75 중 다음 그림은 한 변의 길이가 1인 두 정사각형을 수직선 위에 그린 것이다. $\overline{PA}=\overline{PQ}$, $\overline{RB}=\overline{RS}$이고 두 점 A, B에 대응하는 수를 각각 a, b라 할 때, $a+b^2$의 값을 구하여라.

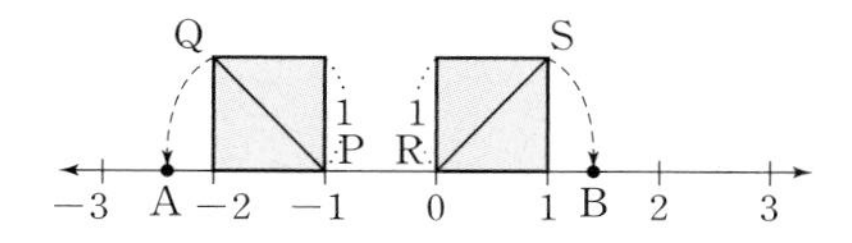

출제율 85%

76 중 오른쪽 그림과 같은 정사각형 ABCD가 있다. $\overline{BA}=\overline{BF}$, $\overline{BC}=\overline{BE}$일 때, 두 점 E, F의 좌표를 각각 구하여라.

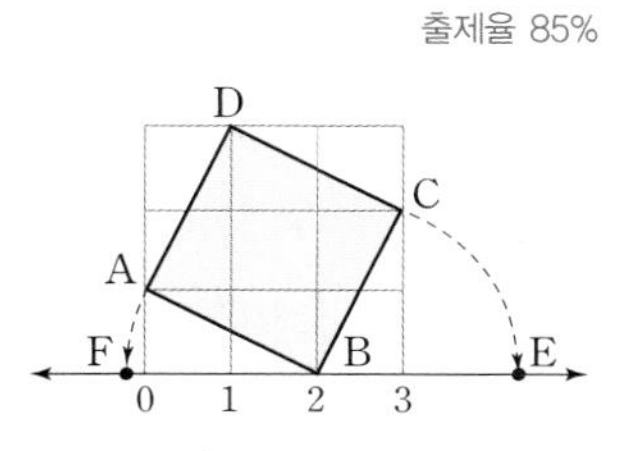

출제율 85%

77 중 오른쪽 그림에서 □ABCD와 □BGFE가 정사각형이고 $\overline{BA}=\overline{BP}$, $\overline{BG}=\overline{BQ}$일 때, 두 점 P, Q에 대응하는 수를 차례로 구하여라.

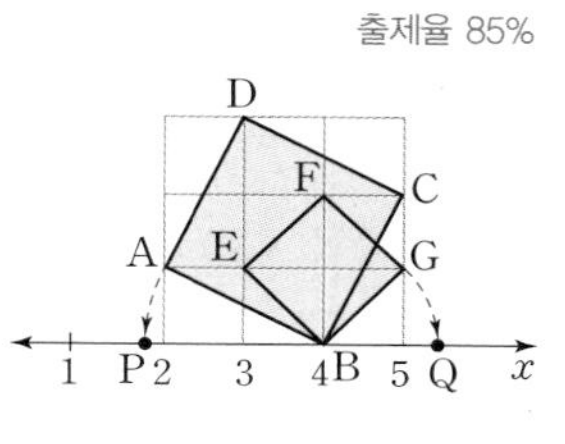

출제율 85%

78 중 오른쪽 그림과 같이 수직선 위에 정사각형 ABCD가 있다. $\overline{BA}=\overline{BF}$, $\overline{BC}=\overline{BE}$이고 점 E에 대응하는 수가 $\sqrt{5}-1$일 때, 점 F에 대응하는 수는?

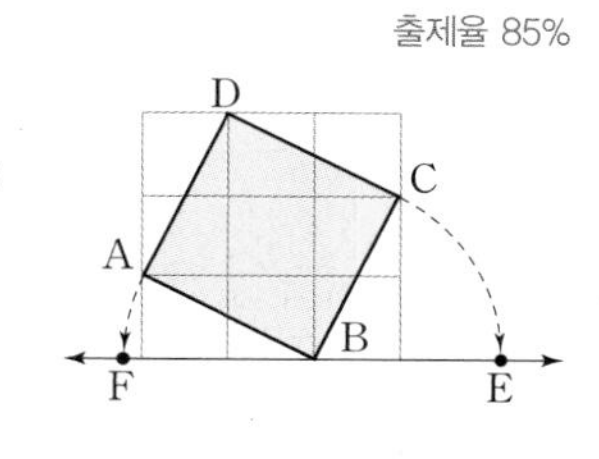

① $-1-\sqrt{5}$　② $-\sqrt{5}$　③ 0
④ $\sqrt{5}$　⑤ $1+\sqrt{5}$

출제율 85%

79 중 오른쪽 그림과 같이 넓이가 10인 정사각형 ABCD에 대하여 $\overline{DA}=\overline{DP}$가 되도록 수직선 위에 점 P를 정할 때, 점 P에 대응하는 수는?

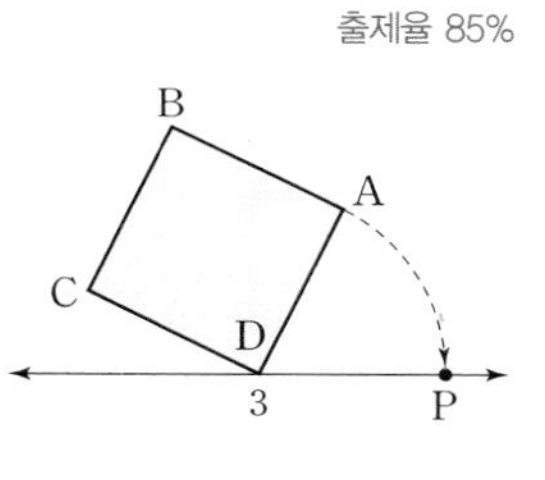

① $3-\sqrt{10}$　② $3+\sqrt{10}$　③ $-3+\sqrt{10}$
④ $-3-\sqrt{10}$　⑤ $\sqrt{10}$

대표유형 수직선 위의 실수의 성질

80 다음 보기 중 옳은 것을 모두 고른 것은?

보기
ㄱ. 1.7과 $\sqrt{3}$ 사이에는 무수히 많은 유리수가 있다.
ㄴ. 소수로 나타낼 때, 순환하지 않는 무한소수가 되는 수를 무리수라 한다.
ㄷ. 두 실수 사이에는 무수히 많은 무리수가 있다.
ㄹ. 수직선은 실수에 대응하는 점들로 완전히 메울 수 있다.
ㅁ. 유리수와 무리수를 통틀어 실수라 한다.

① ㄱ, ㄴ, ㄷ ② ㄱ, ㄷ, ㅁ
③ ㄷ, ㄹ, ㅁ ④ ㄱ, ㄴ, ㄷ, ㄹ
⑤ ㄱ, ㄴ, ㄷ, ㄹ, ㅁ

출제율 85%

81 다음 중 옳은 것은?
중

① 수직선 위에서 $\frac{\sqrt{10}-\sqrt{8}}{2}$은 $\sqrt{8}$과 $\sqrt{10}$의 중점에 대응하는 수이다.
② $\sqrt{2}$는 순환하지 않는 무한소수이다.
③ -2와 2 사이에는 유리수가 3개 있다.
④ 무리수 중에서 수직선 위에 나타낼 수 없는 것도 있다.
⑤ 유리수에 대응하는 점으로 수직선을 완전히 메울 수 있다.

출제율 80%

82 다음 중 옳은 것은 모두 몇 개인가?
중

ㄱ. -3과 $\sqrt{7}$ 사이에는 무수히 많은 자연수가 있다.
ㄴ. -3과 $\sqrt{7}$ 사이에는 무수히 많은 정수가 있다.
ㄷ. -3과 $\sqrt{7}$ 사이에는 무수히 많은 유리수가 있다.
ㄹ. -3과 $\sqrt{7}$ 사이에는 무수히 많은 무리수가 있다.
ㅁ. -3과 $\sqrt{7}$ 사이에는 무수히 많은 실수가 있다.

① 1개 ② 2개 ③ 3개
④ 4개 ⑤ 5개

대표유형 두 실수 사이의 수

83 다음 중 $\sqrt{3}$과 $\sqrt{6}$ 사이에 있는 수가 아닌 것은?
(단, $\sqrt{3}=1.732\cdots$, $\sqrt{6}=2.449\cdots$)

① $\sqrt{3}+0.1$ ② $\sqrt{3}+0.01$ ③ $\sqrt{6}+0.01$
④ $\sqrt{6}-0.5$ ⑤ $\sqrt{6}-0.02$

내신 UP POINT
임의의 두 실수 a, b 사이에 있는 수를 구하는 방법
(1) 두 실수의 중점을 이용하여 구한다. ➡ $\frac{a+b}{2}$
(2) a, b의 차보다 작은 수를 a, b 중 작은 수에 더하거나 큰 수에서 뺀다.

출제율 85%

84 다음 수 중 3과 4 사이에 있는 수는 모두 몇 개인가?
하

$\sqrt{\frac{40}{3}}$, $\sqrt{3.7}$, $\sqrt{13}$, $\sqrt{\frac{27}{4}}$, $\sqrt{17}$, $\sqrt{\frac{19}{2}}$

① 1개 ② 2개 ③ 3개
④ 4개 ⑤ 5개

출제율 85%

85 다음 중 $\sqrt{2}$와 $\sqrt{3}$ 사이에 있는 수가 아닌 것은?
중
(단, $\sqrt{2}=1.414\cdots$, $\sqrt{3}=1.732\cdots$)

① $\sqrt{2}+0.2$ ② $\sqrt{3}-0.2$ ③ $\sqrt{2}+0.03$
④ $\frac{\sqrt{2}+\sqrt{3}}{2}$ ⑤ $\frac{\sqrt{2}-\sqrt{3}}{2}$

출제율 80%

86 두 실수 $\sqrt{3}$과 $\sqrt{7}$에 대한 다음 설명 중 옳지 않은 것은? (단, $\sqrt{3}=1.732\cdots$, $\sqrt{7}=2.646\cdots$)
중

① $\sqrt{3}$과 $\sqrt{7}$ 사이에는 무수히 많은 무리수가 있다.
② $\sqrt{3}+1$은 $\sqrt{3}$과 $\sqrt{7}$ 사이에 있는 수이다.
③ $\sqrt{7}-0.1$은 $\sqrt{3}$과 $\sqrt{7}$ 사이에 있는 수이다.
④ $\frac{\sqrt{3}+\sqrt{7}}{2}$은 $\sqrt{3}$과 $\sqrt{7}$ 사이에 있는 수이다.
⑤ $\sqrt{3}$과 $\sqrt{7}$ 사이에는 1개의 정수가 있다.

개념 UP 01 제곱수의 활용

다음을 이용하여 문제를 해결한다.
(1) $\sqrt{(\text{제곱수})}=\sqrt{(\text{자연수})^2}=(\text{자연수})$
(2) 제곱수를 소인수분해하면 소인수의 지수가 모두 짝수이다.

출제율 85%

87 m, n이 자연수이고 $\sqrt{\dfrac{9000}{n}}=m$일 때, m의 값 중 가장 큰 값을 구하여라. (상)

출제율 80%

88 $\sqrt{\dfrac{252}{n}}$, $\sqrt{700n}$을 모두 자연수가 되도록 하는 자연수 n의 값의 개수는? (상)

① 1개 ② 2개 ③ 3개
④ 4개 ⑤ 무수히 많다.

출제율 80%

89 $\sqrt{200-a}-\sqrt{20+b}$의 값이 가장 큰 자연수가 되도록 하는 자연수 a, b에 대하여 $a+b$의 값을 구하여라. (상)

개념 UP 02 $\sqrt{x}$ 이하의 자연수 구하기

$\sqrt{x}$ 이하의 자연수를 구할 때에는 x와 가장 가까운 제곱수 2개를 찾아 x의 값의 범위를 나타낸다.

출제율 85%

90 자연수 x에 대하여 $\sqrt{x}$ 이하의 자연수 중 가장 큰 수를 $f(x)$라 할 때, $f(80)-f(40)$의 값은? (상)

① 1 ② 2 ③ 3
④ 4 ⑤ 5

출제율 85%

91 자연수 x에 대하여 $\sqrt{x}$ 이하의 자연수의 개수를 $N(x)$라 하자. 예를 들면, $2<\sqrt{5}<3$이므로 $N(5)=2$이다. 이때 $N(1)+N(2)+N(3)+\cdots+N(10)$의 값은? (상)

① 16 ② 18 ③ 19
④ 20 ⑤ 22

출제율 80%

92 자연수 x에 대하여 $\sqrt{x}$보다 작은 자연수의 개수를 $N(x)$라 하자. 예를 들면, $1<\sqrt{2}<2$이므로 $N(2)=1$이다. 이때 $N(1)+N(2)+N(3)+\cdots+N(n)=50$을 만족하는 자연수 n의 값은? (상)

① 19 ② 20 ③ 21
④ 22 ⑤ 23

이것만 봐도 70점!

01 다음 중 옳지 <u>않은</u> 것을 모두 고르면? (정답 2개)

① 9의 제곱근은 $\pm\sqrt{3}$이다.
② 0의 제곱근은 0이다.
③ $\sqrt{36}$의 제곱근은 $\pm\sqrt{6}$이다.
④ $(-4)^2$의 제곱근은 -4이다.
⑤ 음수의 제곱근은 없다.

02 $\sqrt{49}$의 음의 제곱근을 a, $\sqrt{4^2}$의 양의 제곱근을 b라 할 때, 다음 중 a^2+b의 값은?

① 9 ② 7 ③ 5
④ 3 ⑤ -5

03 $-\sqrt{16}+(-\sqrt{8})^2-\sqrt{(-6)^2}+\sqrt{144}$를 계산하면?

① 2 ② 4 ③ 6
④ 8 ⑤ 10

04 $x>0$일 때, $\sqrt{(-3x)^2}-\sqrt{4x^2}$을 간단히 하면?

① -1 ② 0 ③ 1
④ $-x$ ⑤ x

05 $a>b$일 때, $\sqrt{(a-b)^2}-\sqrt{(b-a)^2}$을 간단히 하면?

① $-2a$ ② 0 ③ $2a$
④ $2a-2b$ ⑤ $2b$

06 다음 중 $\sqrt{80x}$가 자연수가 되도록 하는 가장 작은 자연수 x의 값은?

① 2 ② 5 ③ 7
④ 8 ⑤ 10

07 $\sqrt{10-x}$가 정수가 되도록 하는 자연수 x의 개수는?

① 2개 ② 3개 ③ 4개
④ 5개 ⑤ 6개

08 다음 중 대소 관계가 옳은 것은?

① $\sqrt{12}>\sqrt{13}$ ② $\sqrt{0.1}<0.1$ ③ $\sqrt{\frac{1}{2}}>\frac{1}{2}$
④ $3<\sqrt{8}$ ⑤ $\sqrt{2}>2$

09 다음 수 중 세 번째로 큰 수는?

$\sqrt{3}$, $\sqrt{\frac{5}{2}}$, 0, 2, -1, $\sqrt{2}$

① $\sqrt{3}$　② $\sqrt{\frac{5}{2}}$　③ 0
④ 2　⑤ $\sqrt{2}$

10 $9<\sqrt{x}\le 11$을 만족하는 자연수 x의 개수는?

① 38개　② 39개　③ 40개
④ 41개　⑤ 42개

11 다음 중 무리수를 모두 고르면? (정답 2개)

① $\sqrt{7}$　② $\sqrt{64}$　③ $0.\dot{4}$
④ π　⑤ $\frac{7}{9}$

12 다음 설명 중 옳은 것은?

① 무한소수는 무리수이다.
② 유리수는 유한소수이다.
③ 순환소수는 유리수이다.
④ 유리수가 되는 무리수도 있다.
⑤ 근호를 사용하여 나타낸 수는 모두 무리수이다.

13 다음 그림의 직각삼각형 ABC에서 $\overline{CA}=\overline{CP}=a$, 점 P에 대응하는 수를 b라 할 때, a, b의 값을 차례로 구하여라.

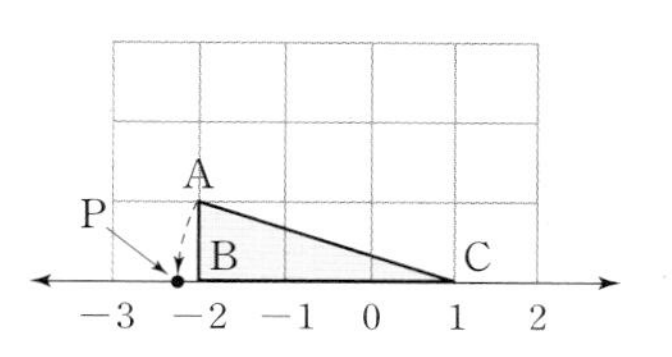

14 오른쪽 그림과 같은 정사각형 ABCD에 대하여 $\overline{AD}=\overline{DP}$일 때, 수직선 위의 점 P에 대응하는 수는?

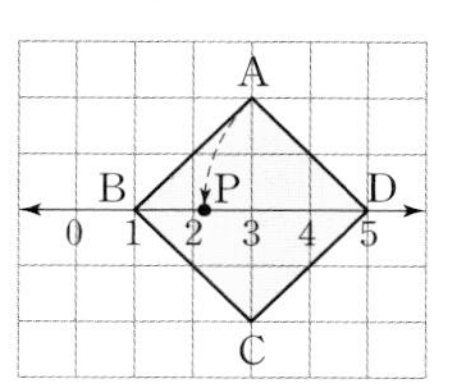

① $5-\sqrt{2}$　② $5-\sqrt{8}$
③ $1-\sqrt{8}$　④ $3-\sqrt{8}$
⑤ $3+\sqrt{8}$

15 다음  는 무리수와 실수에 관한 설명이다. 옳은 것을 모두 골라라.

보기
ㄱ. 유리수와 무리수를 통틀어 실수라 한다.
ㄴ. 무한소수는 모두 무리수이다.
ㄷ. 무리수는 $\frac{(정수)}{(0이 아닌 정수)}$의 꼴로 나타낼 수 있다.
ㄹ. 수직선은 실수로 완전히 메울 수 있다.
ㅁ. 1과 2 사이에는 무수히 많은 실수가 있다.

16 다음 중 $\sqrt{3}$과 $\sqrt{6}$ 사이의 수가 아닌 것은?
(단, $\sqrt{3}=1.732\cdots$, $\sqrt{6}=2.449\cdots$)

① $\sqrt{5}$　② $\sqrt{6}-1$　③ 2
④ $\sqrt{3}+0.3$　⑤ $\frac{\sqrt{3}+\sqrt{6}}{2}$

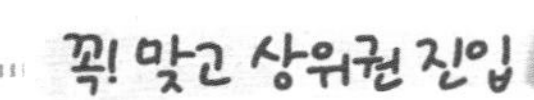

17 닮음비가 $3:4$인 두 정사각형의 넓이의 합이 $100\ \text{cm}^2$일 때, 작은 정사각형의 한 변의 길이는?

① 3 cm ② 4 cm ③ 6 cm
④ 8 cm ⑤ 10 cm

18 $0<x<1$일 때, $\sqrt{\left(x-\frac{1}{x}\right)^2}-\sqrt{\left(x+\frac{1}{x}\right)^2}-\sqrt{(2x)^2}$을 간단히 하면?

① $-4x$ ② $-x$ ③ 0
④ x ⑤ $2x$

19 자연수 a, b에 대하여 $\sqrt{360a}=b$일 때, $a+b$의 값 중 가장 작은 값은?

① 30 ② 40 ③ 50
④ 60 ⑤ 70

20 다음 그림과 같이 반지름의 길이가 1인 원이 수직선 위에서 좌표가 1인 점에 접하고 있다. 이 원을 오른쪽으로 반 바퀴 돌려서 점 A가 원과 수직선의 접점이 되게 하면 점 A에 대응하는 수는?

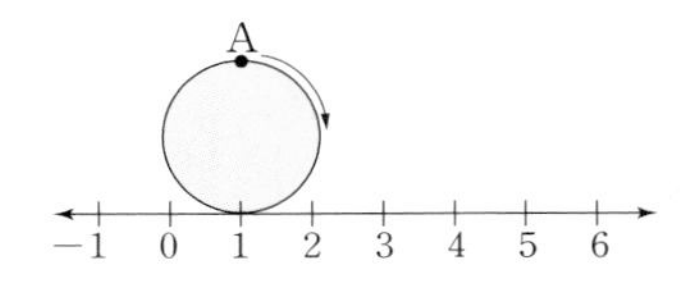

① $1+\pi$ ② π ③ $1-\pi$
④ $1+2\pi$ ⑤ 2π

21 $\sqrt{\frac{72}{n}}$가 정수가 되도록 하는 정수 n의 개수는?

① 1개 ② 2개 ③ 3개
④ 4개 ⑤ 5개

22 자연수 x에 대하여 $\sqrt{x}$ 이하의 자연수의 개수를 $N(x)$라 하자. 이때
$N(1)+N(2)+N(3)+\cdots+N(15)$의 값은?

① 31 ② 34 ③ 37
④ 38 ⑤ 42

서술형 PERFECT 문제

단계형

23 $0<a<1$일 때, 다음을 작은 것부터 차례로 나열하여라. [7점]

$$a^2,\ \sqrt{a},\ a,\ \sqrt{\frac{1}{a}},\ \frac{1}{a}$$

1단계 $a=\frac{1}{2}$로 놓고 주어진 식의 값 구하기 [2점]

2단계 구한 식의 값을 모두 근호가 있는 수로 바꾸어 나타내기 [3점]

3단계 작은 것부터 차례로 나열하기 [2점]

단계형

24 다음 그림에서 사각형 ABCD는 한 변의 길이가 1인 정사각형이다. 점 P에 대응하는 수가 $6-\sqrt{2}$이고 $\overline{BD}=\overline{BP}$, $\overline{AC}=\overline{AQ}$일 때, 점 Q에 대응하는 수를 구하여라. [6점]

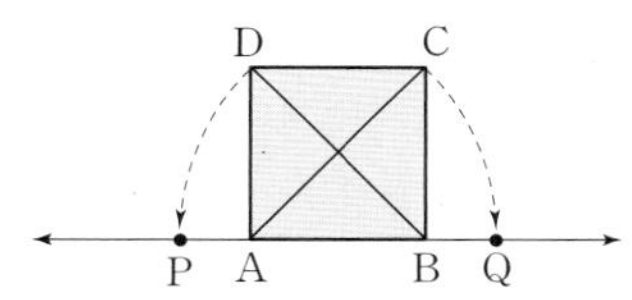

1단계 점 A에 대응하는 수 구하기 [2점]

2단계 $\overline{AQ}$의 길이 구하기 [2점]

3단계 점 Q에 대응하는 수 구하기 [2점]

사고력

25 두 수 x, y에 대하여 $xy>0$, $x+y<0$, $x<y$일 때, $\sqrt{x^2}-\sqrt{y^2}+\sqrt{(x-y)^2}$을 간단히 하여라. [7점]

사고력

26 다음 두 부등식을 만족하는 자연수 x의 값 중에서 가장 큰 값을 m, 가장 작은 값을 n이라 할 때, $m-n$의 값을 구하여라. [6점]

$$\sqrt{x+2}\le 6,\ -\sqrt{3x}\le -5$$

01 제곱근의 곱셈과 나눗셈

(1) $a>0$, $b>0$이고, m, n이 유리수일 때

① $\sqrt{a}\times\sqrt{b}=\sqrt{ab}$

② $m\sqrt{a}\times n\sqrt{b}=mn\sqrt{ab}$

(2) $a>0$, $b>0$이고, m, n이 유리수일 때

① $\sqrt{a}\div\sqrt{b}=\dfrac{\sqrt{a}}{\sqrt{b}}=\sqrt{\dfrac{a}{b}}$

② $m\sqrt{a}\div n\sqrt{b}=\dfrac{m}{n}\sqrt{\dfrac{a}{b}}$

02 근호가 있는 식의 변형

(1) $a>0$, $b>0$일 때

$\sqrt{a^2b}=\sqrt{a^2}\times\sqrt{b}=a\sqrt{b}$

(2) $a>0$, $b>0$일 때

① $\sqrt{\dfrac{b}{a^2}}=\dfrac{\sqrt{b}}{\sqrt{a^2}}=\dfrac{\sqrt{b}}{a}$

② $\sqrt{\dfrac{b^2}{a}}=\dfrac{\sqrt{b^2}}{\sqrt{a}}=\dfrac{b}{\sqrt{a}}$

포인트 개념

- $\sqrt{a^2b}$를 $a\sqrt{b}$의 꼴로 나타내려면 근호 안의 수를 소인수분해하여 지수가 짝수인 수를 근호 밖으로 꺼낸다.
  ➡ $\sqrt{12}=\sqrt{2^2\times3}=2\sqrt{3}$
- $a\sqrt{b}$를 $\sqrt{a^2b}$의 꼴로 나타내려면 근호 밖의 양수를 제곱하여 근호 안으로 넣는다.
  ➡ $3\sqrt{2}=\sqrt{3^2\times2}=\sqrt{18}$

03 분모의 유리화

(1) 분모의 유리화 : 분모에 근호가 있을 때, 분모, 분자에 0이 아닌 같은 수를 곱하여 분모를 유리수로 고치는 것을 분모의 유리화라 한다.

(2) 분모의 유리화 방법

① $a>0$일 때 $\dfrac{b}{\sqrt{a}}=\dfrac{b\times\sqrt{a}}{\sqrt{a}\times\sqrt{a}}=\dfrac{b\sqrt{a}}{a}$

② $c>0$일 때 $\dfrac{b}{a\sqrt{c}}=\dfrac{b\times\sqrt{c}}{a\sqrt{c}\times\sqrt{c}}=\dfrac{b\sqrt{c}}{ac}$

예제 1

다음 식을 간단히 하여라.

(1) $\sqrt{2}\times\sqrt{32}$ (2) $2\sqrt{3}\times3\sqrt{\dfrac{2}{3}}$

(3) $\sqrt{96}\div\sqrt{24}$ (4) $\dfrac{6\sqrt{42}}{3\sqrt{6}}$

예제 2

다음 수를 $a\sqrt{b}$의 꼴로 나타내어라. (단, a는 유리수, b는 가능한 한 가장 작은 자연수)

(1) $\sqrt{20}$ (2) $-\sqrt{50}$

예제 3

다음 수를 $\dfrac{\sqrt{b}}{a}$의 꼴로 나타내어라. (단, a는 유리수, b는 가능한 한 가장 작은 자연수)

(1) $\sqrt{\dfrac{21}{48}}$ (2) $-\sqrt{0.06}$

예제 4

다음 수의 분모를 유리화하여라.

(1) $\dfrac{2}{\sqrt{3}}$ (2) $\dfrac{5}{2\sqrt{5}}$

04 제곱근의 덧셈과 뺄셈

(1) 제곱근의 덧셈 : 근호 부분이 같은 것은 다항식의 덧셈에서 동류항끼리 더하는 것과 같은 방법으로 계산한다.

➡ $m\sqrt{a}+n\sqrt{a}=(m+n)\sqrt{a}$

(2) 제곱근의 뺄셈 : 근호 부분이 같은 것은 다항식의 뺄셈에서 동류항끼리 빼는 것과 같은 방법으로 계산한다.

➡ $m\sqrt{a}-n\sqrt{a}=(m-n)\sqrt{a}$

(3) 근호 안의 제곱인 인수를 근호 밖으로 꺼낸 후에 동류항끼리 계산한다.

예제 5

다음 식을 간단히 하여라.

(1) $2\sqrt{2}+3\sqrt{2}$

(2) $4\sqrt{3}-7\sqrt{3}$

(3) $\sqrt{6}+5\sqrt{6}-2\sqrt{6}$

05 근호를 포함한 복잡한 식의 계산

(1) 무리수의 분배법칙 : $a>0$, $b>0$, $c>0$일 때

① $\sqrt{a}(\sqrt{b}\pm\sqrt{c})=\sqrt{a}\sqrt{b}\pm\sqrt{a}\sqrt{c}=\sqrt{ab}\pm\sqrt{ac}$

② $(\sqrt{a}\pm\sqrt{b})\sqrt{c}=\sqrt{a}\sqrt{c}\pm\sqrt{b}\sqrt{c}=\sqrt{ac}\pm\sqrt{bc}$

(2) 근호를 포함한 복잡한 식을 계산하는 방법

① 괄호가 있으면 분배법칙을 이용하여 괄호를 푼다.

② 근호 안의 제곱인 인수는 근호 밖으로 꺼낸다.

③ 분모에 무리수가 있으면 분모를 유리화한다.

④ 곱셈과 나눗셈 부분을 먼저 계산한다.

⑤ 근호 안의 수가 같은 것끼리 모아서 덧셈, 뺄셈을 한다.

포인트 개념

• 유리수가 될 조건

a, b가 유리수, $\sqrt{m}$이 무리수일 때, $a+b\sqrt{m}$이 유리수가 될 조건은 $b=0$이다.

예제 6

다음 식을 간단히 하여라.

(1) $\sqrt{2}(\sqrt{2}+\sqrt{3})$

(2) $3\sqrt{7}-\sqrt{7}(\sqrt{7}+3)$

예제 7

다음 두 실수의 대소를 비교하여라.

(1) $\sqrt{3}+2$ ☐ 4

(2) $2-\sqrt{2}$ ☐ $2-\sqrt{3}$

06 실수의 대소 관계

두 실수 a, b에 대하여

(1) $a-b>0$이면 $a>b$

(2) $a-b=0$이면 $a=b$

(3) $a-b<0$이면 $a<b$

예 $\sqrt{3}+3$과 6의 크기 비교 ➡ $(\sqrt{3}+3)-6=\sqrt{3}-3=\sqrt{3}-\sqrt{9}<0$

$\therefore \sqrt{3}+3<6$

대표유형 제곱근의 곱셈과 나눗셈

01 다음 중 옳지 않은 것은?

① $\sqrt{5}\times\sqrt{6}=\sqrt{30}$
② $2\sqrt{3}\times\sqrt{2}=2\sqrt{6}$
③ $\sqrt{21}\times\sqrt{\frac{3}{7}}=3$
④ $\sqrt{72}\div\sqrt{\frac{8}{9}}=8$
⑤ $\sqrt{\frac{1}{2}}\div\sqrt{\frac{5}{2}}\div\sqrt{\frac{7}{5}}=\sqrt{\frac{1}{7}}$

출제율 95%

02 다음 식을 간단히 하여라.

하

(1) $\sqrt{2}\times\sqrt{7}$
(2) $2\sqrt{3}\times3\sqrt{2}$
(3) $\sqrt{\frac{2}{5}}\times\sqrt{\frac{7}{6}}$
(4) $5\sqrt{\frac{5}{2}}\times2\sqrt{\frac{8}{5}}$

출제율 95%

03 다음 식을 간단히 하여라.

하

(1) $\sqrt{12}\div\sqrt{2}$
(2) $4\sqrt{15}\div2\sqrt{5}$
(3) $\frac{\sqrt{48}}{\sqrt{3}}$
(4) $6\sqrt{\frac{10}{3}}\div\sqrt{\frac{5}{6}}$

출제율 90%

04 $\sqrt{\frac{14}{3}}\times\sqrt{\frac{5}{2}}\div\sqrt{\frac{10}{3}}=\sqrt{\frac{b}{a}}$일 때, $a+b$의 값은?

하

(단, a, b는 서로소인 자연수)

출제율 90%

05 다음 중 계산 결과가 나머지 넷과 다른 하나는?

하

① $\sqrt{\frac{2}{3}}\times\sqrt{\frac{1}{2}}$
② $3\times\frac{1}{\sqrt{3}}$
③ $2\sqrt{2}\div\sqrt{24}$
④ $\sqrt{6}\div\sqrt{18}$
⑤ $\frac{\sqrt{2}}{\sqrt{6}}$

대표유형 근호가 있는 식의 변형

06 $\sqrt{2^2\times3^2\times5}$를 근호 안의 수가 가장 작은 자연수가 되도록 $a\sqrt{b}$의 꼴로 나타낼 때, $a+b$의 값은?

① 10
② 11
③ 18
④ 30
⑤ 41

출제율 90%

07 $a>0$, $b>0$일 때, 다음 중 옳은 것은?

하

① $\sqrt{a^2b}=ab$
② $-a\sqrt{b}=\sqrt{-a^2b}$
③ $\sqrt{\frac{b^2}{a}}=\frac{b}{a}$
④ $\sqrt{\frac{b}{a^2}}=\frac{\sqrt{ab}}{a}$
⑤ $-\sqrt{ab^2}=-b\sqrt{a}$

출제율 95%

08 $\sqrt{108}=a\sqrt{3}$, $\sqrt{648}=b\sqrt{2}$일 때, $\frac{b}{a}$의 값은?

하

① $\frac{1}{3}$
② $\frac{1}{2}$
③ 2
④ 3
⑤ 9

09 $\sqrt{12}\times\sqrt{15}\times\sqrt{35}=a\sqrt{7}$일 때, a의 값은? 출제율 90%

하

① 10 ② 11 ③ 30
④ 90 ⑤ 900

10 $\sqrt{0.48}=a\sqrt{3}$일 때, a의 값은? 출제율 95%

하

① $\frac{1}{25}$ ② $\frac{4}{25}$ ③ $\frac{2}{5}$
④ $\frac{5}{2}$ ⑤ $\frac{25}{4}$

11 $\frac{\sqrt{54}}{3\sqrt{2}}=\frac{\square\sqrt{6}}{3\sqrt{2}}=\sqrt{\square}$에서 $\square$ 안에 들어갈 수를 차례로 쓰면? 출제율 90%

하

① 3, 3 ② 3, 2 ③ 6, 2
④ 9, 3 ⑤ 9, 2

12 $\sqrt{2}\times\sqrt{3}\times\sqrt{a}\times\sqrt{12}\times\sqrt{2a}=24$일 때, 상수 a의 값은? (단, $a>0$) 출제율 95%

중

① 2 ② 3 ③ 4
④ 6 ⑤ 8

13 $\frac{\sqrt{53+x}}{2}=3\sqrt{2}$를 만족하는 자연수 x의 값은? 출제율 90%

중

① 16 ② 17 ③ 18
④ 19 ⑤ 20

14 $\sqrt{2000}$은 $\sqrt{20}$의 A배이고 $\sqrt{0.05}$는 $\sqrt{20}$의 B배일 때, $\frac{A}{B}$의 값은? 출제율 85%

중

① $\frac{1}{2}$ ② $\frac{\sqrt{20}}{2}$ ③ $\sqrt{5}$
④ 100 ⑤ 200

15 $a>0$, $b>0$이고 $ab=50$일 때, $a\sqrt{\frac{2b}{a}}+b\sqrt{\frac{8a}{b}}$의 값은? 출제율 85%

상

① 10 ② $15\sqrt{2}$ ③ 20
④ $20\sqrt{5}$ ⑤ 30

대표유형 **문자를 이용한 제곱근의 표현**

16 $\sqrt{2}=a$, $\sqrt{20}=b$라 할 때, $\sqrt{50}$을 a, b를 사용하여 바르게 나타낸 것은?

① $10a$ ② $5a$ ③ $\frac{5}{2}ab$
④ ab^2 ⑤ $\frac{3}{a^2b}$

내신 UP POINT

문자를 이용하여 제곱근을 표현하는 순서
① 근호 안의 수를 소인수분해하기
② 근호를 분리하기
③ 주어진 문자를 이용하여 나타내기

출제율 95%

17 $\sqrt{3}=a$, $\sqrt{5}=b$라 할 때, $\sqrt{225}$를 a, b를 사용하여 바르게 나타낸 것은?

중

① ab ② $3ab$ ③ a^2b
④ ab^2 ⑤ a^2b^2

출제율 90%

18 $\sqrt{2}=a$, $\sqrt{3}=b$라 할 때, $\sqrt{1.5}$를 a, b를 사용하여 바르게 나타낸 것은?

중

① $a+b$ ② $\sqrt{a^2+b^2}$ ③ $2a+b^2$
④ $\frac{b}{a}$ ⑤ $\frac{a+b}{b^2}$

출제율 90%

19 $\sqrt{5}=a$, $\sqrt{10}=b$라 할 때, $\sqrt{0.125}$를 a, b를 사용하여 바르게 나타낸 것은?

중

① $\frac{b}{a}$ ② $\frac{b}{2a}$ ③ $\frac{a}{b}$
④ $\frac{a}{5b}$ ⑤ $\frac{a}{2b}$

대표유형 **분모의 유리화**

20 $\frac{21}{2\sqrt{7}}$의 분모를 유리화하면?

① $\frac{\sqrt{7}}{2}$ ② $\frac{3}{2}$ ③ $\sqrt{7}$
④ $\frac{3\sqrt{7}}{2}$ ⑤ $\frac{21\sqrt{7}}{2}$

내신 UP POINT

분모의 유리화 방법

a, b, c는 양의 유리수이고, $\sqrt{a}$, $\sqrt{b}$, $\sqrt{c}$는 무리수일 때

(1) $\frac{1}{\sqrt{a}}=\frac{\sqrt{a}}{\sqrt{a}\times\sqrt{a}}=\frac{\sqrt{a}}{a}$ (2) $\frac{b}{\sqrt{a}}=\frac{b\times\sqrt{a}}{\sqrt{a}\times\sqrt{a}}=\frac{b\sqrt{a}}{a}$

(3) $\frac{\sqrt{b}}{\sqrt{a}}=\frac{\sqrt{b}\times\sqrt{a}}{\sqrt{a}\times\sqrt{a}}=\frac{\sqrt{ab}}{a}$ (4) $\frac{b}{a\sqrt{c}}=\frac{b\times\sqrt{c}}{a\sqrt{c}\times\sqrt{c}}=\frac{b\sqrt{c}}{ac}$

출제율 90%

21 $\frac{\sqrt{7}}{2\sqrt{3}}=\frac{k}{6}$일 때, k의 값은?

하

① $3\sqrt{21}$ ② $2\sqrt{21}$ ③ $\sqrt{21}$
④ $\sqrt{22}$ ⑤ $\sqrt{3}$

출제율 85%

22 $a=\sqrt{3}$일 때, $\frac{6}{a}$은 a의 몇 배인가?

하

① 1배 ② $\sqrt{2}$배 ③ $\sqrt{3}$배
④ 2배 ⑤ 3배

출제율 95%

23 $\frac{5}{\sqrt{18}}=A\sqrt{2}$, $\frac{1}{2\sqrt{3}}=B\sqrt{3}$일 때, $A+B$의 값을 구하여라.

중

대표유형 **제곱근의 곱셈과 나눗셈의 혼합 계산**

24 $4\sqrt{5}\div 6\sqrt{2}\times 3\sqrt{6}$을 간단히 하면?

① $2\sqrt{5}$ ② $2\sqrt{15}$ ③ $2\sqrt{6}$
④ $4\sqrt{5}$ ⑤ $4\sqrt{15}$

내신 UP POINT

제곱근의 곱셈과 나눗셈의 혼합 계산

(1) 앞에서부터 차례로 계산한다.
(2) 나눗셈은 분수로 고치거나 역수의 곱셈으로 바꾸어 계산한다.
(3) 제곱근의 성질과 분모의 유리화를 이용한다.

출제율 95%

25 $3\sqrt{2}\times(-2\sqrt{6})\div\frac{\sqrt{3}}{2}$을 간단히 하면?

하

① -48　② -24　③ -18
④ $-24\sqrt{2}$　⑤ $-18\sqrt{2}$

출제율 95%

26 $\frac{2}{\sqrt{3}}\div\frac{\sqrt{5}}{\sqrt{3}}\times\frac{3\sqrt{5}}{\sqrt{6}}$를 간단히 하면?

하

① $\sqrt{6}$　② $\sqrt{5}$　③ $\sqrt{3}$
④ $\sqrt{2}$　⑤ $\frac{5\sqrt{6}}{3}$

출제율 90%

27 다음 식의 계산 결과가 6일 때, A에 알맞은 수를 구하여라.

중

$$A\times2\sqrt{2}\div\frac{4}{\sqrt{3}}$$

출제율 90%

28 $\frac{3}{\sqrt{7}}\div\frac{\sqrt{14}}{4}\times\frac{\sqrt{28}}{6}=\frac{a\sqrt{14}}{b}$일 때, 서로소인 자연수 a, b에 대하여 $a+b$의 값은?

중

① 6　② 9　③ 12
④ 15　⑤ 18

대표유형 **제곱근의 덧셈과 뺄셈**

29 다음 중 옳은 것은?

① $\sqrt{2}+\sqrt{3}=\sqrt{5}$　② $\sqrt{8}-\sqrt{5}=\sqrt{3}$
③ $2+\sqrt{3}=2\sqrt{3}$　④ $\sqrt{25}+\sqrt{3}=\sqrt{28}$
⑤ $-\sqrt{4}+\sqrt{9}=1$

출제율 95%

30 $5\sqrt{8}-3\sqrt{28}+\sqrt{63}-\sqrt{72}$를 간단히 하면?

하

① $4\sqrt{2}+5\sqrt{7}$　② $4\sqrt{2}-3\sqrt{7}$　③ $13\sqrt{2}-8\sqrt{7}$
④ $16\sqrt{2}+\sqrt{7}$　⑤ $4\sqrt{2}-5\sqrt{7}$

출제율 90%

31 $5\sqrt{5}+3\sqrt{20}-\sqrt{45}=a\sqrt{5}$일 때, a의 값은?

하

① 3　② 7　③ 8
④ 14　⑤ 16

출제율 95%

32 다음 중 계산이 옳지 않은 것을 모두 고르면? (정답 2개)

중

① $\sqrt{8}+\sqrt{2}=3\sqrt{2}$
② $\sqrt{5}+\sqrt{45}-\sqrt{80}=\sqrt{5}$
③ $\sqrt{\frac{2}{3}}\times\sqrt{\frac{9}{10}}\div\left(-\sqrt{\frac{3}{5}}\right)=-1$
④ $\frac{2\sqrt{5}}{5}+\frac{4}{\sqrt{5}}=6\sqrt{5}$
⑤ $5\sqrt{20}\div\sqrt{5}=10$

출제율 95%

33 $\sqrt{18}+\sqrt{32}-\sqrt{a}=5\sqrt{2}$일 때, a의 값은?

중

① 4 ② 5 ③ 6
④ 7 ⑤ 8

출제율 95%

34 $7\sqrt{a}-2=3\sqrt{a}+6$을 만족하는 a의 값은?

중

① 2 ② 3 ③ 4
④ 5 ⑤ 6

출제율 90%

35 $\frac{1}{\sqrt{8}}-\sqrt{32}+\frac{6}{\sqrt{18}}=k\sqrt{2}$가 성립할 때, 유리수 k의 값은?

중

① $-\frac{11}{4}$ ② $-\frac{9}{4}$ ③ $-\frac{3}{2}$
④ $\frac{1}{4}$ ⑤ $\frac{1}{2}$

출제율 90%

36 $\sqrt{2}-\frac{\sqrt{27}}{2}+\frac{\sqrt{3}}{4}-\frac{1}{\sqrt{2}}=a\sqrt{2}+b\sqrt{3}$일 때, $a+b$의 값을 구하여라. (단, a, b는 유리수)

중

출제율 90%

37 $4\sqrt{5}-\sqrt{x}=2\sqrt{5}$, $\sqrt{12}+\sqrt{y+7}=5\sqrt{3}$을 만족하는 x, y에 대하여 $\sqrt{x}+\sqrt{y}$의 값을 구하여라.

중

출제율 90%

38 오른쪽 그림과 같은 정사각형 ABCD가 있다. $\overline{BA}=\overline{BF}$, $\overline{BC}=\overline{BE}$일 때, 두 점 E, F 사이의 거리를 구하여라.

상

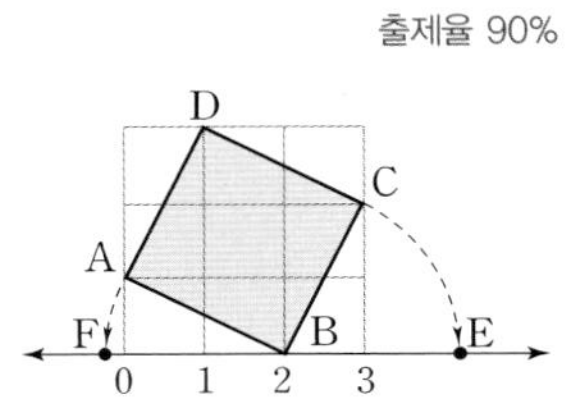

대표 유형 **근호가 있는 식의 분배법칙**

39 $3(\sqrt{20}-\sqrt{18})+\sqrt{8}(4-\sqrt{10})=a\sqrt{2}+b\sqrt{5}$일 때, $a+b$의 값을 구하여라. (단, a, b는 유리수)

중

내신 UP POINT

$a>0$, $b>0$, $c>0$일 때

(1) $\sqrt{a}(\sqrt{b}\pm\sqrt{c})=\sqrt{a}\sqrt{b}\pm\sqrt{a}\sqrt{c}$

(2) $(\sqrt{a}\pm\sqrt{b})\sqrt{c}=\sqrt{a}\sqrt{c}\pm\sqrt{b}\sqrt{c}$

(3) $\frac{\sqrt{a}+\sqrt{b}}{\sqrt{c}}=\frac{(\sqrt{a}+\sqrt{b})\sqrt{c}}{\sqrt{c}\times\sqrt{c}}=\frac{\sqrt{ac}+\sqrt{bc}}{c}$

출제율 95%

40 다음 중 옳은 것은?

하

① $\sqrt{3}(\sqrt{6}-\sqrt{3})=3\sqrt{2}-\sqrt{6}$

② $\frac{9}{4\sqrt{18}}=\frac{\sqrt{2}}{8}$

③ $\frac{\sqrt{3}}{\sqrt{12}}=\frac{\sqrt{2}}{2}$

④ $\frac{\sqrt{2}-\sqrt{3}}{\sqrt{8}}=\frac{1-\sqrt{6}}{2}$

⑤ $\sqrt{30}\div\sqrt{2}\times\sqrt{6}=3\sqrt{10}$

출제율 95%

41 $\dfrac{\sqrt{30}-\sqrt{5}}{\sqrt{5}}-\dfrac{3\sqrt{2}+\sqrt{3}}{\sqrt{3}}$을 간단히 하면?

중

① -2 ② $-2\sqrt{6}$ ③ 0
④ $2\sqrt{6}$ ⑤ 2

출제율 00%

42 $x=\sqrt{2}+2\sqrt{3}$, $y=\sqrt{2}-3\sqrt{3}$일 때, $\sqrt{3}x-\sqrt{2}y$의 값은?

중

① $3-2\sqrt{6}$ ② $3+2\sqrt{6}$ ③ $4+3\sqrt{6}$
④ $4+4\sqrt{6}$ ⑤ 4

출제율 80%

43 $a=\dfrac{\sqrt{3}+\sqrt{2}}{\sqrt{3}}$, $b=\dfrac{\sqrt{3}-\sqrt{2}}{\sqrt{3}}$일 때, $\dfrac{a+b}{a-b}$의 값을 구하여라.

상

대표유형 근호를 포함한 복잡한 식의 계산

44 $\dfrac{2\sqrt{3}+4}{\sqrt{3}}-\sqrt{2}(\sqrt{6}-\sqrt{2})=a+b\sqrt{3}$일 때, ab의 값은? (단, a, b는 유리수)

① -8 ② -6 ③ $-\dfrac{8}{3}$
④ 2 ⑤ 4

출제율 95%

45 $\sqrt{18}-\dfrac{\sqrt{3}}{\sqrt{2}}\left(\dfrac{\sqrt{48}}{2}-\dfrac{\sqrt{3}}{\sqrt{8}}\right)$을 간단히 하면?

중

① $3\sqrt{2}+\dfrac{3}{4}$ ② $6\sqrt{2}+\dfrac{3}{4}$ ③ $3\sqrt{2}$
④ $6\sqrt{2}$ ⑤ $\dfrac{3}{4}$

출제율 95%

46 $\sqrt{10}\left(\dfrac{1}{\sqrt{2}}-\dfrac{1}{\sqrt{5}}\right)-4\left(\dfrac{1}{\sqrt{8}}+\dfrac{1}{\sqrt{80}}\right)$을 간단히 하여라.

중

대표유형 제곱근의 사칙 계산의 도형에의 활용

47 부피가 $12\sqrt{5}\ \text{cm}^3$인 직육면체의 가로, 세로의 길이가 각각 $\sqrt{6}$ cm, $\sqrt{20}$ cm일 때, 이 직육면체의 높이를 구하여라.

출제율 95%

48 오른쪽 사다리꼴의 넓이를 구하여라.

하

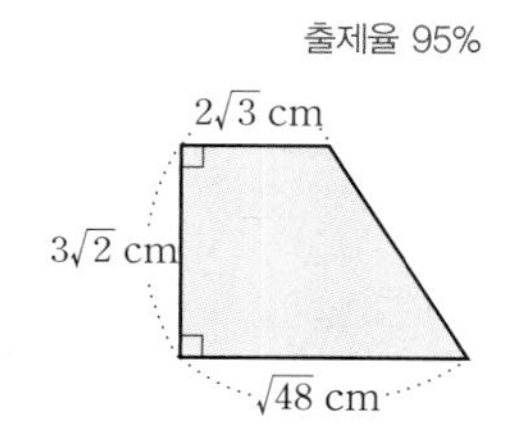

출제율 90%

49 가로의 길이가 $(\sqrt{3}+\sqrt{6})$, 세로의 길이가 $\sqrt{6}$, 높이가 $\sqrt{3}$인 직육면체의 겉넓이를 구하여라.

중

대표 유형 유리수가 될 조건

50 $4\sqrt{3}+2a-7-2a\sqrt{3}$이 유리수가 되도록 하는 유리수 a의 값은?

① 1 ② 2 ③ 3 ④ 4 ⑤ 5

내신 UP POINT
a, b가 유리수이고 $\sqrt{k}$가 무리수일 때, $a+b\sqrt{k}$가 유리수가 될 조건은 $b=0$이다.

출제율 95%

51 (중) $(3\sqrt{5}-1)a+15-\sqrt{5}$가 유리수가 되도록 하는 유리수 a의 값은?

① $\frac{1}{5}$ ② $\frac{1}{4}$ ③ $\frac{1}{3}$ ④ $\frac{1}{2}$ ⑤ 1

출제율 95%

52 (중) $8\sqrt{2}-4\sqrt{2}+6-\sqrt{2k}$가 유리수일 때, 유리수 k의 값은?

① -12 ② -8 ③ 1 ④ 4 ⑤ 16

출제율 80%

53 (상) $(3-2\sqrt{2})x+(2-\sqrt{2})y+1-3\sqrt{2}=0$일 때, $x+y$의 값을 구하여라. (단, x, y는 유리수)

대표 유형 실수의 대소 관계

54 다음 중 두 수의 대소 관계가 옳지 않은 것은?

① $\sqrt{15}+1>4$ ② $\sqrt{18}+3>\sqrt{8}+3$
③ $\sqrt{18}-1<\sqrt{12}-1$ ④ $2+\sqrt{6}>\sqrt{6}+\sqrt{3}$
⑤ $1-\sqrt{2}<2-\sqrt{2}$

출제율 90%

55 (하) 두 실수 $\sqrt{27}+1$과 $\sqrt{12}+3$의 대소를 비교하여라.

출제율 95%

56 (중) 다음 중 두 수의 대소 관계가 옳은 것은?

① $2>\sqrt{2}+1$ ② $5>\sqrt{8}+2$
③ $3-\sqrt{3}<3-\sqrt{5}$ ④ $3-\sqrt{5}>-1+\sqrt{5}$
⑤ $6-\sqrt{6}>4$

출제율 95%

57 (중) 세 수 $A=\sqrt{12}+1$, $B=5$, $C=\sqrt{18}+1$의 대소 관계로 옳은 것은?

① $C<B<A$ ② $C<A<B$ ③ $B<A<C$
④ $A<C<B$ ⑤ $A<B<C$

출제율 90%

58 (중) 세 수 x, y, z 중 가장 큰 수를 구하여라.

$$x=\sqrt{8}-\sqrt{7},\quad y=2+\sqrt{8},\quad z=2-\sqrt{7}$$

개념 UP 01 제곱근의 값을 이용한 계산

제곱근표에 없는 수의 제곱근의 값은 근호 안의 제곱인 인수를 밖으로 꺼내어 근호 안의 수를 제곱근표에 있는 수로 변형시켜 구한다.

- 근호 안의 수가 100보다 큰 수일 때, 제곱근의 값
  ➡ $\sqrt{100a}=10\sqrt{a}$, $\sqrt{1000a}=10\sqrt{10a}$
- 근호 안의 수가 0과 1 사이의 수일 때 제곱근의 값
  ➡ $\sqrt{\frac{a}{100}}=\frac{\sqrt{a}}{10}$, $\sqrt{\frac{a}{1000}}=\sqrt{\frac{10a}{10000}}=\frac{\sqrt{10a}}{100}$

출제율 90%

59 $\sqrt{7}=2.646$, $\sqrt{70}=8.367$일 때, $\sqrt{70000}$의 값은?

중

① 26.46 ② 264.6 ③ 2646
④ 83.67 ⑤ 836.7

출제율 90%

60 $\sqrt{2}=1.414$, $\sqrt{20}=4.472$일 때, $\sqrt{0.2}$의 값은?

중

① 0.01414 ② 0.1414 ③ 14.14
④ 0.4472 ⑤ 44.72

출제율 85%

61 $\sqrt{10}=3.162$일 때, $\sqrt{0.9}$의 값은?

상

① 0.3162 ② 0.4172 ③ 0.6827
④ 0.8294 ⑤ 0.9486

출제율 85%

62 $\sqrt{1.3}=1.140$, $\sqrt{13}=3.606$일 때, $\sqrt{520}$의 값은?

상

① 2.28 ② 7.212 ③ 22.8
④ 72.12 ⑤ 228

개념 UP 02 제곱근의 도형에의 활용

평면도형의 둘레의 길이와 넓이를 구하는 공식, 입체도형의 겉넓이와 부피를 구하는 공식 등을 이용하여 식을 세운 후 계산한다.

출제율 85%

63 다음 그림에서 A, B, C, D는 모두 정사각형이고, 정사각형의 넓이는 차례로 S_1, S_2, S_3, S_4이다. $S_1=12$, $S_2=\frac{1}{3}S_1$, $S_3=\frac{1}{3}S_2$, $S_4=\frac{1}{3}S_3$일 때, 정사각형 D의 한 변의 길이를 구하여라.

상

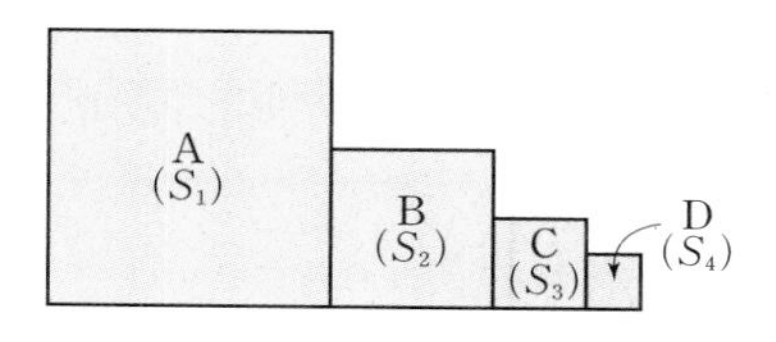

출제율 85%

64 오른쪽 그림은 원기둥의 전개도이다. 이 전개도로 만들어지는 원기둥의 부피를 구하여라.

상

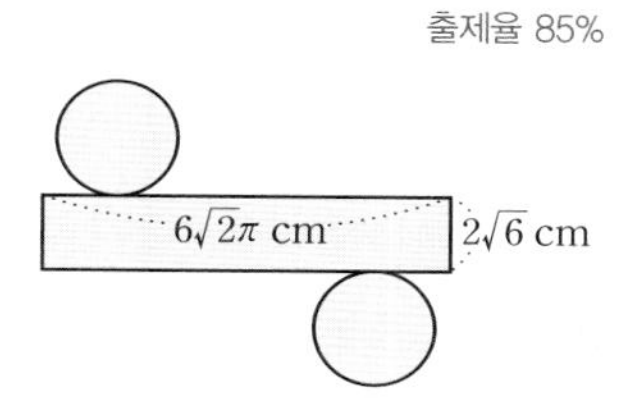

출제율 80%

65 오른쪽 그림은 한 변의 길이가 4인 정사각형 안에 정사각형의 각 변의 중점을 연결한 정사각형을 계속 그린 것이다. 색칠한 부분의 둘레의 길이를 구하여라.

상

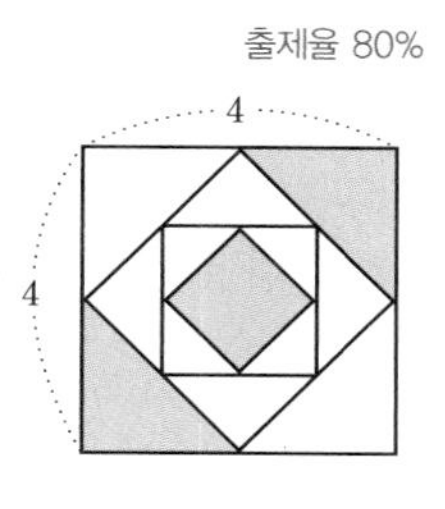

내신 STYLE 학교 시험 100점 맞기

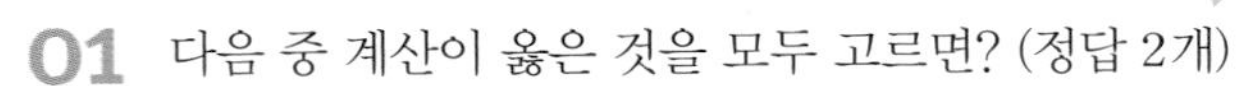

01 다음 중 계산이 옳은 것을 모두 고르면? (정답 2개)

① $\sqrt{2}\times\sqrt{5}=\sqrt{10}$　② $\sqrt{8}+\sqrt{2}=\sqrt{10}$
③ $2\sqrt{2}\times\sqrt{2}=8$　④ $\sqrt{2}+\sqrt{18}=4\sqrt{2}$
⑤ $\sqrt{75}\div\sqrt{3}=25$

02 다음은 제곱근의 성질을 이용하여 식을 간단히 한 것이다. $a+b+c$의 값을 구하여라. (단, a, b, c는 유리수)

(i) $\sqrt{48}=4\sqrt{a}$
(ii) $-2\sqrt{8}+\sqrt{50}=b\sqrt{2}$
(iii) $\sqrt{50}-(-\sqrt{3})^2-\frac{10}{\sqrt{2}}=c$

03 다음 중 계산 결과가 옳은 것은?

① $6\sqrt{3}-\sqrt{3}-\sqrt{12}=\sqrt{3}$
② $\sqrt{24}+2\sqrt{6}=6\sqrt{6}$
③ $\sqrt{540}\div\sqrt{3}\div\sqrt{5}=6\sqrt{5}$
④ $\sqrt{27}-\sqrt{12}=\sqrt{15}$
⑤ $6\sqrt{5}-2\sqrt{5}-3\sqrt{5}=\sqrt{5}$

04 다음 중 옳지 <u>않은</u> 것은?

① $\sqrt{18}=3\sqrt{2}$　② $-\sqrt{8}=-2\sqrt{2}$
③ $\sqrt{96}=4\sqrt{6}$　④ $\sqrt{6}\times\sqrt{10}=2\sqrt{15}$
⑤ $\frac{\sqrt{81}}{\sqrt{3}}=9\sqrt{3}$

05 $\sqrt{125}=a\sqrt{5}$, $\sqrt{\frac{1}{80}}=b\sqrt{5}$일 때, ab의 값은?

① $\frac{1}{20}$　② $\frac{1}{15}$　③ $\frac{1}{10}$
④ $\frac{1}{5}$　⑤ $\frac{1}{4}$

06 다음 식을 간단히 하여라.

$$\left(-\frac{2\sqrt{2}}{3}\right)\times\sqrt{\frac{15}{8}}\div\frac{\sqrt{3}}{2}$$

07 $2\sqrt{48}+2\sqrt{8}-3\sqrt{27}-\sqrt{18}$을 간단히 하면?

① $\sqrt{3}-\sqrt{2}$　② $\sqrt{2}+\sqrt{3}$　③ $\sqrt{2}-\sqrt{3}$
④ $2\sqrt{3}+\sqrt{2}$　⑤ $2\sqrt{3}-\sqrt{2}$

08 $\frac{2-\sqrt{2}}{\sqrt{2}}=a+b\sqrt{2}$일 때, ab의 값은?

① -2　② -1　③ 0
④ $\frac{2}{3}$　⑤ 1

09 다음 식을 간단히 하여라.

$$\sqrt{36}-\sqrt{24}+\frac{2\sqrt{3}-\sqrt{2}}{\sqrt{2}}-4\sqrt{6}$$

10 $\frac{10}{\sqrt{5}}(\sqrt{5}-\sqrt{2})-\frac{\sqrt{8}-2\sqrt{5}}{\sqrt{2}}$를 간단히 하여라.

11 오른쪽 그림과 같은 사다리꼴 ABCD의 넓이를 구하여라.

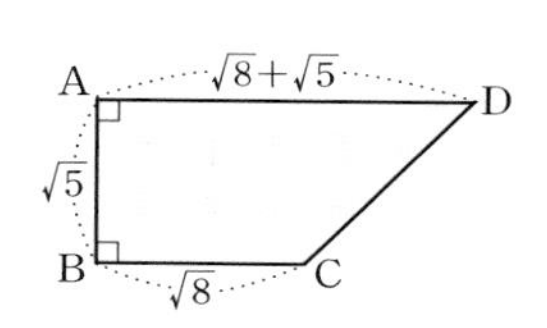

12 $\sqrt{3}(5\sqrt{3}-6)-a(1-\sqrt{3})$이 유리수가 되도록 하는 유리수 a의 값은?

① -15　② -9　③ -6
④ 6　⑤ 15

13 다음 중 아래의 제곱근표를 이용하여 그 값을 구할 수 <u>없는</u> 것은?

수	0	1	2	3	4
3.0	1.732	1.735	1.738	1.741	1.744
3.1	1.761	1.764	1.766	1.769	1.772
3.2	1.789	1.792	1.794	1.797	1.800
3.3	1.817	1.819	1.822	1.825	1.828
3.4	1.844	1.847	1.849	1.852	1.855

① $\sqrt{3.14}$　② $\sqrt{32000}$　③ $\sqrt{333}$
④ $\sqrt{0.0313}$　⑤ $\sqrt{34.1}$

14 $\sqrt{4.1}=2.025$, $\sqrt{41}=6.403$일 때, $\sqrt{410}$의 값은?

① 20.25　② 64.03　③ 202.5
④ 0.02025　⑤ 0.6403

15 다음 중 두 수의 대소 관계가 옳은 것은?

① $-\sqrt{6}-2<-\sqrt{10}-2$　② $4<\sqrt{8}+1$
③ $2+\sqrt{3}>\sqrt{5}+\sqrt{3}$　④ $\sqrt{15}+2>6$
⑤ $3+\sqrt{2}>\sqrt{2}+\sqrt{8}$

16 세 수 $A=2+\sqrt{5}$, $B=\sqrt{3}-2$, $C=1+2\sqrt{5}$ 중에서 가장 작은 수를 구하여라.

꼭! 맞고 상위권 진입 90점!

17 $a>0$, $b>0$이고 $ab=25$일 때, $\frac{a\sqrt{b}}{\sqrt{a}}+\frac{b\sqrt{a}}{\sqrt{b}}$의 값은?

① 5 ② 8 ③ 10
④ 12 ⑤ 15

18 $\overline{AB}=\overline{AP}$, $\overline{CD}=\overline{CQ}$이고 수직선 위의 두 점 P, Q에 대응하는 수를 각각 a, b라 할 때, $\sqrt{2}a-2b$의 값은? (단, 두 사각형은 한 변의 길이가 1인 정사각형이다.)

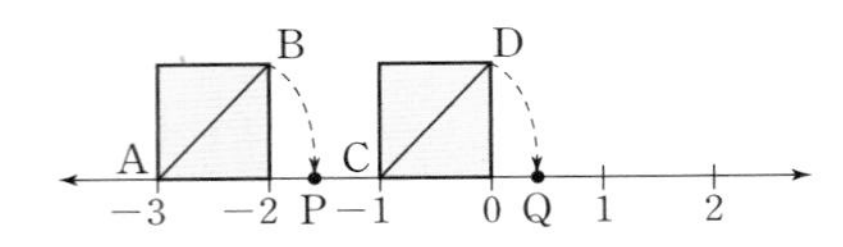

① $\sqrt{2}$ ② $-2\sqrt{2}$ ③ $4-2\sqrt{2}$
④ $-4-3\sqrt{2}$ ⑤ $4-5\sqrt{2}$

19 용선이는 무엇인가를 계산하다가 $\sqrt{19.17}$의 값이 필요하여 그 값을 구하기 위해 제곱근표를 찾았으나 다음 표와 같이 제곱근표의 일부분 밖에는 찾지 못하였다. $\sqrt{19.17}$의 값을 구하기 위하여 사용해야 할 제곱근은 어느 것인가?

수	0	1	2	3	4
2.1	1.449	1.453	1.456	1.459	1.463
2.2	1.483	1.487	1.490	1.493	1.497
2.3	1.517	1.520	1.523	1.526	1.530
2.4	1.549	1.552	1.556	1.559	1.562
2.5	1.581	1.584	1.587	1.591	1.594

① $\sqrt{2.13}$ ② $\sqrt{2.12}$ ③ $\sqrt{2.31}$
④ $\sqrt{2.44}$ ⑤ $\sqrt{2.53}$

20 $x=\frac{\sqrt{5}+2}{\sqrt{5}}$, $y=\frac{\sqrt{5}-2}{\sqrt{5}}$일 때, $\frac{x-y}{x+y}$의 값은?

① $\frac{\sqrt{5}}{5}$ ② $\frac{2\sqrt{5}}{5}$ ③ $\frac{4\sqrt{5}}{5}$
④ $\sqrt{5}$ ⑤ $2\sqrt{5}$

1등급 만점도전

21 오른쪽 그림은 한 변의 길이가 2인 정사각형 안에 정사각형의 각 변의 중점을 연결한 정사각형을 계속 그린 것이다. 색칠한 부분의 둘레의 길이는?

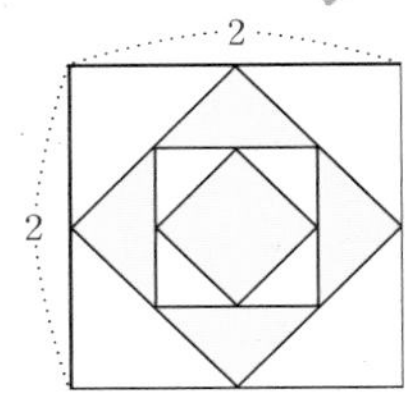

① $8+\sqrt{2}$ ② $4\sqrt{2}+4$ ③ $4\sqrt{2}+6$
④ $6\sqrt{2}+4$ ⑤ $6\sqrt{2}+6$

22 $x-y=4$, $xy=25$일 때, $\sqrt{\frac{x}{y}}-\sqrt{\frac{y}{x}}$의 값은?
(단, $x>0$, $y>0$)

① $\frac{4}{5}$ ② $-\frac{4}{5}$ ③ 4
④ -4 ⑤ 5

서술형 PERFECT 문제

단계형

23 $\frac{6}{\sqrt{50}}=a\sqrt{2}$, $\frac{14}{\sqrt{7}}=b\sqrt{7}$일 때, $5a+b$의 값을 구하여라.

[6점]

1단계 a의 값 구하기 [3점]

2단계 b의 값 구하기 [2점]

3단계 $5a+b$의 값 구하기 [1점]

단계형

24 다음 그림과 같은 정사각형 ABCD와 정사각형 BEFG가 있다. $\overline{BA}=\overline{BP}$, $\overline{BE}=\overline{BQ}$일 때, 점 P에 대응하는 수의 소수 부분을 a, 점 Q에 대응하는 수의 정수 부분을 b라 하면 $2a+b$의 값을 구하여라. [7점]

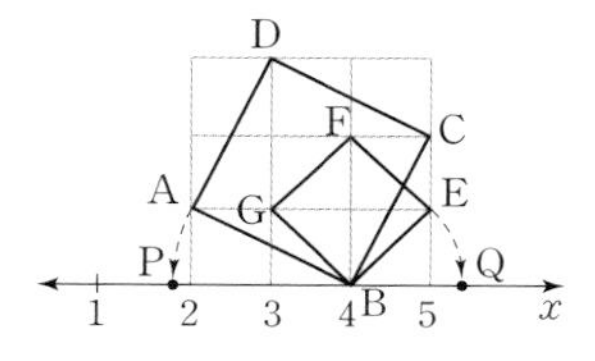

1단계 a의 값 구하기 [3점]

2단계 b의 값 구하기 [3점]

3단계 $2a+b$의 값 구하기 [1점]

사고력

25 두 수 A, B가 다음과 같을 때, $A-B$의 값을 구하여라. [6점]

$A=(\sqrt{40}+2)\div\sqrt{2}-\sqrt{5}$
$B=\sqrt{5}(\sqrt{10}+1)-\sqrt{2}(3+2\sqrt{10})$

사고력

26 다음과 같은 직사각형 ABCD와 삼각형 EFG에서 직사각형의 넓이가 삼각형의 넓이의 3배가 될 때, $\overline{BC}$의 길이를 구하여라. [6점]

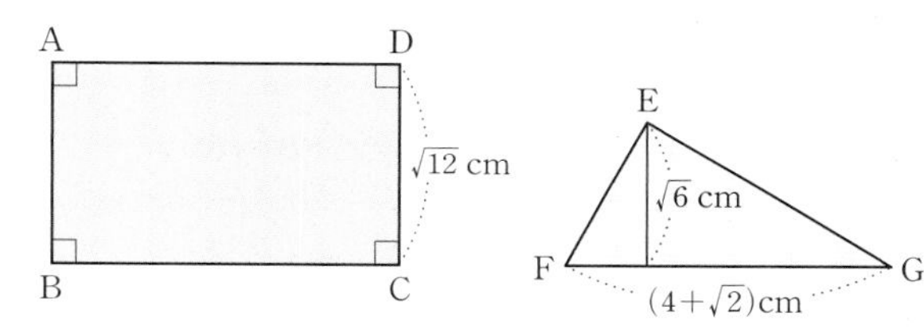

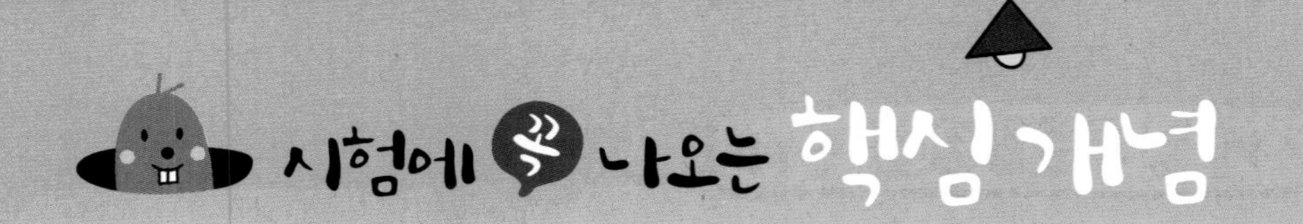

01 다항식과 다항식의 곱셈

(1) 분배법칙을 이용하여 전개한다.

➡ $(a+b)(c+d)=\underset{㉠}{ac}+\underset{㉡}{ad}+\underset{㉢}{bc}+\underset{㉣}{bd}$

예 $(x-2)(-3y+1)=-3xy+x+6y-2$

(2) 동류항이 있으면 동류항끼리 모아서 간단히 정리한다.

예 $(x+2)(x+3)=x^2+3x+2x+6=x^2+5x+6$ (동류항: $3x$, $2x$)

02 곱셈 공식(1)-완전제곱식

(1) 합의 제곱 : $(a+b)^2=a^2+2ab+b^2$

분배법칙을 이용하면

➡ $(a+b)^2=(a+b)(a+b)$
$=a^2+ab+ab+b^2$
$=a^2+2ab+b^2$

예 $(x+3)^2=x^2+2\times x\times 3+3^2=x^2+6x+9$

(2) 차의 제곱 : $(a-b)^2=a^2-2ab+b^2$

분배법칙을 이용하면

➡ $(a-b)^2=(a-b)(a-b)$
$=a^2-ab-ab+b^2$
$=a^2-2ab+b^2$

예 $(x-4)^2=x^2-2\times x\times 4+4^2=x^2-8x+16$

03 곱셈 공식(2)-합과 차의 곱

합과 차의 곱 : $(a+b)(a-b)=a^2-b^2$

분배법칙을 이용하면

➡ $(a+b)(a-b)=a^2-ab+ab-b^2$
$=a^2-b^2$

예 $(x+2)(x-2)=x^2-2^2=x^2-4$

04 곱셈 공식(3)-x의 계수가 1인 두 일차식의 곱

x의 계수가 1인 두 일차식의 곱 : $(x+a)(x+b)=x^2+(a+b)x+ab$

분배법칙을 이용하면

➡ $(x+a)(x+b)=x^2+bx+ax+ab$
$=x^2+(a+b)x+ab$

예 $(x+1)(x+2)=x^2+\underset{합}{(1+2)}x+\underset{곱}{1\times 2}=x^2+3x+2$

예제 1

$(3x+1)(2x-5)$의 전개식에서 x^2의 계수와 x의 계수의 합을 구하여라.

예제 2

다음 식을 전개하여라.

(1) $(x+2)^2$
(2) $(-a+3)^2$
(3) $(2x+y)^2$
(4) $(3a-4b)^2$

예제 3

오른쪽 그림에서 색칠한 직사각형의 넓이는?

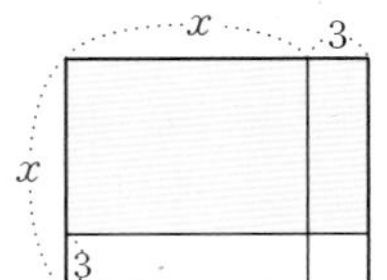

① x^2+3
② x^2+6
③ x^2-9
④ x^2+3x+9
⑤ x^2-6x+9

예제 4

다음 □ 안에 알맞은 수를 써넣어라.

(1) $(x+2)(x+\square)=x^2+\square x+12$
(2) $(x+\square)(x+3)=x^2+\square x-15$

05 곱셈 공식(4)－x의 계수가 1이 아닌 두 일차식의 곱

x의 계수가 1이 아닌 두 일차식의 곱 : $(ax+b)(cx+d)=acx^2+(ad+bc)x+bd$

분배법칙을 이용하면

➡ $(ax+b)(cx+d)=acx^2+adx+bcx+bd$

$=acx^2+(ad+bc)x+bd$

	ax	b
cx	acx^2 ①	bcx ③
d	adx ②	bd ④

예 $(2x+3)(3x+1)=(2\times3)x^2+(2\times1+3\times3)x+3\times1$

$=6x^2+11x+3$

06 곱셈 공식을 이용한 수의 계산

(1) 수의 제곱의 계산

곱셈 공식 $(a+b)^2=a^2+2ab+b^2$ 또는 $(a-b)^2=a^2-2ab+b^2$을 이용하여 구한다.

예 $51^2=(50+1)^2=50^2+2\times50\times1+1^2=2601$

$49^2=(50-1)^2=50^2-2\times50\times1+1^2=2401$

(2) 두 수의 곱의 계산

곱셈 공식 $(a+b)(a-b)=a^2-b^2$ 또는 $(x+a)(x+b)=x^2+(a+b)x+ab$를 이용하여 구한다.

예 $51\times49=(50+1)(50-1)=50^2-1^2=2499$

$52\times54=(50+2)(50+4)=50^2+(2+4)\times50+2\times4=2808$

07 곱셈 공식을 이용한 제곱근 계산

(1) 곱셈 공식을 이용한 식의 계산

근호 부분을 문자로 생각하고 곱셈 공식을 이용하여 계산한다.

예 $(\sqrt{3}+\sqrt{2})^2=(\sqrt{3})^2+2\times\sqrt{3}\times\sqrt{2}+(\sqrt{2})^2=5+2\sqrt{6}$

(2) 곱셈 공식 $(a+b)(a-b)=a^2-b^2$을 이용하여 분모를 유리화할 수 있다.

$$\frac{c}{a+\sqrt{b}}=\frac{c(a-\sqrt{b})}{(a+\sqrt{b})(a-\sqrt{b})}=\frac{c(a-\sqrt{b})}{a^2-b}$$

예 $\frac{1}{2-\sqrt{3}}=\frac{2+\sqrt{3}}{(2-\sqrt{3})(2+\sqrt{3})}=\frac{2+\sqrt{3}}{2^2-(\sqrt{3})^2}=2+\sqrt{3}$

08 곱셈 공식의 변형

곱셈 공식의 좌변과 우변의 항을 적당히 이용한다.

(1) $a^2+b^2=(a+b)^2-2ab$, $a^2+b^2=(a-b)^2+2ab$

(2) $(a+b)^2=(a-b)^2+4ab$, $(a-b)^2=(a+b)^2-4ab$

(3) $a^2+\frac{1}{a^2}=\left(a+\frac{1}{a}\right)^2-2$, $a^2+\frac{1}{a^2}=\left(a-\frac{1}{a}\right)^2+2$

(4) $\left(a+\frac{1}{a}\right)^2=\left(a-\frac{1}{a}\right)^2+4$, $\left(a-\frac{1}{a}\right)^2=\left(a+\frac{1}{a}\right)^2-4$

예제 5

$(-x-2y)(3x-4y)=Ax^2+Bxy+8y^2$일 때, $A-B$의 값을 구하여라. (단, A, B는 상수)

예제 6

곱셈 공식을 이용하여 다음을 계산하여라.

(1) 103^2

(2) 98^2

(3) 5.4×4.6

(4) 104×105

예제 7

다음은 $\frac{1}{1+\sqrt{2}}$의 분모를 유리화하는 과정이다. □ 안에 알맞은 수를 써넣어라.

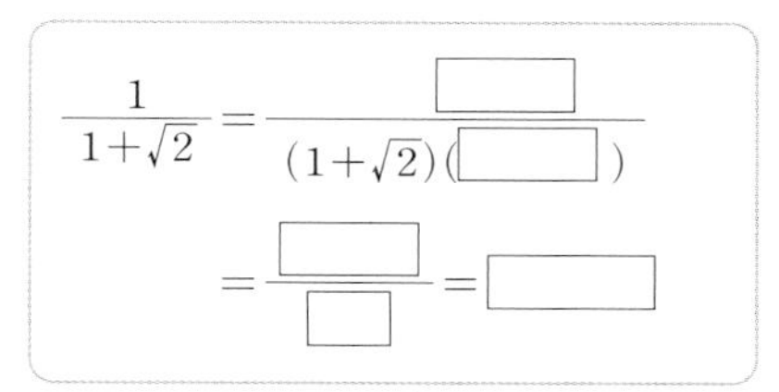

예제 8

$a-b=6$, $ab=7$일 때, 다음 식의 값을 구하여라.

(1) a^2+b^2

(2) $(a+b)^2$

대표 유형 **다항식과 다항식의 곱셈**

01 $(a-b)(2a-3b)$를 전개하면?

① $2a^2-5ab-3b^2$　② $2a^2-5ab+3b^2$
③ $2a^2-3ab+3b^2$　④ $2a^2-ab+3b^2$
⑤ $2a^2+5ab+3b^2$

출제율 85%

02 $(x+y)(x-3y)$의 전개식에서 계수들의 총합은?

중

① -6　② -5　③ -4
④ -3　⑤ -2

출제율 90%

03 다음 전개식에서 $A+B$의 값을 구하면? (단, A, B는 상수)

중

$$(2y+1)(4y-3)=Ay^2-By-3$$

① 4　② 6　③ 8
④ 10　⑤ 12

출제율 90%

04 $(-3x+4)(y-1)$의 전개식에서 xy의 계수와 y의 계수의 합을 구하면?

중

① -7　② -3　③ 1
④ 5　⑤ 7

출제율 85%

05 $(5x-2)(ax+3)$의 전개식에서 x의 계수가 11일 때 x^2의 계수를 구하면?

중

① 10　② 8　③ 6
④ -4　⑤ 12

출제율 85%

06 $(3x-y)(2x+Ay)=6x^2+Bxy-3y^2$일 때 A, B의 값을 각각 구하여라. (단, A, B는 상수)

중

출제율 90%

07 $(x-y)(2x+3y-1)$의 전개식에서 xy의 계수를 a, x의 계수를 b라 할 때, $a-b$의 값을 구하여라.

중

출제율 80%

08 $(x+a)(x-3y+2)$의 전개식에서 상수항이 -4일 때, x의 계수는? (단, a는 상수)

중

① 4　② 2　③ 0
④ -2　⑤ -4

대표 유형 **곱셈 공식 (1)**

09 $(Ax-B)^2=9x^2-6x+C$일 때, 상수 A, B, C에 대하여 $A-B+C$의 값은? (단, $A>0$)

① 0 ② 1 ③ 2
④ 3 ⑤ 4

내신 UP POINT
곱셈 공식 (1)-완전제곱식
$(a+b)^2=a^2+2ab+b^2$
$(a-b)^2=a^2-2ab+b^2$

출제율 90%

10 $(3x+5)^2=ax^2+bx+c$일 때, $a+b-c$의 값을 구하여라. (단, a, b, c는 상수)

하

출제율 85%

11 $(2x-9y)^2$을 전개하여라.

하

출제율 90%

12 다음 중 옳지 않은 것은? (정답 2개)

하

① $(x+3y)^2=x^2+6xy+9y^2$
② $(x-4)^2=x^2-8x+16$
③ $(2y+5)^2=4y^2+10y+25$
④ $\left(-\frac{1}{2}x+3\right)^2=\frac{1}{4}x^2-3x+9$
⑤ $\left(3a-\frac{1}{4}\right)^2=9a^2-6a+\frac{1}{16}$

출제율 90%

13 다음 보기 중 옳은 것을 모두 골라라.

중

보기
ㄱ. $(a-b)^2=a^2-b^2$
ㄴ. $(a+b)(2a+b)=2a^2+3ab+b^2$
ㄷ. $(x+4y)^2=x^2+8xy+16y^2$
ㄹ. $(2y+x)(-2y-x)=-x^2+4xy-4y^2$

출제율 90%

14 $(x+A)^2=x^2+10x+25$일 때, 상수 A의 값은?

중

① -5 ② -2 ③ 2
④ 5 ⑤ 10

출제율 85%

15 $(2x-A)^2=4x^2-12x+B$일 때, 상수 $A-B$의 값을 구하면?

중

① -8 ② -6 ③ -4
④ -2 ⑤ -1

출제율 85%

16 상수 a, b에 대하여 $(-x+2a)^2=x^2-6x+b$일 때 $a+b$의 값을 구하여라.

중

출제율 85%

17 $\left(\frac{1}{4}x+A\right)^2=\frac{1}{16}x^2+Bx+4$일 때, AB의 값은? (단, A, B는 상수)

중

① 1 ② 2 ③ 4
④ 8 ⑤ 16

출제율 80%

18 $(x+a)^2-(2x-5)^2$을 전개하여 간단히 하였더니 x의 계수가 12였다. 이때 상수 a의 값을 구하면?

중

① -4 ② -2 ③ 2
④ 4 ⑤ 6

출제율 85%

19 다음 중 $\left(-\frac{1}{3}x-2y\right)^2$의 전개식과 같은 것은?

상

① $\frac{1}{3}(x-6y)^2$ ② $\frac{1}{3}(x+6y)^2$
③ $\frac{1}{9}(x-6y)^2$ ④ $\frac{1}{9}(x+6y)^2$
⑤ $-\frac{1}{9}(x-6y)^2$

출제율 85%

20 다음  중 전개식이 같은 것끼리 짝지어진 것은?

상

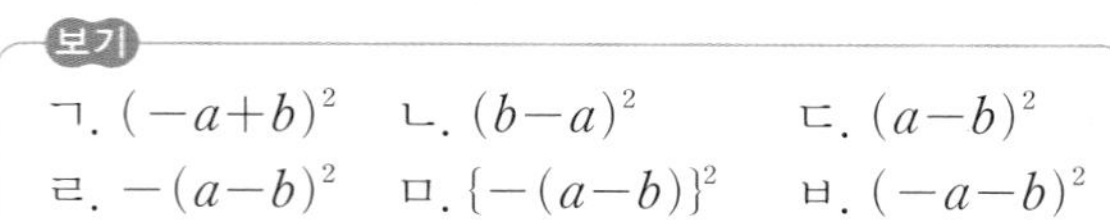
보기
ㄱ. $(-a+b)^2$ ㄴ. $(b-a)^2$ ㄷ. $(a-b)^2$
ㄹ. $-(a-b)^2$ ㅁ. $\{-(a-b)\}^2$ ㅂ. $(-a-b)^2$

① ㄱ, ㄴ, ㄷ, ㅁ ② ㄱ, ㄴ, ㅁ, ㅂ
③ ㄱ, ㄷ, ㄹ, ㅂ ④ ㄴ, ㄷ, ㅁ, ㅂ
⑤ ㄷ, ㄹ, ㅁ, ㅂ

대표유형 곱셈 공식 (2)

21 다음 중 $(x+3)(x-3)$과 전개식이 같은 것은?

① $(-x+3)(x+3)$ ② $(3-x)(3+x)$
③ $(x-3)(-x-3)$ ④ $(-x-3)(x+3)$
⑤ $(-3-x)(3-x)$

내신 UP POINT
곱셈 공식 (2)-합과 차의 곱
$(a+b)(a-b)=a^2-b^2$

출제율 85%

22 $\left(x+\frac{3}{4}y\right)\left(x-\frac{3}{4}y\right)$를 전개하여라.

하

출제율 90%

23 $(2x-7)(2x+A)=4x^2-B$일 때, 상수 A, B에 대하여 $A+B$의 값을 구하면?

중

① -28 ② -14 ③ 35
④ 42 ⑤ 56

출제율 90%

24 $(-5x+a)(5x+a)=-25x^2+16$일 때, 상수 a의 값으로 적당한 것을 모두 고르면? (정답 2개)

중

① -8 ② -4 ③ 2
④ 4 ⑤ 8

출제율 90%

25 다음 중 옳지 않은 것은?

중

① $(3x+1)(3x-1)=9x^2-1$

② $(4a-b)(4a+b)=16a^2-b^2$

③ $\left(\frac{2}{3}x+\frac{1}{2}y\right)\left(-\frac{2}{3}x+\frac{1}{2}y\right)=-\frac{4}{9}x^2+\frac{1}{4}y^2$

④ $(-x+5)(-x-5)=-x^2-25$

⑤ $(2a+4b)(a-2b)=2a^2-8b^2$

출제율 85%

26 $(a-1)(a+1)(a^2+1)(a^4+1)(a^8+1)=a^{\square}-1$일 때, □ 안에 알맞은 수는?

중

① 12 ② 16 ③ 36
④ 48 ⑤ 64

출제율 85%

27 $(a-2b)(a+2b)(a^2+4b^2)(a^4+16b^4)$을 전개하면?

중

① a^8+32b^8 ② a^8-32b^8 ③ a^8+256b^8
④ a^8-256b^8 ⑤ $a^{16}-256b^{16}$

출제율 80%

28 $\left(\frac{1}{2}-x\right)\left(\frac{1}{2}+x\right)\left(\frac{1}{4}+x^2\right)\left(\frac{1}{16}+x^4\right)=ax^b+c$일 때, abc의 값을 구하여라. (단, a, b, c는 상수)

상

대표유형 **곱셈 공식 (3), (4)**

29 $(x-3)(5x-4)=ax^2+bx+c$일 때, $a+b+c$의 값은? (단, a, b, c는 상수)

① -2 ② -1 ③ 0
④ 1 ⑤ 2

출제율 85%

30 $(x+3)(2x-5)$를 전개하면?

하

① $2x^2-x-15$ ② $2x^2+8x-15$
③ $2x^2+x-15$ ④ $2x^2-8x-15$
⑤ $2x^2-x+15$

출제율 90%

31 $(x+2)(x+A)=x^2+Bx+6$일 때, 상수 A, B에 대하여 AB의 값을 구하면?

중

① 5 ② 6 ③ 8
④ 10 ⑤ 15

출제율 95%

32 $(x+3)(x-A)$를 전개하여 간단히 하였더니 x의 계수가 5였다. 이때 상수항은? (단, A는 상수)

중

① -5 ② -3 ③ 1
④ 3 ⑤ 6

출제율 90%

33 (중) $(2x+A)(x+3)=Bx^2+Cx+15$일 때, $A+B-C$의 값은? (단, A, B, C는 상수)

① -4 ② -2 ③ 0
④ 2 ⑤ 4

출제율 95%

34 (중) 다음 중 옳지 않은 것은?

① $(x-1)(x-4)=x^2-5x+4$
② $(2x+1)(x+5)=2x^2+11x+5$
③ $(4x+5)(-2x+3)=-8x^2+2x+15$
④ $(-5x+y)(-x-y)=5x^2-6xy-y^2$
⑤ $(2x-y)(x+5y)=2x^2+9xy-5y^2$

출제율 95%

35 (중) 다음 중 옳은 것은?

① $(x-3)^2=x^2-3x+9$
② $(x+1)(x-4)=x^2+3x-4$
③ $(x-5)(3x+2)=3x^2-10$
④ $(3x-1)(2x-1)=6x^2-5x+1$
⑤ $\left(x+\frac{1}{4}\right)\left(x-\frac{1}{4}\right)=x^2-\frac{1}{2}$

출제율 85%

36 (중) $-2(x+3)(x-1)+(2x+1)(3x-2)$의 전개식에서 x의 계수는?

① -8 ② -5 ③ -2
④ 1 ⑤ 4

출제율 80%

37 (상) $(x+a)(x+6)=x^2+8x+12$,
$(-2x+3)(3x-a)=-6x^2+bx+c$일 때,
$a+b+c$의 값을 구하여라. (단, a, b, c는 상수)

출제율 80%

38 (상) a, b가 정수이고, $(x+a)(x+b)=x^2+cx+8$일 때, 상수 c의 값 중 가장 작은 값을 구하여라.

대표유형 곱셈 공식을 여러 번 이용하기

39 $(x-2)^2+(2x+3)(2x-3)$을 간단히 하여라.

출제율 95%

40 (중) $(x-5)^2-(2x+3)(x-2)$를 전개하여 간단히 한 식에서 x의 계수를 a, 상수항을 b라 할 때, $a+b$의 값은?

① 8 ② 20 ③ 22
④ 30 ⑤ 40

출제율 90%

41 $2(x-3)(x+4)-(3x-1)(x+2)=ax^2+bx+c$ 일 때, 상수 a, b, c에 대하여 $a+b-c$의 값을 구하여라.

중

출제율 85%

42 $(2x+y)(2x-y)-3(y-x)(y+x)=ax^2+by^2$일 때, $a+b$의 값을 구하면? (단, a, b는 상수)

중

① -2 ② -1 ③ 1
④ 2 ⑤ 3

출제율 85%

43 $\left(x+\frac{1}{2}\right)\left(x-\frac{1}{3}\right)+\left(\frac{2}{3}x+1\right)^2$을 전개하여 간단히 하였더니 x의 계수가 $\frac{b}{a}$였다. 이때 ab의 값을 구하여라. (단, a, b는 서로소인 자연수)

중

대표유형 곱셈 공식을 이용한 도형의 넓이

44 오른쪽 그림에서 색칠한 부분의 넓이는?

① $ab-2b-2$
② $ab-b-3$
③ $ab+a-2b-2$
④ $ab-2a-b+2$
⑤ $ab-a-2b+2$

출제율 95%

45 오른쪽 그림에서 색칠한 부분의 넓이는?

중

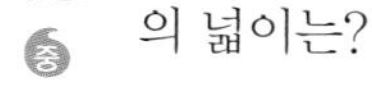

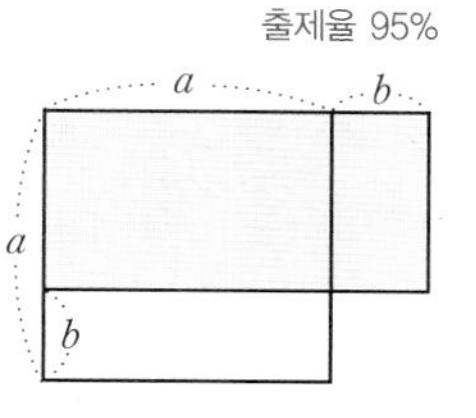

① a^2
② $a^2+2ab+b^2$
③ a^2-ab
④ a^2-b^2
⑤ $a^2-2ab+b^2$

출제율 90%

46 오른쪽 그림과 같이 가로의 길이가 $4x$, 세로의 길이가 $3x$인 직사각형 모양의 화단 안에 폭이 2인 길을 만들었다. 길을 제외한 화단의 넓이는?

중

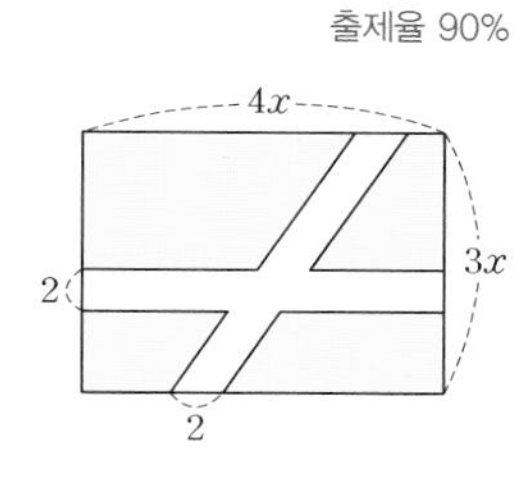

① $12x^2-2x$ ② $12x^2-4x$
③ $12x^2-10x+4$ ④ $12x^2-14x+4$
⑤ $12x^2-14x-4$

출제율 85%

47 한 변의 길이가 x cm인 정사각형에서 가로의 길이를 a cm만큼 늘이고 세로의 길이를 7 cm만큼 줄였더니 넓이가 $(x^2-5x+b)\text{cm}^2$가 되었다. 이때 $a+b$의 값을 구하여라. (단, a, b는 상수)

중

출제율 90%

48 오른쪽 그림과 같은 사다리꼴에서 윗변의 길이는 $2x-y$, 아랫변의 길이는 $2x+3y$, 높이가 $x+2y$일 때 넓이를 구하여라.

중

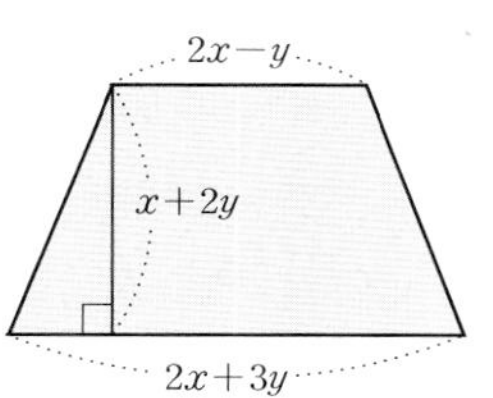

출제율 85%

49 상 다음 중 세 모서리의 길이가 $x+1$, $2x+1$, $2x-1$인 직육면체의 겉넓이를 나타낸 식은?

① $4x^2+5x-1$　② $16x^2+8x-2$
③ $8x^2+5x-1$　④ $16x^2-8x-2$
⑤ $8x^2+10x-2$

대표유형 **곱셈 공식을 이용한 수의 계산**

50 곱셈 공식을 이용하여 201^2을 계산하여라.

출제율 90%

51 하 곱셈 공식을 이용하여 다음을 계산하여라.

$$98\times97-99\times95$$

출제율 90%

52  다음 계산에 이용된 곱셈 공식은?

$$2.9\times3.1=(3-0.1)\times(3+0.1)=3^2-0.1^2$$
$$=9-0.01=8.99$$

① $(a+b)^2=a^2+2ab+b^2$
② $(a-b)^2=a^2-2ab+b^2$
③ $(a+b)(a-b)=a^2-b^2$
④ $(x+a)(x+b)=x^2+(a+b)x+ab$
⑤ $(ax+b)(cx+d)=acx^2+(ad+bc)x+bd$

출제율 90%

53 하 수의 계산을 할 때, 곱셈 공식을 이용하려고 한다. 다음 중 가장 적절하지 <u>않은</u> 것은?

① $102^2 \Rightarrow (x+y)^2=x^2+2xy+y^2$
② $98^2 \Rightarrow (x-y)^2=x^2-2xy+y^2$
③ $51\times49 \Rightarrow (x+y)(x-y)=x^2-y^2$
④ $103\times98 \Rightarrow (x+a)(x+b)=x^2+(a+b)x+ab$
⑤ $49^2 \Rightarrow (ax+b)(cx+d)$
$=acx^2+(ad+bc)x+bd$

출제율 90%

54 중 다음 중 곱셈 공식
$(x+a)(x+b)=x^2+(a+b)x+ab$를 이용하여 계산하기에 가장 편리한 것은?

① 43^2　② 1.9^2　③ 98×102
④ 7.3×6.7　⑤ 103×104

출제율 85%

55 중 다음은 곱셈 공식을 이용하여 $\dfrac{520^2-400}{500}$을 계산하는 과정이다. (ㄱ), (ㄴ)에 들어갈 수를 차례로 구하여라.

$$\frac{520^2-400}{500}=\frac{520^2-\boxed{(ㄱ)}^2}{500}$$
$$=\frac{(520+\boxed{(ㄱ)})(520-\boxed{(ㄱ)})}{500}$$
$$=\boxed{(ㄴ)}$$

출제율 85%

56 상 $(5-1)(5+1)(5^2+1)(5^4+1)(5^8+1)=5^a-b$일 때, 두 자연수 a, b에 대하여 $a-b$를 구하여라.

출제율 80%

57 곱셈 공식을 이용하여 $(2+1)(2^2+1)(2^4+1)$을 계산하여라.

상

출제율 80%

58 $21\times19\times401\times160001=20^n-1$을 만족하는 자연수 n의 값은?

상

① 4　② 8　③ 10
④ 16　⑤ 32

대표유형 **곱셈 공식을 이용한 제곱근 계산**

59 다음은 $\dfrac{3}{2+\sqrt{3}}$의 분모를 유리화하는 과정이다.
(ㄱ), (ㄴ)에 들어갈 수를 차례로 구하여라.

$$\frac{3}{2+\sqrt{3}}=\frac{3\times\boxed{(ㄱ)}}{(2+\sqrt{3})(\boxed{(ㄱ)})}=\boxed{(ㄴ)}$$

출제율 90%

60 $3-\sqrt{5}$의 역수를 $a+b\sqrt{5}$라 할 때, $a-b$의 값은? (단, a, b는 유리수)

하

① $\dfrac{1}{2}$　② 1　③ $\dfrac{4}{3}$
④ 2　⑤ $\dfrac{7}{4}$

출제율 90%

61 $(3\sqrt{2}-2)^2-(5+2\sqrt{3})(5-2\sqrt{3})=a+b\sqrt{2}+c\sqrt{3}$일 때, $a+b+c$의 값을 구하면? (단, a, b, c는 상수)

중

① 2　② 0　③ -1
④ -2　⑤ -3

출제율 90%

62 다음 중 옳지 않은 것은?

중

① $(\sqrt{5}+2)^2=9+4\sqrt{5}$
② $(4-2\sqrt{7})^2=44-16\sqrt{7}$
③ $(3\sqrt{5}+2\sqrt{2})(3\sqrt{5}-2\sqrt{2})=37$
④ $\dfrac{1}{\sqrt{10}-3}+\dfrac{1}{\sqrt{10}+3}=2\sqrt{10}$
⑤ $\dfrac{4}{2+\sqrt{2}}-\dfrac{2}{2-\sqrt{2}}=2-2\sqrt{2}$

출제율 90%

63 $\dfrac{\sqrt{3}}{\sqrt{6}-\sqrt{2}}-\dfrac{\sqrt{3}}{\sqrt{2}+\sqrt{6}}$을 계산하면?

중

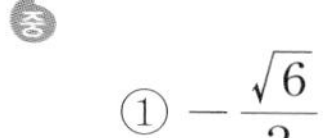

① $-\dfrac{\sqrt{6}}{2}$　② $-\dfrac{3\sqrt{2}}{2}$　③ $\dfrac{3\sqrt{2}}{2}$
④ $\dfrac{\sqrt{6}}{2}$　⑤ $\dfrac{\sqrt{3}}{2}$

출제율 90%

64 $\dfrac{2+\sqrt{3}}{2-\sqrt{3}}+\dfrac{2\sqrt{3}-4}{2\sqrt{3}+4}=a+b\sqrt{3}$일 때, 유리수 a, b에 대하여 $a+b$의 값은?

상

① 6　② 7　③ 8
④ 9　⑤ 10

대표유형 곱셈 공식의 변형 (1)

65 $x+y=-4$, $xy=3$일 때, x^2+y^2의 값을 구하여라.

내신 UP POINT
① $a+b$와 ab의 값이 주어질 때,
$a^2+b^2=(a+b)^2-2ab$, $(a-b)^2=(a+b)^2-4ab$
② $a-b$와 ab의 값이 주어질 때,
$a^2+b^2=(a-b)^2+2ab$, $(a+b)^2=(a-b)^2+4ab$

출제율 95%

66 $x-y=3$, $xy=2$일 때, $(x+y)^2$의 값은?

중

① 1　② 5　③ 17
④ -1　⑤ -5

출제율 90%

67 $a+b=3$, $a-b=-2$일 때, ab의 값은?

중

① $\frac{5}{2}$　② $\frac{5}{4}$　③ $\frac{1}{4}$
④ $-\frac{5}{4}$　⑤ $-\frac{5}{2}$

출제율 90%

68 $x+y=6$, $xy=3$일 때, 다음 식의 값을 구하여라.

상

(1) x^2-xy+y^2

(2) $\frac{y}{x}+\frac{x}{y}$

대표유형 곱셈 공식의 변형 (2)

69 $x-\frac{1}{x}=2$일 때, 다음 식의 값을 구하여라.

(1) $x^2+\frac{1}{x^2}$

(2) $\left(x+\frac{1}{x}\right)^2$

출제율 90%

70 $x+\frac{1}{x}=3$일 때, 다음 식의 값을 구하여라.

중

(1) $x^2+\frac{1}{x^2}$

(2) $\left(x-\frac{1}{x}\right)^2$

출제율 85%

71 $x-4-\frac{1}{x}=0$일 때, $x^2+\frac{1}{x^2}$의 값을 구하여라.

중

출제율 80%

72 $x+\frac{1}{x}=-3$일 때, $x^2+x+\frac{1}{x}+\frac{1}{x^2}$의 값은?

상

① 4　② 5　③ 6
④ 7　⑤ 8

개념 UP 01 곱셈 공식을 이용한 제곱근 계산의 활용

(1) 제곱근을 포함한 식을 곱셈 공식을 이용하여 전개한다.
(2) 조건을 만족하는 미지수 값을 찾는다.

출제율 80%

73 중 다음 식을 계산한 결과가 유리수가 되도록 하는 유리수 a의 값을 구하여라.

$$(2\sqrt{6}+a)(2\sqrt{6}-3)$$

출제율 80%

74 상 $(6+a\sqrt{5})(3-2\sqrt{5})+(\sqrt{5}-3)^2$이 유리수일 때, 유리수 a의 값을 구하여라.

출제율 80%

75 상 $\dfrac{a+2\sqrt{2}}{6-4\sqrt{2}}$가 유리수일 때, 유리수 a의 값은?

① -6 ② -3 ③ -2
④ -1 ⑤ 3

출제율 80%

76 상 $(2+\sqrt{3})^2+m(3-4\sqrt{3})$이 유리수일 때, m의 값은? (단, m은 유리수)

① -1 ② $-\dfrac{1}{4}$ ③ 0
④ $\dfrac{1}{4}$ ⑤ 1

개념 UP 02 곱셈 공식의 변형

무리수일 때도 곱셈 공식의 변형을 이용하여 계산할 수 있다.
① $a^2+b^2=(a+b)^2-2ab$, $(a-b)^2=(a+b)^2-4ab$
② $a^2+b^2=(a-b)^2+2ab$, $(a+b)^2=(a-b)^2+4ab$

출제율 80%

77 중 다음은 $x=\sqrt{3}+2$, $y=\sqrt{3}-2$일 때, x^2+y^2, $\dfrac{1}{x}+\dfrac{1}{y}$의 값을 구하는 과정이다. □ 안에 알맞은 것을 써넣어라.

$x+y=(\sqrt{3}+2)+(\sqrt{3}-2)=\square$,
$xy=(\sqrt{3}+2)(\sqrt{3}-2)=\square$이므로
$x^2+y^2=(\square)^2-2xy$
$=(\square)^2-2\times\square=\square$,
$\dfrac{1}{x}+\dfrac{1}{y}=\dfrac{\square}{xy}=\square$

출제율 80%

78 상 $a^2+b^2=34$, $a-b=4\sqrt{2}$일 때, $a+b$의 값을 구하면? (단, a, b는 양수)

① 2 ② 4 ③ 6
④ 8 ⑤ 10

출제율 80%

79 상 $a=\dfrac{2}{\sqrt{7}+3}$, $b=\dfrac{2}{\sqrt{7}-3}$일 때, a^2+b^2+5ab의 값을 구하면?

① 14 ② 16 ③ 20
④ 22 ⑤ 24

01 $(2a+1)(2-3b)$를 전개했을 때, ab의 계수와 상수항의 합을 구하면?

① -2 ② 2 ③ -4
④ 4 ⑤ 8

02 다음 중 옳은 것은?

① $(x-y)^2=(y-x)^2$
② $\left(x+\frac{1}{x}\right)^2=x^2+\frac{1}{x^2}$
③ $(-x+2)(-x-2)=-x^2+4$
④ $(x-4)(x+5)=x^2+9x-20$
⑤ $(2x-3)(3x-2)=6x^2-12x+6$

03 $(3x-A)^2=9x^2-24x+B$일 때, $A-B$의 값을 구하면? (단, A, B는 상수)

① -12 ② -10 ③ -8
④ -6 ⑤ -4

04 $(x+2)(x-3)-(x-2)^2$을 간단히 하면?

① $3x-2$ ② $3x-10$ ③ $-5x-2$
④ $2x^2+3x-2$ ⑤ $2x^2-5x-2$

05 $(Ax+1)(2x+B)=6x^2+Cx-3$일 때, 상수 A, B, C에 대하여 $A+B+C$의 값을 구하면?

① -8 ② -7 ③ -5
④ -4 ⑤ -3

06 다음 식을 전개했을 때, x의 계수가 다른 하나는?

① $(x+2)^2$ ② $(x+6)(x-2)$
③ $(3x-2)(x+2)$ ④ $(x-7)(x+3)$
⑤ $(-2x+3)(2x+1)$

07 다음 중 □ 안에 들어갈 수가 가장 큰 것은?

① $(x+3)^2=x^2+\square x+9$
② $(2x-3)(2x+3)=\square x^2-9$
③ $(x-y)^2=x^2-\square xy+y^2$
④ $(-2x+1)(-2x+5)=4x^2+\square x+5$
⑤ $(x-5)(x-7)=x^2-\square x+35$

08 오른쪽 그림에서 색칠한 직사각형의 넓이는?

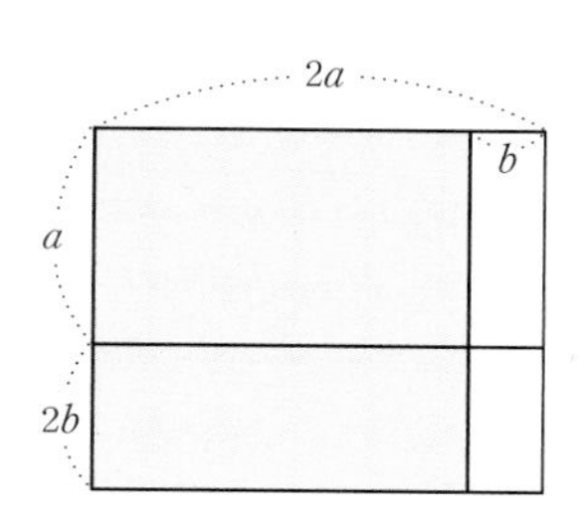

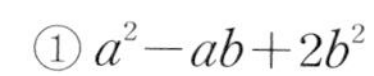

① $a^2-ab+2b^2$
② $a^2+3ab-2b^2$
③ $2a^2+ab+b^2$
④ $2a^2+3ab-2b^2$
⑤ $2a^2-3ab+2b^2$

09 곱셈 공식을 이용하여 $52^2-49\times51$을 계산하면?

① 185　② 195　③ 197
④ 200　⑤ 205

10 다음은 203×197을 곱셈 공식을 이용하여 계산하는 과정이다. 이때 $\frac{B}{A}$의 값을 구하여라.

$$203\times197=(A+3)(A-3)=B-9=39991$$

11 102×98을 계산할 때, 가장 편리한 곱셈 공식은?

① $(a+b)^2=a^2+2ab+b^2$
② $(a-b)^2=a^2-2ab+b^2$
③ $(a+b)(a-b)=a^2-b^2$
④ $(x+a)(x+b)=x^2+(a+b)x+ab$
⑤ $(ax+b)(cx+d)=acx^2+(ad+bc)x+bd$

12 $a-b=3$, $a^2+b^2=17$일 때, ab의 값을 구하여라.

13 $x+y=-6$, $xy=2$일 때, $\frac{y}{x}+\frac{x}{y}$의 값을 구하면?

① 9　② 16　③ 20
④ 25　⑤ 30

14 $a=\frac{1}{3-2\sqrt{2}}$, $b=\frac{1}{3+2\sqrt{2}}$일 때, $(a+b)^2-(a-b)^2$의 값을 구하면?

① 2　② 3　③ 4
④ 5　⑤ 6

꼭! 맞고 상위권 진입 90점!

15 $(3+1)(3^2+1)(3^4+1)(3^8+1)=\frac{1}{A}(3^B-1)$이 성립할 때, $B-A$의 값은? (단, A, B는 자연수)

① 62 ② 60 ③ 14
④ 12 ⑤ 6

16 $6(x+a)^2-(2x+1)(x-5)$를 전개하여 간단히 하였더니 x의 계수가 -15였다. 이때 상수 a의 값과 상수항을 차례로 구하여라.

17 1보다 큰 x에 대하여 $x+\frac{1}{x}=7$일 때, $x-\frac{1}{x}$의 값은?

① $2\sqrt{3}$ ② 4 ③ $2\sqrt{5}$
④ 5 ⑤ $3\sqrt{5}$

18 $a+b=6$, $ab=4$일 때 다음 식의 값을 구하여라.

$$(a^2+b^2)\left(\frac{1}{a}+\frac{1}{b}\right)$$

1등급 만점도전 

19 오른쪽 그림과 같이 가로의 길이가 x, 세로의 길이가 $2y$인 직사각형 ABCD 모양의 종이를 접어 정사각형 ABFE와 정사각형 EGHD를 잘라 내었을 때, 남은 종이의 넓이를 x, y에 관한 식으로 나타내면?

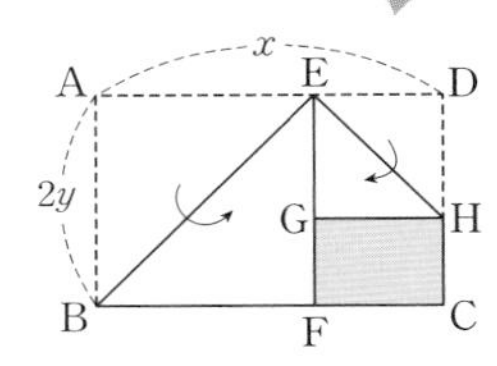

① $-x^2+6xy-8y^2$ ② $-x^2+6xy-4y^2$
③ $-2x^2+3xy-y^2$ ④ $-x^2+3xy-2y^2$
⑤ $-x^2+xy-2y^2$

20 $x+y=4$, $xy=3$일 때, x^4+y^4의 값은?

① 56 ② 64 ③ 72
④ 82 ⑤ 100

단계형

21 $(2x+3)(3x+1)-2(x-4)(x+5)$를 전개하여 간단히 하였을 때, 일차항의 계수를 구하여라. [6점]

1단계 $(2x+3)(3x+1)$을 전개하기 [2점]

2단계 $2(x-4)(x+5)$를 전개하기 [2점]

3단계 주어진 식을 간단히 나타내고 일차항의 계수를 구하기 [2점]

단계형

22 $\frac{\sqrt{5}+2}{\sqrt{5}-2}+\frac{3-\sqrt{8}}{3+\sqrt{8}}-\frac{3}{\sqrt{8}+\sqrt{5}}=a+b\sqrt{2}+c\sqrt{5}$일 때, $a+b+c$의 값을 구하여라. (단, a, b, c는 상수) [8점]

1단계 $\frac{\sqrt{5}+2}{\sqrt{5}-2}$, $\frac{3-\sqrt{8}}{3+\sqrt{8}}$, $\frac{3}{\sqrt{8}+\sqrt{5}}$의 분모를 유리화하여 각각 나타내기 [3점]

2단계 상수 a, b, c의 값을 각각 구하기 [3점]

3단계 $a+b+c$의 값 구하기 [2점]

사고력

23 $(x+2)(x-4)$를 전개하는데 2를 a로 잘못보고 전개하였더니 x^2-6x+b가 되었고
$(3x+2)(x-5)$를 전개하는데 3을 c로 잘못보고 전개하였더니 $-3x^2+dx-10$이 되었다.
$a+b+c+d$의 값을 구하여라. [8점]

사고력

24 한 변의 길이가 x cm인 정사각형에서 가로의 길이를 a cm만큼 늘리고 세로의 길이를 4 cm만큼 줄였더니 넓이가 $(x^2+6x+b)\text{cm}^2$가 되었다. 이때 $a+b$의 값을 구하여라. (단, a, b는 상수) [8점]

01 인수분해의 뜻

(1) 인수 : 하나의 다항식을 두 개 이상의 다항식의 곱으로 나타낼 때, 각각의 식을 처음 다항식의 인수라 한다.

(2) 인수분해 : 하나의 다항식을 두 개 이상의 단항식이나 다항식의 곱으로 나타내는 것

x^2+5x+6 ⇄ (인수분해 / 전개) $(x+2)(x+3)$ — 인수

02 공통인수

(1) 공통인수 : 다항식의 각 항에 공통으로 들어 있는 인수

(2) 공통인수를 이용한 인수분해 : 분배법칙을 이용하여 공통인수를 묶어 내어 인수분해한다.

➡ $ma+mb=m(a+b)$ (공통인수: m)

참고 공통으로 들어 있는 문자뿐만 아니라 공통으로 들어 있는 수도 공통인수이다.

예 $2x^2-4x=2x\times x+2x\times(-2)=2x(x-2)$ (공통인수: $2x$)

03 인수분해 공식(1)－완전제곱식

(1) $a^2+2ab+b^2=(a+b)^2$ 예 $x^2+2x+1=(x+1)^2$

(2) $a^2-2ab+b^2=(a-b)^2$ 예 $x^2-2x+1=(x-1)^2$

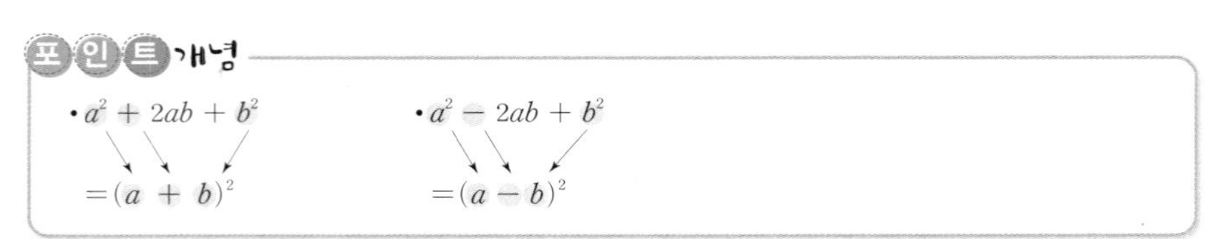

04 완전제곱식이 되기 위한 조건

(1) 완전제곱식 : $(ax+b)^2$과 같이 다항식의 제곱으로 된 식이나 이 식에 상수를 곱한 식을 완전제곱식이라 한다.

(2) 완전제곱식이 되기 위한 조건

$$a^2\pm2ab+b^2=(a\pm b)^2$$
(제곱) (제곱)

예 다음 두 식이 완전제곱식이 될 때,

(i) $x^2+2x+\square$ ➡ $\square=1^2=1$ ($2\times x\times1$; x^2, 1^2)

(ii) $x^2+\square x+4$ ➡ $\square=\pm2\times2=\pm4$ ($\pm(2\times x\times2)$; x^2, $4=2^2$)

예제 1

다음 중 $x(x-1)^2$의 인수가 아닌 것은?

① x ② $x-1$ ③ x^2
④ $(x-1)^2$ ⑤ $x(x-1)$

예제 2

다음 식을 인수분해하여라.

(1) x^2+2x
(2) $9a-3ab$
(3) $x(x+1)-3(x+1)$
(4) $(2a+1)(b-2)+(2a+1)(b-1)$

예제 3

다음 식을 인수분해하여라.

(1) x^2+6x+9
(2) $4x^2+4xy+y^2$
(3) $x^2-x+\frac{1}{4}$
(4) $x^2-2xy+y^2$

예제 4

다음 식이 완전제곱식이 되도록 □ 안에 알맞은 수를 써넣어라.

(1) $x^2-10x+\square$
(2) $x+\square xy+36y^2$

05 인수분해 공식(2)－제곱의 차

a^2-b^2의 인수분해 ➡ $a^2-b^2=(a+b)(a-b)$

예 $x^2-9y^2=x^2-(3y)^2=(x+3y)(x-3y)$

포인트 개념

주어진 식을 먼저 $●^2-◆^2$의 꼴로 고친 후 $(●+◆)(●-◆)$의 꼴로 인수분해한다.

06 인수분해 공식(3)－x^2의 계수가 1인 이차식

(1) $x^2+(a+b)x+ab$의 인수분해

➡ $x^2+(a+b)x+ab=(x+a)(x+b)$

(2) $x^2+(a+b)x+ab$를 인수분해하는 방법

① 곱했을 때 상수항이 되는 두 수를 모두 찾는다.

② ①의 두 수 중 합이 x의 계수가 되는 두 수 a, b를 찾는다.

③ $(x+a)(x+b)$의 꼴로 나타낸다.

➡ $x^2+(a+b)x+ab=(x+a)(x+b)$

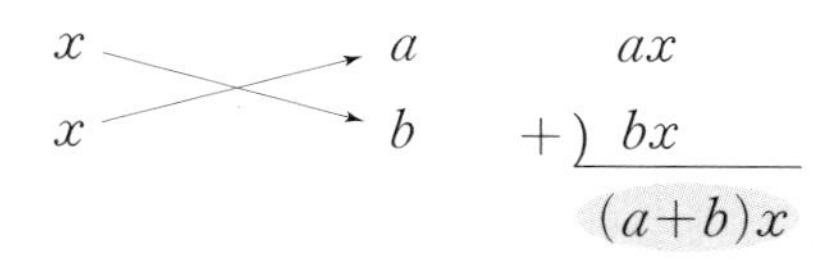

예 $x^2+5x+6=(x+2)(x+3)$

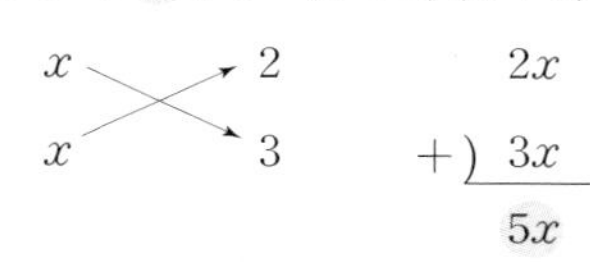

07 인수분해 공식(4)－x^2의 계수가 1이 아닌 이차식

(1) $acx^2+(ad+bc)x+bd$의 인수분해

➡ $acx^2+(ad+bc)x+bd=(ax+b)(cx+d)$

(2) $acx^2+(ad+bc)x+bd$를 인수분해하는 방법

① 곱하여 x^2의 계수가 되는 두 수 a, c를 세로로 나열한다.

② 곱하여 상수항이 되는 두 수 b, d를 세로로 나열한다.

③ ①, ②의 수를 대각선으로 곱하여 합한 것이 x의 계수가 되는 것을 찾는다.

④ $(ax+b)(cx+d)$의 꼴로 나타낸다.

➡ $acx^2+(ad+bc)x+bd=(ax+b)(cx+d)$

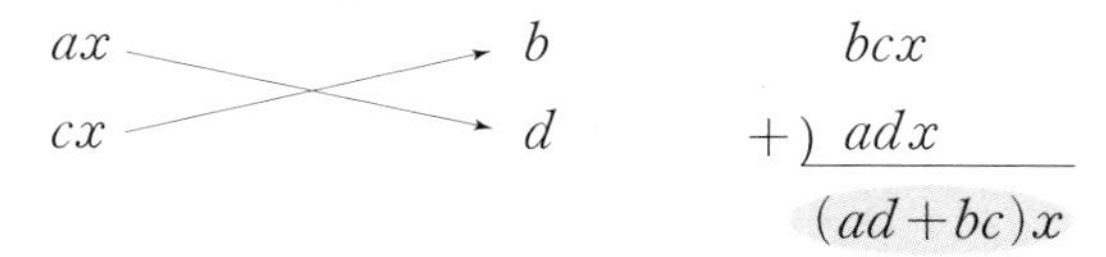

예 $2x^2-5x+2=(2x-1)(x-2)$

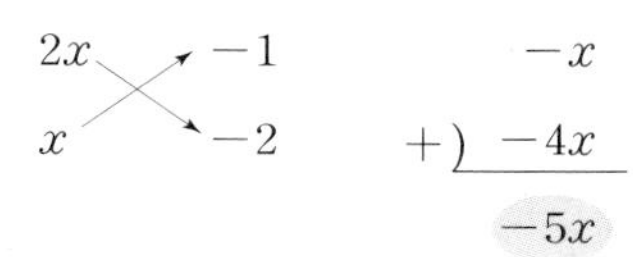

예제 5

다음 식을 인수분해하여라.

(1) x^2-4

(2) $9x^2-1$

(3) $4x^2-25y^2$

(4) $x^2-\frac{1}{16}$

예제 6

다음 식을 인수분해하여라.

(1) x^2+3x+2

(2) x^2-6x+8

(3) $x^2+2xy-3y^2$

(4) $x^2-xy-2y^2$

예제 7

다음 식을 인수분해하여라.

(1) $2x^2+3x+1$

(2) $3x^2+5x-2$

(3) $6x^2-5xy-6y^2$

(4) $4x^2-9xy+2y^2$

유형 STYLE 유형격파+기출문제

대표유형 공통인수를 이용한 인수분해

01 다음 식에 대한 설명 중 옳지 않은 것은?

$$2mab-3mbc \underset{㉡}{\overset{㉠}{\rightleftarrows}} mb(2a-3c)$$

① ㉠의 과정을 인수분해한다고 한다.
② ㉡의 과정을 전개한다고 한다.
③ $2mab$와 $3mbc$의 공통인수는 mb이다.
④ m, b, $2a-3c$는 모두 $2mab-3mbc$의 인수이다.
⑤ ㉡의 과정은 교환법칙을 이용한 것이다.

내신 UP POINT
공통인수를 이용한 인수분해
① 공통인수 찾기
② 분배법칙을 이용하여 공통인수로 묶기
$ma+mb-mc=m(a+b-c)$

출제율 90%

02 $2a^2b+4ab-6b^2$에서 각 항의 공통인수는?

하
① a ② $2a$ ③ $2ab$
④ b ⑤ $2b$

출제율 95%

03 $-3x^2-6x$를 인수분해하면?

중
① $-3(x^2+2)$ ② $-3(x^2-2x)$
③ $-3x(x+2)$ ④ $-3x(x-2)$
⑤ $3x(x+2)$

출제율 95%

04 $10x^2y-5xy^3$을 인수분해하여라.

중

출제율 90%

05 다음 중 $12a^2b-6ab^2$의 인수가 아닌 것은?

상
① $2a-b$ ② a^2b^2 ③ a
④ b ⑤ $b(2a-b)$

대표유형 인수분해 공식 (1)

06 x^2+4x+4를 인수분해하면?

① $(x+2)^2$ ② $(x+4)^2$ ③ $x(x+4)+4$
④ $(x-2)^2$ ⑤ $(x-4)^2$

내신 UP POINT
인수분해 공식(1)－완전제곱식
(1) $a^2+2ab+b^2=(a+b)^2$
(2) $a^2-2ab+b^2=(a-b)^2$

출제율 90%

07 다음 중 $4x^2-12x+9$의 인수인 것은?

하
① $x-3$ ② $x-9$ ③ $2x-3$
④ $2x-9$ ⑤ $4x-9$

출제율 90%

08 $4ax^2+28axy+49ay^2$을 인수분해하여라.

중

대표 유형 **완전제곱식이 되기 위한 조건**

09 다음 중 완전제곱식으로 인수분해할 수 없는 것은?

① $a^2+8a+16$ ② $9a^2-6ab+b^2$
③ $16x^2-16xy+4y^2$ ④ $a^2+a+\frac{1}{4}$
⑤ $3x^2-4x+1$

내신 UP POINT
완전제곱식이 되기 위한 조건
➡ $a^2\pm2ab+b^2=(a\pm b)^2$
(제곱) (제곱)

출제율 95%

10 하 $9x^2-24xy+\square$가 완전제곱식이 될 때, 다음 중 $\square$ 안에 들어갈 알맞은 것은?

① $16y^2$ ② $-16y^2$ ③ $36y^2$
④ $-36y^2$ ⑤ $4y^2$

출제율 95%

11 하 $x^2+\square x+\frac{1}{4}$이 완전제곱식이 되도록 하려고 한다. $\square$ 안에 들어갈 알맞은 양수는?

① $\frac{1}{4}$ ② $\frac{1}{2}$ ③ 1
④ 2 ⑤ 4

출제율 95%

12 중 $(x+7)(x-3)+a$가 완전제곱식이 될 때, a의 값은? (단, a는 상수)

① -25 ② -17 ③ 4
④ 17 ⑤ 25

출제율 95%

13 중 $x^2-10x+A$를 완전제곱식 $(x+B)^2$의 꼴로 고칠 때, $A-B$의 값은? (단, A, B는 상수)

① -25 ② -5 ③ 5
④ 25 ⑤ 30

출제율 95%

14 중 $4x^2+Ax+\frac{1}{4}$이 완전제곱식이 될 때, 상수 A의 값은?

① ±1 ② ±2 ③ ±4
④ ±8 ⑤ ±16

출제율 90%

15 상 $4x^2+\square xy+\square$가 완전제곱식이 될 때, $\square$ 안에 들어갈 알맞은 것을 순서대로 옳게 짝지은 것은?

① $\pm6,\ 9y^2$ ② $\pm20,\ -25y^2$
③ $\pm28,\ \pm49y^2$ ④ $\pm12,\ 9y^2$
⑤ $\pm28,\ \pm9y^2$

출제율 85%

16 상 $9x^2+2(m+1)xy+25y^2$이 완전제곱식이 되도록 하는 상수 m의 값을 모두 구하여라.

대표유형 근호 안을 인수분해하여 간단히 하기

17 $1<x\le 2$일 때, $\sqrt{x^2-2x+1}+\sqrt{(x+1)^2}$을 간단히 하면?

① $-2x$ ② -2 ③ 0
④ 2 ⑤ $2x$

내신 UP POINT
〈근호 안을 인수분해하여 간단히 하기〉
근호 안의 식을 먼저 완전제곱식으로 인수분해한 후 근호 안의 식의 부호에 주의하여 근호를 없앤다.
$\sqrt{a^2}=\begin{cases}a(a\ge 0)\\-a(a<0)\end{cases}$

출제율 95%

18 하 $-1<x<0$일 때, $\sqrt{x^2}+\sqrt{x^2+6x+9}$를 간단히 하면?

① $-2x-3$ ② -3 ③ 3
④ 9 ⑤ $2x+3$

출제율 95%

19 중 $1<x<2$일 때, 다음 식을 간단히 하여라.

$$\sqrt{x^2-4x+4}+\sqrt{x^2-2x+1}$$

출제율 95%

20 중 $0<a<3$일 때, $\sqrt{a^2-6a+9}-\sqrt{a^2-10a+25}$를 간단히 하면?

① -2 ② 2 ③ $-2a+8$
④ $2a-8$ ⑤ $2a+8$

출제율 85%

21 중 두 양수 a, b에 대하여 $a<3b$일 때, $\sqrt{25a^2+10ab+b^2}+\sqrt{a^2-6ab+9b^2}=4$이다. 이때 $a+b$의 값은?

① 1 ② 2 ③ 3
④ 4 ⑤ 5

출제율 80%

22 상 $\sqrt{x}=a-1$일 때, $\sqrt{x-2a+3}-\sqrt{x+8a+8}$을 간단히 하면? (단, $-3<a<2$)

① $-2a-1$ ② -5 ③ 1
④ $2a+1$ ⑤ $2a+5$

대표유형 인수분해 공식(2)

23 $25x^2-16$을 인수분해하면?

① $(5x-4)^2$ ② $(5x+4)^2$
③ $(5x+4)(5x-4)$ ④ $(5x+8)(5x-2)$
⑤ $(5x+8)(5x-8)$

내신 UP POINT
인수분해 공식(2)−제곱의 차
$a^2-b^2=(a+b)(a-b)$
합 차

출제율 95%

24 하 $3y^2-48$을 인수분해하면?

① $(3y-4)^2$ ② $(3y+4)^2$
③ $(3y+4)(y-4)$ ④ $(y+4)(3y-4)$
⑤ $3(y+4)(y-4)$

출제율 95%

25 $12x^2-75y^2=a(bx+cy)(bx-cy)$일 때, 자연수 a, b, c에 대하여 $a+b+c$의 값은?

중

① 7 ② 8 ③ 9
④ 10 ⑤ 11

출제율 95%

26 $\frac{1}{4}x^2-\frac{16}{9}y^2=(Ax+By)(Ax-By)$일 때, 양수 A, B에 대하여 AB의 값은?

중

① $\frac{1}{3}$ ② $\frac{2}{3}$ ③ 1
④ $\frac{4}{3}$ ⑤ $\frac{5}{3}$

출제율 90%

27 $\frac{1}{2}x^2-2y^2$을 인수분해하면?

중

① $\left(\frac{1}{2}x+y\right)(x-y)$ ② $(x+y)\left(\frac{1}{2}-y\right)$
③ $\frac{1}{2}(x+y)(x-y)$ ④ $\frac{1}{2}(x+2y)(x-2y)$
⑤ $\frac{1}{2}(x+2y)(x-4y)$

출제율 85%

28 다음 중 x^3-x의 인수가 아닌 것은?

중

① $x-1$ ② x ③ $x+1$
④ x^2 ⑤ $x(x-1)$

출제율 85%

29 $x^4-16y^4=(x^2+Ay^2)(x+By)(x+Cy)$일 때, 상수 A, B, C의 합 $A+B+C$의 값을 구하여라.

상

대표유형 인수분해 공식(3)

30 $x^2+Ax-14=(x+7)(x-2)$일 때, 상수 A의 값은?

① 1 ② 2 ③ 3
④ 4 ⑤ 5

내신 UP POINT

인수분해 공식(3)$-x^2$의 계수가 1인 이차식

$x^2+(a+b)x+ab=(x+a)(x+b)$

($a+b$: 합, ab: 곱)

출제율 95%

31 x^2+5x-6을 인수분해하면?

하

① $(x+3)(x+2)$ ② $(x+3)(x-2)$
③ $(x+6)(x-1)$ ④ $(x-6)(x+1)$
⑤ $(x+4)(x+1)$

출제율 95%

32 x^2+4x+B가 $(x+1)(x+3)$으로 인수분해될 때, 상수 B의 값은?

하

① 1 ② 2 ③ 3
④ 4 ⑤ 5

출제율 95%

33 중 $x^2-x-12=(x+a)(x+b)$일 때, $a+b$의 값은? (단, a, b는 상수)

① -1 ② 0 ③ 1 ④ 5 ⑤ 12

출제율 95%

34 중 $x^2+4x-12$가 두 일차식의 곱으로 인수분해될 때, 이 두 일차식의 합은? (단, 두 일차식의 일차항의 계수는 1이다.)

① $2x+4$ ② $2x-4$ ③ $x+4$ ④ $x-4$ ⑤ x^2+4

출제율 95%

35 중 $x^2+2x+a=(x+4)(x+b)$일 때, $b-a$의 값은? (단, a, b는 상수)

① -10 ② -6 ③ 2 ④ 6 ⑤ 10

출제율 90%

36 중 $x(x-3)-10$을 인수분해하면?

① $(x+1)(x-10)$ ② $(x-1)(x+10)$ ③ $(x+2)(x-5)$ ④ $(x-2)(x+5)$ ⑤ $(x-3)(x+4)$

출제율 85%

37 중 일차항의 계수가 1인 두 일차식의 곱이 $(x+3)(x+2)-12x$일 때, 이 두 일차식의 합은?

① $2x-7$ ② $2x-5$ ③ $x-7$ ④ $2x+5$ ⑤ $2x+7$

대표유형 인수분해 공식(4)

38 $2x^2-x-15=(2x+A)(x-3)$일 때, 상수 A의 값은?

① 1 ② 2 ③ 3 ④ 4 ⑤ 5

내신 UP POINT
인수분해 공식(4) – x^2의 계수가 1이 아닌 이차식
$acx^2+(ad+bc)x+bd=(ax+b)(cx+d)$

출제율 95%

39 하 $6x^2+7x-3$을 인수분해하면?

① $(2x-3)(3x-1)$ ② $(2x-3)(3x+1)$ ③ $(2x+3)(3x-1)$ ④ $(2x+3)(3x+1)$ ⑤ $(x+3)(6x-1)$

출제율 95%

40 하 $6x^2-x-12$를 인수분해하면?

① $(2x-3)(3x+4)$ ② $(2x+3)(3x-4)$ ③ $(2x-3)(3x-4)$ ④ $(2x+3)(3x+4)$ ⑤ $(x+4)(6x-7)$

출제율 95%

41 다음 중 인수분해가 옳게 된 것은?

중

① $-ax^2+3ax=-ax(x+3)$
② $3x^2+10x-8=(3x-2)(x+4)$
③ $x^2-10x+25=(x+5)^2$
④ $x^2-25=(x-5)^2$
⑤ $x^2-4x-5=(x-1)(x+5)$

출제율 95%

42 다음 중 인수분해한 것이 옳지 <u>않은</u> 것은?

중

① $4x^2-1=(2x-1)^2$
② $x^2+6x+9=(x+3)^2$
③ $ax+bx+cx=(a+b+c)x$
④ $x^2-6x-16=(x+2)(x-8)$
⑤ $2x^2-xy-3y^2=(2x-3y)(x+y)$

출제율 95%

43 $5x^2-12x-9=(5x+A)(x+B)$일 때, $A-B$의 값은? (단, A, B는 상수)

중

① -9 ② -6 ③ 0
④ 6 ⑤ 9

출제율 95%

44 $6x^2-5x-6$이 일차항의 계수가 자연수인 두 일차식의 곱으로 인수분해될 때, 이 두 일차식의 합은?

중

① $-5x+4$ ② $-5x+1$ ③ $x-5$
④ $5x-1$ ⑤ $5x-4$

출제율 90%

45 다음 중 $4x^2+4x-15$의 인수를 모두 고르면? (정답 2개)

중

① $x-3$ ② $2x-3$ ③ $2x+1$
④ $2x+5$ ⑤ $3x+2$

출제율 90%

46 $7x^2-3xy-4y^2=(ax+by)(cx+dy)$일 때, 네 정수 a, b, c, d에 대하여 $a+b+c+d$의 값은? (단, $a>0$)

중

① -11 ② -6 ③ 0
④ 6 ⑤ 11

출제율 90%

47 $3x^2+Ax-2$를 인수분해하면 $(x+1)(3x+B)$일 때, $A+B$의 값은? (단, A, B는 상수)

중

① -1 ② -2 ③ -3
④ -4 ⑤ -5

출제율 85%

48 다음 중 $8x^2-10xy-12y^2$의 인수인 것은?

중

① $x-y$ ② $x+2y$ ③ $2x+4y$
④ $4x-3y$ ⑤ $4x+3y$

출제율 80%

49 $3x^2-14x+8=(Ax-2)(Bx-4)$일 때, $A-B$의 값은? (단, A, B는 자연수)

중

① -2　② 2　③ 3
④ 4　⑤ 5

대표유형 두 다항식의 공통인수 구하기

50 두 다항식 x^2y-xy^2과 $3x-3y$의 공통인수는?

① x　② y　③ xy
④ $x-y$　⑤ $x+y$

출제율 95%

51 다음 다항식 중 $x+4$를 인수로 가지지 <u>않는</u> 것은?

중

① $2x^2-32$　② $x^2+8x+16$
③ $4x^2+15x-4$　④ x^2+3x-4
⑤ $2x^2-8$

출제율 95%

52 다음 중 두 다항식 $2x^2-5x-12$와 x^2-2x-8의 공통인수는?

중

① $x-4$　② $x-2$　③ $x+2$
④ $x+4$　⑤ $2x+3$

출제율 95%

53 $3x^2-8x-3$과 $2x^2-x-15$의 공통인수는?

중

① $x-5$　② $x-3$　③ $x-1$
④ $x+1$　⑤ $x+3$

출제율 90%

54 다음 두 식의 공통인수가 $ax+b$일 때, $a+b$의 값은? (단, a, b는 자연수)

중

$6x^2-5x-6$,　$3x^2-19x-14$

① 3　② 4　③ 5
④ 7　⑤ 8

출제율 90%

55 다음 보기 중 $x-2$를 인수로 가지는 다항식을 모두 고른 것은?

중

보기
ㄱ. x^2-4　ㄴ. x^2-x-6　ㄷ. $2x^2-5x+2$

① ㄱ　② ㄴ　③ ㄷ
④ ㄱ, ㄷ　⑤ ㄴ, ㄷ

출제율 85%

56 다음 세 다항식의 공통인수는?

중

x^2-9, $2x^2-11x+15$, x^2-6x+9

① $x+3$　② $x-3$　③ $x+2$
④ $x-2$　⑤ $x-1$

대표 유형 **인수가 주어진 이차식의 미지수의 값 구하기**

57 $x^2-Ax+28$이 $x-4$를 인수로 가질 때, 상수 A의 값은?

① -11 ② -4 ③ 4
④ 7 ⑤ 11

내신 UP POINT

이차식 ax^2+bx+c의 하나의 인수가 $mx+n$으로 주어질 때,
$ax^2+bx+c=(mx+n)(\square x+\bigcirc)$
주어진 인수 나머지 인수

출제율 95%

58 (하) $2x^2+Ax+15$가 $2x-3$을 인수로 가질 때, 상수 A의 값은?

① -13 ② -7 ③ 0
④ 7 ⑤ 13

출제율 95%

59 (하) x^2-x+a의 인수 중 하나가 $x+4$일 때, 상수 a의 값은?

① -20 ② -9 ③ -1
④ 1 ⑤ 20

출제율 90%

60 (중) $x^2-ax+20$이 $x-5$로 나누어떨어질 때, 상수 a의 값은?

① -9 ② -7 ③ -1
④ 1 ⑤ 9

출제율 85%

61 (상) 두 다항식 x^2+x+a와 $3x^2+bx-4$의 공통인수가 $x-4$일 때, $a-b$의 값은? (단, a, b는 상수)

① -31 ② -9 ③ -7
④ 9 ⑤ 31

대표 유형 **인수분해 공식의 도형에의 활용(1)**

62 다음 그림과 같은 세 종류의 직사각형 모양의 타일 6개를 서로 겹치지 않게 붙여 큰 직사각형 모양을 만들려고 한다. 이때 큰 직사각형 모양의 가로의 길이와 세로의 길이의 합은?

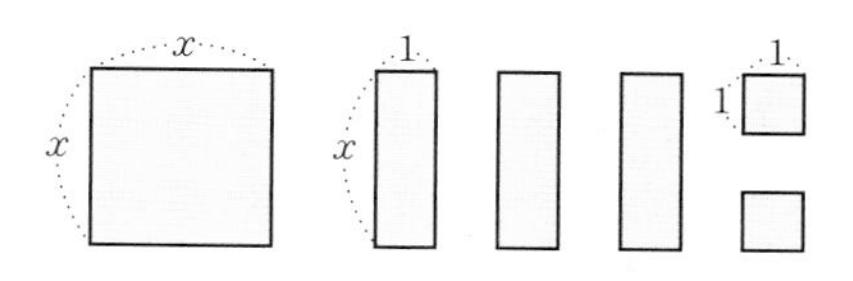

① $2x$ ② $2x+1$ ③ $2x+2$
④ $2x+3$ ⑤ $2x+4$

출제율 90%

63 (중) 다음 그림의 모든 직사각형의 넓이의 합과 넓이가 같은 정사각형의 한 변의 길이는?

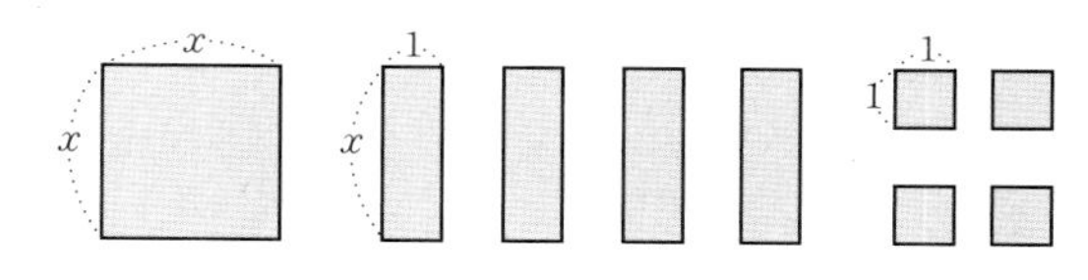

① x ② $x+1$ ③ $x+2$
④ $x+3$ ⑤ $x+4$

출제율 85%

64 상 다음 그림의 직사각형을 모두 사용하여 하나의 큰 직사각형을 만들 때, 그 직사각형의 둘레의 길이를 구하여라.

대표유형 인수분해 공식의 도형에의 활용(2)

65 우리 학교 교정에는 직사각형 모양의 화단이 있다. 화단의 가로의 길이는 $3a-4$이고 넓이가 $6a^2+7a-20$일 때, 세로의 길이는?

① $2a-5$ ② $2a-3$ ③ $2a+1$
④ $2a+3$ ⑤ $2a+5$

출제율 85%

66 하 넓이가 $6a^2+18a+12$이고 가로의 길이가 $a+1$인 직사각형의 둘레의 길이는?

① $12a+14$ ② $12a+26$ ③ $14a+14$
④ $14a+24$ ⑤ $14a+26$

출제율 95%

67 중 넓이가 $16x^2-40xy+25y^2$인 정사각형의 한 변의 길이는? (단, x의 계수는 양수)

① $2x-5y$ ② $4x-5y$ ③ $8x-5y$
④ $2x+5y$ ⑤ $4x+5y$

출제율 95%

68 중 오른쪽 그림과 같은 사다리꼴의 넓이가 $2a^2+a-6$일 때, 이 사다리꼴의 높이는?

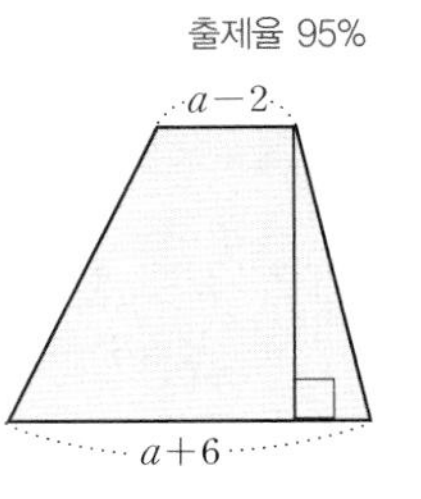

① $a+2$ ② $a+3$
③ $2a-3$ ④ $2a-1$
⑤ $2a+1$

출제율 85%

69 중 다음의 왼쪽 그림과 같은 땅을 넓이가 변하지 않도록 정사각형 모양으로 바꾸었더니 오른쪽 그림과 같이 되었다. $a+b$의 값을 구하여라. (단, a, b는 상수이고 $a>0$, $b>0$이다.)

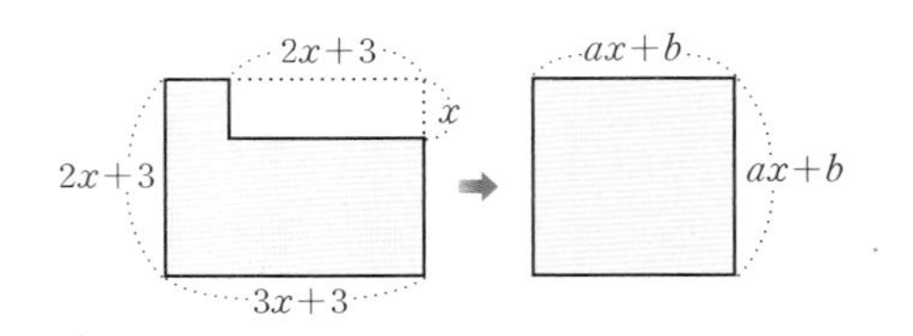

출제율 85%

70 상 오른쪽 그림과 같이 반지름의 길이가 r인 연못의 둘레에 너비가 $\frac{r}{2}$인 잔디밭을 만들려고 한다. 잔디밭의 넓이는?

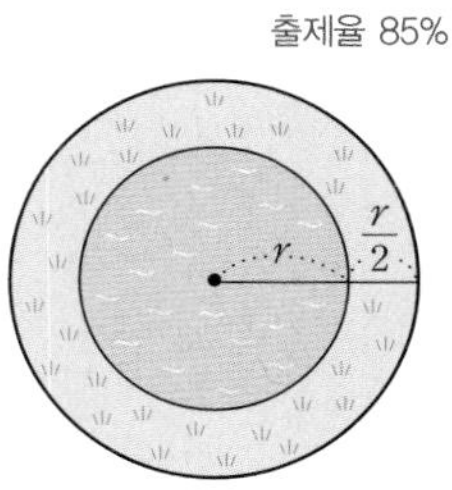

① $\frac{3}{4}\pi r^2$ ② $\frac{5}{4}\pi r^2$ ③ $\frac{7}{4}\pi r^2$
④ $\frac{9}{4}\pi r^2$ ⑤ $\frac{11}{4}\pi r^2$

개념 UP 01 인수분해 공식 종합

(1) $a^2+2ab+b^2=(a+b)^2$
(2) $a^2-2ab+b^2=(a-b)^2$
(3) $a^2-b^2=(a+b)(a-b)$
(4) $x^2+(a+b)x+ab=(x+a)(x+b)$
(5) $acx^2+(ad+bc)x+bd=(ax+b)(cx+d)$

출제율 80%

71 중 세 다항식 $2x^2+8x+A$, $9x^2+Bx+16$, Cx^2-2x+4가 모두 완전제곱식일 때, ABC의 값을 구하여라. (단, $B>0$)

출제율 80%

72 상 다음 중 $x^{16}-1$의 인수를 모두 고르면? (정답 2개)

① x ② x^2 ③ x^2-1
④ x^6+1 ⑤ x^8+1

출제율 80%

73 상 x에 관한 이차식 x^2+7x+k가 $(x+a)(x+b)$로 인수분해될 때, k의 값 중 가장 큰 값을 구하여라. (단, a, b는 자연수)

출제율 80%

74 상 두 다항식 $3x^2+2xy-y^2$, $5x^2+3xy+ay^2$의 공통인수가 $x+by$일 때, $a+b$의 값을 구하여라. (단, a, b는 정수)

개념 UP 02 잘못 보고 푼 문제 바르게 풀기

잘못 본 수를 제외한 나머지 수는 바르게 본 것이다.
(1) 상수항을 잘못 본 경우
$x^2+\underline{ax}+\underline{b}$
바르게 본 수 잘못 본 수
(2) 일차항의 계수를 잘못 본 경우
$x^2+\underline{cx}+\underline{d}$
잘못 본 수 바르게 본 수
(1), (2)에서 올바른 이차식은 x^2+ax+d이다.

출제율 90%

75 중 어떤 이차식을 현수는 일차항의 계수를 잘못 보아 $(x+2)(x-9)$로 인수분해하였고, 같은 식을 민지는 상수항을 잘못 보아 $(x-1)(x-2)$로 인수분해하였다. 처음에 주어진 이차식을 옳게 인수분해한 것은?

① $(x-3)(x+6)$ ② $(x+2)(x-6)$
③ $(x+3)(x-2)$ ④ $(x+3)(x-6)$
⑤ $(x+3)(x-9)$

출제율 90%

76 상 어떤 이차식을 상진이는 상수항을 잘못 보아 $(x+3)(x-5)$로 인수분해하였고, 태수는 일차항의 계수를 잘못 보아 $(x+4)(x-2)$로 인수분해하였다. 처음에 주어진 이차식을 옳게 인수분해하여라.

출제율 85%

77 상 어떤 이차식을 인수분해하는데 지환이는 일차항의 계수를 잘못 보아 $(x-1)(4x+3)$으로 인수분해하였고, 지은이는 상수항을 잘못 보아 $(2x-1)^2$으로 인수분해하였다. 처음의 이차식을 옳게 인수분해하여라.

이것만 봐도 70점!

01 다음 중 인수분해를 옳게 한 것은?

① $9x^2-30x+25=(3x+5)(3x-5)$
② $x^2+x+1=(x+1)^2$
③ $a^2+8a+15=(a+4)^2$
④ $4x^2-9y^2=(2x-3y)^2$
⑤ $1+2y+y^2=(y+1)^2$

02 $2a(x-y)-3a(x-y)$를 인수분해하면?

① $(2a-3)(x-y)$　② $a(x-y)$
③ $x(a-y)$　④ $-a(x-y)$
⑤ $-y(a-x)$

03 다음 중 완전제곱식이 될 수 없는 것은?

① $25a^2-10ab+b^2$　② $2a^2-4a+2$
③ $a^2+a+\frac{1}{4}$　④ $16a^2-24ab+9b^2$
⑤ $9a^2+6ab+4b^2$

04 $9x^2-6x+k$가 완전제곱식이 될 때, 상수 k의 값은?

① -9　② -1　③ 1
④ 6　⑤ 9

05 $x^2+\square x+4$가 완전제곱식이 될 때, $\square$ 안에 알맞은 수는?

① -2　② 1　③ ±2
④ ±4　⑤ ±5

06 $x^2+Ax+\frac{4}{9}=(x+B)^2$을 만족하는 두 양수 A, B에 대하여 $A+B$의 값은?

① -2　② $-\frac{4}{3}$　③ $\frac{1}{3}$
④ $\frac{4}{3}$　⑤ 2

07 $2<x<3$일 때, $\sqrt{x^2-6x+9}-\sqrt{x^2-4x+4}$를 간단히 하면?

① $-2x+6$　② $-2x+5$　③ $-2x$
④ $2x-5$　⑤ $2x-6$

08 $x^2-3xy-10y^2$은 x의 계수가 1인 두 일차식의 곱으로 인수분해될 때, 이 두 일차식의 합은?

① $2x-3y$　② $2x+3y$　③ $3x-4y$
④ $3x+4y$　⑤ $5x-3y$

09 $(x+1)(x+2)-6$을 인수분해하면?

① $(x-4)(x+1)$ ② $(x+4)(x-1)$
③ $(x-3)(x-1)$ ④ $(x+3)(x+1)$
⑤ $(x+2)(x-2)$

10 $3x^2-10x-8$을 인수분해하면?

① $(3x-2)(x+4)$ ② $(3x+2)(x-4)$
③ $(3x-1)(x+8)$ ④ $(3x+1)(x-8)$
⑤ $(3x+8)(x-1)$

11 $8x^2-Ax-3$을 인수분해하였더니 $(2x+B)(Cx-3)$이 되었다. 이때 $A+B+C$의 값은? (단, A, B, C는 상수)

① 1 ② 3 ③ 5
④ 7 ⑤ 9

12 다음 다항식 중 $x+1$을 인수로 가지지 않는 것은?

① $2ax+2a$ ② $2x^2-3x-2$
③ x^2-1 ④ $2x^2+5x+3$
⑤ x^2-2x-3

13 다음 두 식의 공통인수를 구하여라. (단, 일차항의 계수는 자연수이다.)

$$x^2+5x-24,\quad 2x^2-5x-3$$

14 $3x^2+kx+32$가 $x-8$로 나누어떨어질 때, 상수 k의 값은?

① -28 ② -14 ③ 0
④ 14 ⑤ 28

15 다음 그림의 모든 직사각형의 넓이의 합과 넓이가 같은 정사각형의 한 변의 길이는?

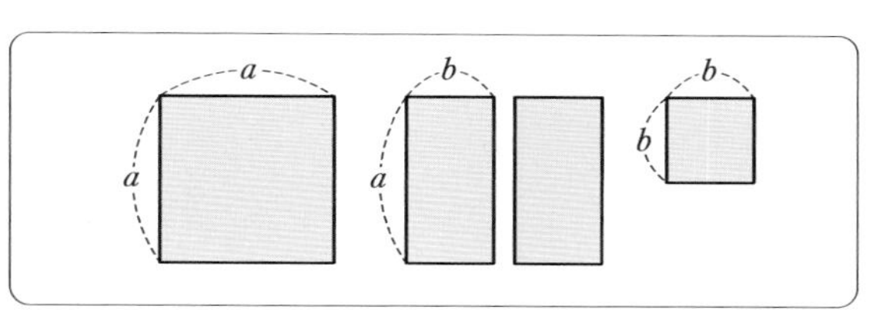

① $2a$ ② $2b$ ③ $a-b$
④ $a+b$ ⑤ $2(a+b)$

16 가로의 길이가 $2x+3$인 직사각형 모양의 땅의 넓이가 $8x^2+14x+3$일 때, 세로의 길이는?

① $4x-3$ ② $4x-1$ ③ $4x$
④ $4x+1$ ⑤ $4x+3$

꼭! 맞고 상위권 진입 90점!

17 자연수 $2^{16}-1$의 약수가 아닌 것은?

① 3 ② 15 ③ 17
④ 51 ⑤ 258

18 다음 두 개의 식이 모두 완전제곱식이 되도록 하는 양수 a, b에 대하여 $a+b$의 값은?

$$x^2+ax+49,\quad 4x^2+16x+b$$

① -36 ② -30 ③ 6
④ 30 ⑤ 36

19 $(2x-5)^2-(x-1)(x+9)-2$를 인수분해하면?

① $(2x-5)(3x+4)$ ② $(2x+5)(3x-4)$
③ $(x-8)(3x-4)$ ④ $(x+8)(3x-4)$
⑤ $(2x-5)(3x-4)$

20 자연수 n에 대하여 n^2+8n-9가 소수일 때, 이 소수는?

① 5 ② 7 ③ 11
④ 13 ⑤ 17

1등급 만점도전

21 x에 관한 이차식 $x^2+11x+k$가 $(x+a)(x+b)$로 인수분해될 때, k의 값 중 가장 큰 값은? (단, a, b는 자연수)

① 10 ② 18 ③ 24
④ 28 ⑤ 30

22 두 다항식 $2x^2+3xy-2y^2$, $4x^2+5xy+ay^2$의 공통인수가 $x+by$일 때, $a+b$의 값은? (단, a, b는 정수)

① -4 ② -2 ③ 1
④ 2 ⑤ 4

단계형

23 $81x^2-\frac{4}{9}=(Ax+By)(Ax-By)$일 때, 양수 A, B에 대하여 AB의 값을 구하여라. [6점]

1단계 $81x^2-\frac{4}{9}$를 인수분해하기 [3점]

2단계 A, B의 값을 각각 구하기 [2점]

3단계 AB의 값 구하기 [1점]

단계형

24 다음 그림에서 두 도형 A, B의 넓이가 같을 때, 도형 B의 세로의 길이를 구하여라. [6점]

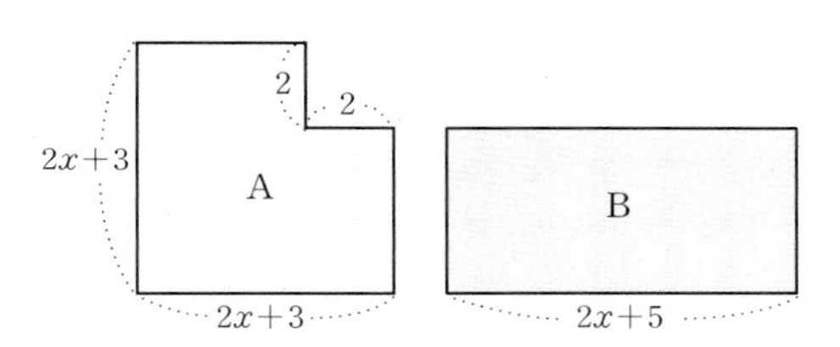

1단계 도형 A의 넓이 구하기 [3점]

2단계 도형 B의 세로의 길이 구하기 [3점]

사고력

25 두 실수 a, b에 대하여 $a>0$, $ab<0$일 때, $\sqrt{(-a)^2}-\sqrt{a^2-2ab+b^2}+\sqrt{b^2}$을 간단히 하여라. [7점]

사고력

26 이차항의 계수가 1인 어떤 이차식을 인수분해하는데 효빈이는 일차항의 계수를 잘못 보아 $(x+3)(x-6)$으로 인수분해하였고, 동훈이는 상수항을 잘못 보아 $(x-3)(x+10)$으로 인수분해하였다. 처음에 주어진 이차식을 바르게 인수분해하여라. [7점]

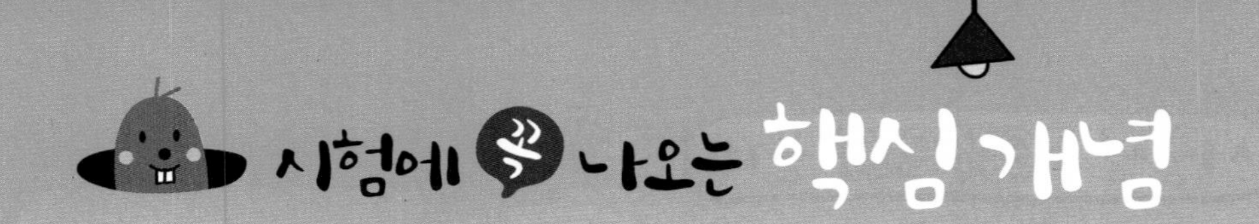

01 공통인수로 묶어 인수분해하기

공통인수가 있으면 공통인수로 묶은 다음 인수분해 공식을 이용한다.

예 $3x^2-3=3(x^2-1)=3(x+1)(x-1)$

공통인수

02 공통인 식을 치환하여 인수분해하기

공통인 식을 한 문자로 치환한 다음 인수분해 공식을 이용한다.

예 $(x+2)^2+3(x+2)+2=A^2+3A+2$ ← $x+2=A$로 치환

$=(A+1)(A+2)$ ← 인수분해

$=(x+2+1)(x+2+2)$ ← A에 $x+2$를 대입

$=(x+3)(x+4)$

03 적당한 항끼리 묶어 인수분해하기

항이 4개인 다항식을 인수분해하는 방법에는 다음의 두 가지가 있다.

(1) (2항)+(2항)으로 묶어서 공통으로 들어 있는 식을 찾는다.

예 $ab+2a+b+2=a(b+2)+(b+2)=(a+1)(b+2)$

(2) 완전제곱식을 찾아 (3항)−(1항) 또는 (1항)−(3항)으로 묶어서 A^2-B^2의 꼴로 변형한다.

예 $x^2+2x+1-y^2=(x+1)^2-y^2=(x+1+y)(x+1-y)$

$=(x+y+1)(x-y+1)$

04 인수분해 공식을 이용한 수의 계산

인수분해 공식을 이용하여 수의 모양을 바꾸어 계산하면 편리하다.

(1) $a^2\pm2ab+b^2=(a\pm b)^2$

예 $99^2+2\times99\times1+1^2=(99+1)^2=10000$

(2) $a^2-b^2=(a+b)(a-b)$

예 $3.5^2-4.5^2=(3.5+4.5)(3.5-4.5)=8\times(-1)=-8$

(3) $x^2+(a+b)x+ab=(x+a)(x+b)$

예 $48^2+3\times48+2=(48+2)(48+1)=50\times49=2450$

05 인수분해 공식을 이용하여 식의 값 구하기

주어진 식을 인수분해한 후 문자의 값을 대입하여 식의 값을 계산하면 편리하다.

예 $x=\sqrt{3}+1$, $y=\sqrt{3}-1$일 때, x^2-y^2의 값

$x+y=2\sqrt{3}$, $x-y=2$이므로

$x^2-y^2=(x+y)(x-y)=2\sqrt{3}\times2=4\sqrt{3}$

예제 1

다음 식을 인수분해하여라.

(1) $2x^2+12x+18$

(2) $a^2(x-y)-a(y-x)$

예제 2

다음 식을 인수분해하여라.

(1) $(x+y)^2-4(x+y)+4$

(2) $(2x+1)^2-(x+3)^2$

예제 3

다음 식을 인수분해하여라.

(1) $ab+ac+2b+2c$

(2) x^2-y^2-4y-4

예제 4

인수분해 공식을 이용하여 다음을 계산하여라.

(1) $33^2-2\times33\times3+3^2$

(2) 75^2-25^2

(3) $101^2-4\times101+3$

예제 5

$x=2+\sqrt{2}$, $y=2-\sqrt{2}$일 때, 다음 식의 값을 구하여라.

(1) x^2-4x+4 (2) x^2-y^2

대표 유형 x^2의 계수가 음수인 경우

01 $-x^2+8x-16$을 인수분해하면?

① $-(x-4)^2$ ② $-(x+4)^2$
③ $-(x-2)(x-8)$ ④ $-(x-2)(x+8)$
⑤ $-(x+2)(x-8)$

출제율 95%

02 $-18x^2+8y^2$을 인수분해하면?

하

① $-4(3x+2y)(3x-2y)$
② $-2(3x+2y)(3x-2y)$
③ $-2(3x+4y)(3x-4y)$
④ $2(3x+2y)(3x-2y)$
⑤ $4(3x+2y)(3x-2y)$

출제율 90%

03 $-3x^2+15x+42$를 인수분해하여라.

하

출제율 85%

04 $-4x^2-2x+2$를 인수분해하면 $-2(x+a)(bx+c)$일 때, $a+b+c$의 값은? (단, a, b, c는 상수)

중

① -4 ② -2 ③ 0
④ 2 ⑤ 4

대표 유형 공통인수로 묶어 인수분해하기

05 $2a^3+12a^2+18a$를 인수분해하면?

① $a(a+3)(2a+9)$ ② $(a^2+4a)(2a+6)$
③ $2a(a+3)^2$ ④ $2a(a+9)^2$
⑤ $a(2a+6)^2$

출제율 95%

06 $ab(x-y)+b(y-x)$를 인수분해하면?

하

① $2ab(x-y)$ ② $b(a+1)(x-y)$
③ $b(a+1)(y-x)$ ④ $b(a-1)(x-y)$
⑤ $b(a-1)(y-x)$

출제율 95%

07 $25x^2(x-2)-4x+8$을 인수분해하면?

중

① $(x-2)(25x^2+4)$
② $(x-2)(5x+2)(5x-2)$
③ $(x-2)(5x+4)(5x-1)$
④ $(x+2)(5x+2)(5x-2)$
⑤ $(x+2)(5x+4)(5x-1)$

출제율 85%

08 다음 중 $(x+1)y^2+3(x+1)y-28(x+1)$의 인수가 아닌 것을 모두 고르면? (정답 2개)

중

① $x+1$ ② $y-7$ ③ $y+7$
④ $y-4$ ⑤ $y+4$

대표유형 공통인 식을 치환하여 인수분해하기

09 $(x-1)^2-(x-1)-12$를 인수분해하면 $(x+2)(\square)$이다. 다음 중 $\square$ 안에 들어갈 식은?

① $x-7$　② $x-5$　③ $x+1$
④ $x+5$　⑤ $x+7$

내신 UP POINT

공통인 식을 치환하여 인수분해하기
(1) 주어진 식에 공통인 식이 있으면 한 문자로 치환하여 인수분해한 후 원래의 식을 대입하여 정리한다.
(2) 치환한 다음 $A(A+a)+b$의 꼴인 경우에는 전개한 후 인수분해하고, 그 결과에 원래의 식을 대입하여 정리한다.
(3) A^2-B^2의 꼴인 경우에는 인수분해한 후 원래의 식을 대입하여 정리한다.

출제율 95%

10 $(x+y)(x+y-3)-4$를 인수분해하면?

중

① $(x+y-4)(x+y+1)$
② $(x+y+4)(x+y+1)$
③ $(x+y-4)(x+y-1)$
④ $(x+y+4)(x+y-1)$
⑤ $(x+y-4)(x+y-3)$

출제율 95%

11 $1-(x-y)^2$을 인수분해하면?

중

① $(1+x-y)(1-x+y)$
② $(1+x-y)(1-x-y)$
③ $(1+x+y)(1-x-y)$
④ $(1+x+y)(1-x+y)$
⑤ $(1+x+y)(1+x-y)$

출제율 95%

12 $(a+b)^2-(2b-c)^2$을 인수분해하면?

중

① $(a+3b-c)(a-b-c)$
② $(a+3b-c)(a-b+c)$
③ $(a+3b-c)(a+b-c)$
④ $(a+3b+c)(a-b+c)$
⑤ $(a+3b+c)(a+b-c)$

출제율 90%

13 $(x+2y)(x+2y-6)+9=(ax+by+c)^2$일 때, a, b, c의 곱 abc의 값을 구하여라. (단, $a>0$)

중

출제율 85%

14 $2(x+1)^2-3(x+1)(y-2)+(y-2)^2$을 인수분해하면?

중

① $(x-y+3)(x-y+2)$
② $(x-y+3)(2x-y+2)$
③ $(x-y+3)(2x-y+4)$
④ $(2x-y+3)(2x-y+2)$
⑤ $(2x-y+2)(2x-y+4)$

출제율 80%

15 다음 식을 인수분해하여라.

중

$$(x+2y+1)^2-4(x-y+1)^2$$

출제율 85%

16 $(x+y)^2-9x-9y+18$을 인수분해하면 다음과 같을 때, $a+b+c+d$의 값은? (단, a, b, c, d는 상수)

상

$$(x+ay+b)(x+cy+d)$$

① -11 ② -7 ③ -1
④ 7 ⑤ 11

출제율 85%

17 다음 중 $(x^2-3x-2)(x^2-3x-12)+16$의 인수가 아닌 것은?

상

① $x-5$ ② $x-4$ ③ $x-2$
④ $x+1$ ⑤ $x+2$

출제율 80%

18 두 자연수 n, $n+3$에 대하여 큰 수의 제곱에서 작은 수의 제곱을 뺀 것은 그 두 수의 합의 몇 배가 되는가?

상

① 1배 ② 2배 ③ 3배
④ 4배 ⑤ 5배

대표유형 **사차식의 인수분해**

19 x^4+2x^2-3을 인수분해하면?

① $(x^2+1)(x^2+3)$
② $(x^2+1)(x^2-3)$
③ $(x^2+3)(x+1)(x-1)$
④ $(x^2-3)(x+1)(x-1)$
⑤ $(x+1)(x-1)(x+3)(x-3)$

내신 UP POINT
사차식의 인수분해는 x^2을 한 문자로 치환한 다음 인수분해 공식을 이용한다.

출제율 90%

20 다음 보기 중 x^4-y^4의 인수는 모두 몇 개인가?

중

보기
ㄱ. $x-y$ ㄴ. $x+y$
ㄷ. x^2+y^2 ㄹ. x^2+xy+y^2

① 없다. ② 1개 ③ 2개
④ 3개 ⑤ 4개

출제율 80%

21 $4x^4-5x^2+1$은 네 개의 일차식의 곱으로 인수분해된다. 네 개의 일차식의 합을 구하여라. (단, 일차항의 계수는 자연수이다.)

상

대표유형 **적당한 항끼리 묶어 인수분해하기**

22 다음 중 $a^2-2ab-4b+2a$의 인수인 것은?

① $a+4$ ② $a-2b$ ③ $a+2b$
④ a ⑤ $2b$

출제율 95%

23 x^3+x^2-x-1을 인수분해하면?

중

① $(x+1)^2(x-1)$ ② $(x-1)^2(x+1)$
③ $(x+1)^3$ ④ $x(x+1)(x-1)$
⑤ $(x-1)^3$

출제율 90%

24 $x^3+2x^2y-x-2y$를 인수분해하면?

중

① $(x+1)^2(x+2y)$　② $(x-1)^2(x+2y)$
③ $(x^2+1)(x+2y)$　④ $(x^2+1)(x-2y)$
⑤ $(x+1)(x-1)(x+2y)$

출제율 95%

25 $4x^2-y^2-12x+9$를 인수분해하여라.

중

출제율 95%

26 x^2-16-y^2-8y를 인수분해하면?

중

① $(x+y+2)(x-y-2)$
② $(x+y-2)(x-y-2)$
③ $(x+y+4)(x-y-4)$
④ $(x-y+4)(x-y-4)$
⑤ $(x+y+4)(x+y-4)$

출제율 90%

27 다음 보기 중 $a^3+4b-4a-a^2b$의 인수인 것을 모두 골라라.

중

보기

ㄱ. $a-b$　ㄴ. $a-2$　ㄷ. $b+1$
ㄹ. a^2+4　ㅁ. a^2+b^2　ㅂ. $a+2$

출제율 90%

28 다음 중 $x^2y^2-x^2-y^2+1$의 인수가 <u>아닌</u> 것은?

중

① $x-1$　② $x+1$　③ $y-1$
④ $y+1$　⑤ $xy-1$

출제율 90%

29 $x^2+5x-5y-y^2$을 인수분해하였더니 $(x+ay)(x+by+c)$가 되었다. 이때 상수 a, b, c의 곱 abc의 값은?

중

① -5　② -4　③ -3
④ 4　⑤ 5

출제율 85%

30 $x^2-25-16y^2-40y$가 x의 계수가 1인 두 일차식의 곱으로 인수분해될 때, 두 일차식의 합은?

중

① $2x$　② $8y$　③ $2x-8y$
④ $2x+8y$　⑤ $2x+8y+10$

출제율 85%

31 다음 식을 인수분해하여라.

상

$$a^2-1+ab+a-b-1$$

출제율 80%

32 $xy-x-y=14$일 때, $x+y$의 값 중 가장 작은 값은? (단, x, y는 자연수)

상

① 8 ② 10 ③ 12
④ 16 ⑤ 18

대표유형 주어진 식을 전개한 후 인수분해하기

33 $(x+4)(x-2)-7$은 두 일차식의 곱으로 나타낼 수 있다. 이때 이 두 일차식의 합은? (단, x의 계수는 자연수이다.)

① $2x-6$ ② $2x+1$ ③ $2x+2$
④ $2x-8$ ⑤ $2x+8$

출제율 90%

34 $(3x+2)(5x-3)+4$를 인수분해하였더니 $(Ax+B)(Cx+2)$가 되었다. $A+B+C$의 값은?

중

① 3 ② 4 ③ 5
④ 7 ⑤ 8

출제율 80%

35 기호 $\langle\ \rangle$를 $\langle a, b, c\rangle=(a-b)(a-c)$라 하자. 이때 $2\langle x, 1, 3\rangle+\langle x, 1, -1\rangle$을 간단히 정리하면?

상

① $(x-1)(3x-5)$ ② $(x+1)(3x+5)$
③ $2(x-1)(x+2)$ ④ $2(x+1)(x+2)$
⑤ $2(x-1)(3x+5)$

대표유형 인수분해 공식을 이용한 수의 계산

36 다음 식을 인수분해 공식을 이용하여 계산하여라.

$$49^2+2\times49+1$$

출제율 95%

37 $1111^2-2\times1111\times111+111^2$을 계산하면?

하

① 10^2 ② 10^3 ③ 10^4
④ 10^5 ⑤ 10^6

출제율 90%

38 다음 중 74^2-26^2을 계산하는데 가장 편리한 인수분해 공식은?

하

① $a^2+2ab+b^2=(a+b)^2$
② $a^2-2ab+b^2=(a-b)^2$
③ $a^2-b^2=(a+b)(a-b)$
④ $x^2+(a+b)x+ab=(x+a)(x+b)$
⑤ $acx^2+(ad+bc)x+bd=(ax+b)(cx+d)$

출제율 90%

39 $(2+\sqrt{2})^2-(2-\sqrt{2})^2=a\sqrt{2}$일 때, 유리수 a의 값은?

하

① 6 ② 8 ③ 10
④ 16 ⑤ 20

출제율 85%

40 $\sqrt{82^2-18^2}$을 계산하면?

하

① $10\sqrt{2}$ ② $12\sqrt{5}$ ③ 75
④ 80 ⑤ 100

출제율 95%

41 인수분해 공식을 이용하여 다음 식을 계산하여라.

중

$$3.14\times25^2-3.14\times15^2$$

출제율 90%

42 $\dfrac{500^2-1}{499}\times99+501$을 계산하면?

중

① 50100 ② 50200 ③ 50300
④ 50400 ⑤ 50500

출제율 95%

43 $1^2-3^2+5^2-7^2+9^2-11^2+13^2-15^2+17^2-19^2$을 계산하면?

상

① -50 ② -80 ③ -120
④ -180 ⑤ -200

대표 유형 인수분해 공식을 이용하여 식의 값 구하기

44 $x=\sqrt{2}+1$, $y=\sqrt{2}-1$일 때, x^2-y^2의 값은?

① $2\sqrt{2}$ ② 4 ③ $3\sqrt{2}$
④ $4\sqrt{2}$ ⑤ 5

출제율 95%

45 $x=2+\sqrt{3}$, $y=2-\sqrt{3}$일 때, $x^2y+x+xy^2+y$의 값을 구하여라.

중

출제율 90%

46 $x+y=\sqrt{5}-2$, $x-y=\sqrt{5}+2$일 때, x^2-y^2+2x+1의 값은?

중

① $\sqrt{5}$ ② $\sqrt{5}-1$ ③ $\sqrt{5}+1$
④ $2-2\sqrt{5}$ ⑤ $2+2\sqrt{5}$

출제율 85%

47 $x-y=5$일 때, $x^2-2xy+y^2-7x+7y+12$의 값은?

중

① 1 ② 2 ③ 3
④ 4 ⑤ 5

출제율 90%

48 영희는 한 변의 길이가 각각 x cm, y cm인 정사각형 모양의 생일 카드를 만들었다. 이 두 카드의 둘레의 길이의 합이 100 cm이고 넓이의 차가 150 cm^{2}일 때, 두 카드의 둘레의 길이의 차를 구하여라.

상

개념 UP 01 ( )( )( )( )$+k$ 꼴의 인수분해

(1) 공통 부분이 생기도록 2개씩 묶어 전개한다.
상수항의 합이 같도록 묶는다.
(2) 공통 부분을 치환한 후 인수분해한다.

출제율 85%

49 $(x+1)(x-4)(x-3)(x+2)-6$을 인수분해하면?
상

① $(x^2-2x-2)(x^2-2x-9)$
② $(x^2-2x-2)(x^2-2x+9)$
③ $(x^2-2x+2)(x^2-2x-9)$
④ $(x^2-2x+2)(x^2-2x+9)$
⑤ $(x+1)(x-3)(x^2-2x-6)$

출제율 85%

50 다음 중 $(x-2)(x-1)(x+2)(x+3)-12$의 인수가 아닌 것을 모두 고르면? (정답 2개)
상

① $x-1$ ② x ③ $x+1$
④ x^2+x-4 ⑤ x^2+x-8

출제율 80%

51 $x(x-2)(x-4)(x-6)+k$가 완전제곱식이 될 때, 상수 k의 값은?
상

① 1 ② 4 ③ 8
④ 12 ⑤ 16

개념 UP 02 수의 계산과 식의 값의 활용

(1) 수의 계산 : 인수분해 공식을 이용하여 수의 모양을 바꾸어 계산하면 편리하다.
(2) 식의 값 : 주어진 식을 인수분해한 후 문자의 값을 대입하여 식의 값을 계산하면 편리하다.

출제율 80%

52 $a^2+2ab+b^2=(a+b)^2$임을 이용하여 $\sqrt{38+\frac{1}{36}}$을 계산하면?
상

① $\frac{41}{6}$ ② $\frac{20}{3}$ ③ $\frac{37}{6}$
④ $\frac{19}{3}$ ⑤ $\frac{13}{2}$

출제율 80%

53 $(2^7+1)^2-(2^7-1)^2=2^n$을 만족하는 자연수 n의 값을 구하여라.
상

출제율 80%

54 $x+y=\sqrt{3}$, $x-y=\sqrt{2}$일 때, x^4-y^4의 값은?
상

① $\frac{\sqrt{6}}{2}$ ② $\frac{3\sqrt{6}}{2}$ ③ $\frac{5\sqrt{6}}{2}$
④ $\frac{3\sqrt{6}}{4}$ ⑤ $\frac{5\sqrt{6}}{4}$

출제율 80%

55 $x=1+\sqrt{3}$일 때, $\frac{x^3-3x^2-x+3}{x^2-2x-3}$의 값은?
상

① $\sqrt{3}$ ② $1+\sqrt{3}$ ③ $\sqrt{3}-1$
④ $2+\sqrt{3}$ ⑤ $4+2\sqrt{3}$

이것만 봐도 70점!

01 $8x^2-24xy+18y^2$을 인수분해하면?

① $2(2x-3y)^2$　② $2(2x+3y)^2$
③ $(4x-9y)^2$　④ $8(x-3y)^2$
⑤ $(4x-3y)(2x-3y)$

02 $(x+y)^2-4(x+y)+4=(\boxed{\quad})^2$일 때, $\boxed{\quad}$ 안에 들어갈 식은?

① $x+y-2$　② $x-y+4$　③ $x+y+2$
④ $x-y+2$　⑤ $x+y+4$

03 $(x-1)^2-4(x-1)-12$를 인수분해하면?

① $(x+1)(x+7)$　② $(x-1)(x+7)$
③ $(x-1)(x-7)$　④ $(x+1)(x-7)$
⑤ $(x+2)(x-6)$

04 다음 식을 인수분해하면?

$$2(3x+2)^2-3(3x+2)+1$$

① $(2x-1)(3x+1)$　② $3x(6x+1)$
③ $(2x+1)(3x-1)$　④ $2x(2x-1)$
⑤ $3(2x+1)(3x+1)$

05 $(x+y)(x+y-4)-12$를 인수분해하면?

① $(x+y-6)(x+y-2)$
② $(x+y-6)(x+y+2)$
③ $(x+y-3)(x+y-4)$
④ $(x+y-3)(x+y+4)$
⑤ $(x+y+3)(x+y+4)$

06 $(3x+2y)^2-(x-2y)^2$을 인수분해하면?

① $8x(x-2y)$　② $x(x+2y)$　③ $2x(x+2y)$
④ $4x(x+2y)$　⑤ $8x(x+2y)$

07 $xy-2x+2-y$를 인수분해하면?

① $(x+1)(y+2)$　② $(x+1)(y-2)$
③ $(x-1)(y+2)$　④ $(x-1)(y-2)$
⑤ $(x-2)(y-1)$

08 다음 중 두 식의 공통인수는?

$$ab+a-b-1,\ a^2-ab-a+b$$

① $a-b$　② $b-a$　③ $a-1$
④ $b+1$　⑤ $a+b$

09 $(x+1)(x-2)-4$를 인수분해하여라.

10 다음 보기 중 $ab^2-ac^2-b^3+bc^2$의 인수인 것을 모두 고른 것은?

보기
ㄱ. a^2+b^2　ㄴ. $a-b$　ㄷ. $a+b$
ㄹ. $b+c$　ㅁ. $b-c$　ㅂ. b^2+c^2

① ㄱ, ㄴ　② ㄷ, ㄹ　③ ㄴ, ㄷ, ㄹ
④ ㄴ, ㄹ, ㅁ　⑤ ㄷ, ㄹ, ㅂ

11 $64^2\times\frac{3}{7}-36^2\times\frac{3}{7}$을 인수분해 공식을 이용하여 계산하면?

① 1250　② 1200　③ 1150
④ 1100　⑤ 1050

12 $\sqrt{105^2-10\times105+25}$를 계산하면?

① 80　② 100　③ 110
④ 1000　⑤ 10000

13 $x=\sqrt{2}+\sqrt{3}$, $y=\sqrt{2}-\sqrt{3}$일 때, x^2-y^2의 값은?

① $2\sqrt{6}$　② 5　③ $3\sqrt{6}$
④ 9　⑤ $4\sqrt{6}$

14 $a=2-\sqrt{5}$, $b=2+\sqrt{5}$일 때, $a^2-2ab+b^2$의 값은?

① 4　② $4-2\sqrt{5}$　③ $2\sqrt{5}$
④ 20　⑤ $8+2\sqrt{5}$

15 $p=81$, $q=18$일 때, $p(p+1)-q(q+1)$의 값은?

① 1458　② 1800　③ 6300
④ 8100　⑤ 9900

16 $xy=6$, $x^2y+xy^2+3(x+y)=54$일 때, x^2+y^2의 값은?

① 24　② 25　③ 28
④ 30　⑤ 36

꼭! 맞고 상위권 진입 90점!

17 $[x,\ y]=x^3+y$라 할 때, $[x-1,\ 1-x]$를 인수분해하면?

① $x(x+1)(x+2)$
② $x(x+1)(x-2)$
③ $x(x-1)(x-2)$
④ $(x+1)(x+2)(x+3)$
⑤ $(x-1)(x-2)(x-3)$

18 다음 식을 인수분해하여라.

$$(ab+1)(a+1)(b+1)+ab$$

19 x^4-7x^2-18을 인수분해하면?

① $(x^2+2)(x^2+9)$
② $(x^2-2)(x^2+9)$
③ $(x^2+2)(x+3)(x-3)$
④ $(x^2-2)(x+3)(x-3)$
⑤ $(x+2)(x-2)(x+3)(x-3)$

20 $x^2+4y^2+4xy-y^2-2y-1$
$=(x+ay+b)(x+cy+d)$일 때, $a+b+c+d$의 값은?

① 4 ② 5 ③ 6
④ 7 ⑤ 8

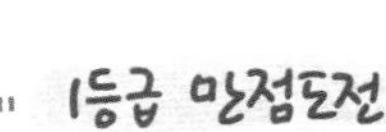

21 다음 중 $x(x-2)(x-1)(x+1)-24$의 인수가 아닌 것을 모두 고르면? (정답 2개)

① $x-3$ ② $x-2$ ③ x^2-x+4
④ $x+2$ ⑤ $x+3$

22 $x=\sqrt{5}-2$일 때,
$\sqrt{x^2+2x+1}+\sqrt{x^2-2x+1}$의 값은?

① 0 ② 2 ③ $2\sqrt{5}-4$
④ 4 ⑤ $2\sqrt{5}-2$

단계형

23 $(x+3)^2-7(x+3)+10$과 $3x^2-8x+4$의 공통인수를 구하여라. [6점]

1단계 $(x+3)^2-7(x+3)+10$을 인수분해하기 [2점]

2단계 $3x^2-8x+4$를 인수분해하기 [2점]

3단계 공통인수 구하기 [2점]

단계형

24 x, y가 양수이고 $x^2+y^2=25$, $xy=12$일 때, $x^3+x^2y+xy^2+y^3$의 값을 구하여라. [6점]

1단계 $x^3+x^2y+xy^2+y^3$을 인수분해하기 [2점]

2단계 $x+y$의 값 구하기 [2점]

3단계 $x^3+x^2y+xy^2+y^3$의 값 구하기 [2점]

사고력

25 $\left(1-\frac{1}{2^2}\right)\times\left(1-\frac{1}{3^2}\right)\times\left(1-\frac{1}{4^2}\right)\times\cdots\times\left(1-\frac{1}{100^2}\right)$을 계산하여라. [6점]

사고력

26 $x=\frac{\sqrt{2}}{1+\sqrt{2}}$, $y=\frac{1}{1-\sqrt{2}}$일 때, $xy+y+x+1$의 값을 구하여라. [8점]

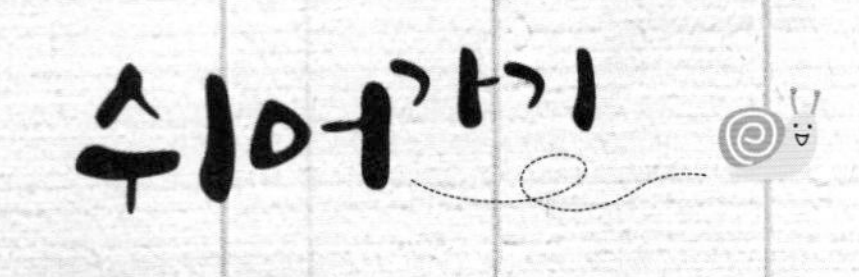

성공..

미국의 컨설턴트인 데일 카네기는 다음과 같은 말을 하였습니다.
“도중에 포기하지 말아라. 망설이지 말아라. 최후의 성공을 거둘 때까지 밀고 나가자.”

우리는 살아가면서 성공을 위하여 끊임없이 노력을 합니다.
하지만 그 과정에서 실패를 하기도 하고 어려움을 겪기도 합니다.
그런데 실패를 하거나 어려움을 겪을 때, “난 도저히 안 되겠어.”라고 도중에 포기하는 경우도 있고 “내가 과연 성공할 수 있을까?”라고 망설이는 경우도 있습니다.

실패를 겪거나 어려움을 겪어 봐야 성공의 기쁨을 더 강하게 느낄 수 있습니다.
실패와 어려움 속에서 더 나은 방향을 발견할 수 있기 때문에 절대로 도중에 포기하거나 망설이지 않아야 합니다.
노력은 절대로 배신하지 않습니다.
꾸준히 묵묵하게 자신의 할 일을 해 나간다면 못할 일은 절대로 없습니다.

여러분! 실패와 어려움이 있다고 해서 도중에 포기하거나 망설이지 마세요.
끝까지 최선을 다해 보세요.
시간의 차이는 있어도 꼭 성공할 수 있어요.

Part Ⅱ

01 제곱근의 뜻

다음 중 제곱근에 대한 설명으로 옳은 것을 모두 고르면? (정답 2개)

① $\sqrt{2}$는 2의 양의 제곱근이다.
② $\sqrt{64}$의 제곱근은 ± 8이다.
③ $\sqrt{9}$의 제곱근은 ± 3이다.
④ $(-5)^2$의 제곱근은 ± 5이다.
⑤ 모든 수의 제곱근은 2개이다.

02 제곱근의 표현

$(-6)^2$의 양의 제곱근을 A, $\sqrt{81}$의 음의 제곱근을 B라 할 때, $A+B$의 값은?

① 7 ② 3 ③ 0
④ -3 ⑤ -7

03 제곱근의 성질

다음 (보기) 중 옳은 것을 모두 골라라.

(보기)
ㄱ. $\sqrt{5^2}=5$ ㄴ. $\sqrt{(-5)^2}=-5$
ㄷ. $-\sqrt{5^2}=-5$ ㄹ. $-\sqrt{(-5)^2}=5$

04 $\sqrt{a^2}$, $\sqrt{(a-b)^2}$의 꼴을 포함한 식을 간단히 하기

$0<x<3$일 때, $\sqrt{(x-3)^2}-\sqrt{x^2}$을 간단히 하면?

① $-2x+3$ ② 3 ③ $2x-3$
④ -3 ⑤ 0

05 제곱근의 대소 관계

다음 중 두 수의 대소 관계가 옳은 것은?

① $\sqrt{3}>2$ ② $-\sqrt{5}<-\sqrt{6}$ ③ $3<\sqrt{9}$
④ $\sqrt{\frac{1}{2}}>\sqrt{\frac{1}{3}}$ ⑤ $4>\sqrt{18}$

06 제곱근을 포함한 부등식

x가 자연수일 때, $\frac{\sqrt{x}}{2}<5$를 만족하는 x는 모두 몇 개인지 구하여라.

07 제곱수

$\sqrt{24-n}$이 정수가 되도록 하는 자연수 n은 모두 몇 개인가?

① 3개 ② 4개 ③ 5개
④ 6개 ⑤ 7개

08 유리수와 무리수 구별하기

다음 수 중 무리수를 모두 고르면? (정답 2개)

① $0.\dot{2}$ ② $\sqrt{4}$ ③ π
④ $-\sqrt{5}+1$ ⑤ $\sqrt{0.49}$

09 무리수를 수직선 위에 나타내기

다음 그림의 직각삼각형 ABC에 대하여 $\overline{AC}=\overline{AP}$일 때, 점 P에 대응하는 수를 구하여라.

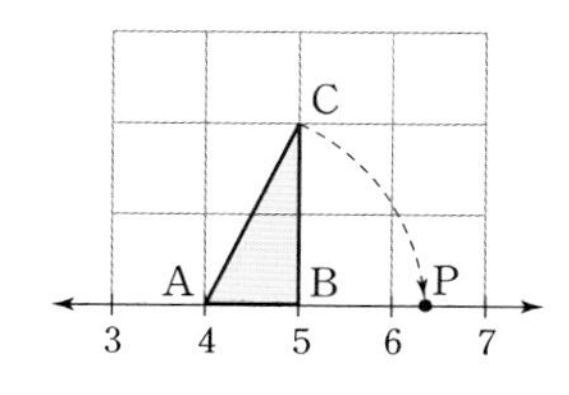

10 제곱근의 곱셈

$\sqrt{96}=a\sqrt{6}$, $\sqrt{\dfrac{250}{4}}=b\sqrt{10}$일 때, ab의 값을 구하여라.

11 제곱근의 나눗셈

$\dfrac{2\sqrt{24}-\sqrt{18}}{\sqrt{2}}=a+b\sqrt{3}$일 때, $a+b$의 값을 구하여라.

(단, a, b는 유리수)

12 제곱근의 덧셈과 뺄셈

$\sqrt{48}+\sqrt{8}-\sqrt{18}-\sqrt{27}$을 간단히 하여라.

13 근호를 포함한 복잡한 식의 계산

$\sqrt{6}(1+\sqrt{2})-3\left(\dfrac{1}{\sqrt{3}}-\dfrac{1}{\sqrt{6}}\right)$을 계산하여라.

14 실수의 대소 관계

다음 세 수의 대소 관계로 옳은 것은?

$$a=\sqrt{5}+3,\ b=2+\sqrt{7},\ c=\sqrt{5}+\sqrt{7}$$

① $a<b<c$　② $a<c<b$　③ $b<a<c$
④ $b<c<a$　⑤ $c<a<b$

15 곱셈 공식

다음 중 옳지 않은 것은?

① $(a+3)^2=a^2+6a+9$
② $(1+a)(1-a)=1-a^2$
③ $(x+3)(x-6)=x^2-3x-18$
④ $(x+y)(4x-y)=4x^2+3xy-y^2$
⑤ $(3x-4y)^2=9x^2-12xy+4y^2$

16 곱셈 공식

다음 보기 중 식을 전개하였을 때, 전개식이 같은 것을 모두 골라라.

보기
ㄱ. $(a-b)^2$　ㄴ. $(b-a)^2$
ㄷ. $(-a-b)^2$　ㄹ. $-(a+b)^2$

17 곱셈 공식을 이용한 수의 계산

503×497을 곱셈 공식을 이용하여 계산하려고 한다. 다음 중 어떤 공식을 이용하면 가장 편리한가?

① $(a+b)^2=a^2+2ab+b^2$
② $(a-b)^2=a^2-2ab+b^2$
③ $(a+b)(a-b)=a^2-b^2$
④ $(x+a)(x+b)=x^2+(a+b)x+ab$
⑤ $(ax+b)(cx+d)=acx^2+(ad+bc)x+bd$

18 곱셈 공식을 이용한 제곱근 계산

$\dfrac{4}{2-\sqrt{3}}$의 분모를 유리화하여라.

19 완전제곱식이 되기 위한 조건

$4x^2-12x+5+a$가 완전제곱식이 될 때, 상수 a의 값을 구하여라.

20 인수분해 공식 − x^2의 계수가 1인 이차식

다음 중 $x^2-4x-12$의 인수를 모두 고르면? (정답 2개)

① $x-6$ ② $x-3$ ③ $x+2$
④ $x+4$ ⑤ $x+6$

21 인수분해 공식 − x^2의 계수가 1이 아닌 이차식

$2x^2-Ax-3$이 $x+1$을 인수로 가질 때, 상수 A의 값은?

① -2 ② -1 ③ 1
④ 2 ⑤ 3

22 치환을 이용한 인수분해

$2(a-b)(a-b+1)-24$를 인수분해하면?

① $2(a-b+3)(a-b+4)$ ② $2(a-b+3)(a-b-4)$
③ $2(a-b+3)(a+b-4)$ ④ $2(a-b-3)(a-b+4)$
⑤ $2(a-b-3)(a-b-4)$

23 적당한 항끼리 묶어 인수분해하기

$a^3+b^3-a^2b-ab^2$을 인수분해하여라.

24 인수분해 공식을 이용한 수의 계산

다음 식을 인수분해 공식을 이용하여 계산하면?

$$501^2+51^2-499^2-49^2$$

① 1000 ② 1200 ③ 2000
④ 2200 ⑤ 2500

25 인수분해 공식을 이용하여 식의 값 구하기

$x=\sqrt{3}+1,\ y=\sqrt{3}-1$일 때, $x^2-2xy+y^2$의 값은?

① 2 ② 3 ③ 4
④ 9 ⑤ 16

싹쓸이 핵심 예상문제

01 제곱근의 뜻

다음 중 옳은 것은?

① $(-7)^2$의 양의 제곱근은 49이다.
② $\sqrt{25}$의 제곱근은 $\pm\sqrt{5}$이다.
③ 음수의 제곱근은 2개이다.
④ 제곱근 16은 ±4이다.
⑤ 121의 제곱근은 11이다.

02 제곱근의 표현

$\sqrt{81}$의 양의 제곱근을 a, $(-4)^2$의 음의 제곱근을 b라 할 때, $a+b$의 값을 구하여라.

03 제곱근의 성질

다음 중 값이 다른 하나는?

① $(-\sqrt{2})^2$ ② $-\sqrt{2^2}$ ③ $-\sqrt{(-2)^2}$
④ $-(\sqrt{2})^2$ ⑤ $-\sqrt{4}$

04 $\sqrt{a^2}$, $\sqrt{(a-b)^2}$의 꼴을 포함한 식을 간단히 하기

$x<0<y$일 때, $\sqrt{x^2}+\sqrt{(x-y)^2}-\sqrt{y^2}$을 간단히 하면?

① $-2x-2y$ ② $-2x$ ③ $-2x+2y$
④ $2x$ ⑤ $2y$

05 제곱근의 대소 관계

다음 중 세 번째로 큰 수는?

① -3 ② $-\sqrt{7}$ ③ 3
④ $\sqrt{8}$ ⑤ $\sqrt{10}$

06 제곱근을 포함한 부등식

$-\sqrt{x}>-3$을 만족하는 자연수 x의 개수를 구하여라.

07 제곱수

$\sqrt{18-x}$를 자연수가 되도록 하는 자연수 x의 값 중 가장 작은 수는?

① 2　② 3　③ 9
④ 14　⑤ 17

08 유리수의 무리수 구별하기

다음 (보기) 중 무리수인 것을 모두 고르면?

(보기)
ㄱ. $\sqrt{2^3}$　ㄴ. $\sqrt{25}$　ㄷ. 3.14
ㄹ. $\frac{1}{5}$　ㅁ. $0.3\dot{2}\dot{7}$　ㅂ. $2\sqrt{5}$

① ㄱ, ㄴ　② ㄱ, ㅁ　③ ㄱ, ㅂ
④ ㄷ, ㅂ　⑤ ㄹ, ㅂ

09 무리수를 수직선 위에 나타내기

정사각형 ABCD와 정사각형 EFGH의 넓이는 각각 2, 5이다. $\overline{AB}$와 $\overline{FG}$를 반지름으로 하는 원을 다음 그림과 같이 그려 수직선과 만나는 점을 각각 P, Q라 할 때, 두 점 P, Q에 대응하는 수를 차례로 구하여라.

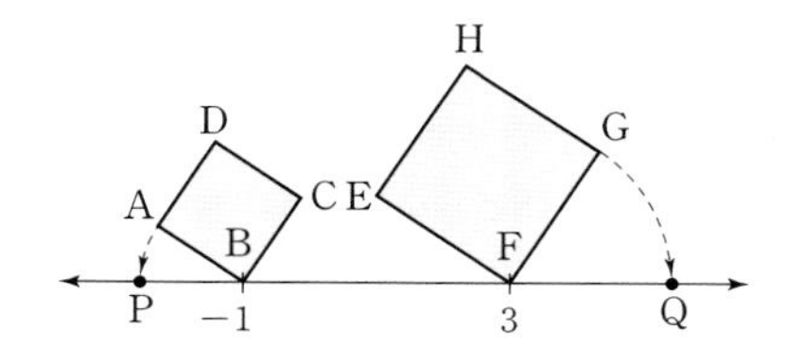

10 제곱근의 곱셈

$2\sqrt{7}=\sqrt{a}$, $\sqrt{20}=2\sqrt{b}$일 때, $a+b$의 값을 구하여라.

11 제곱근의 나눗셈

$\frac{3\sqrt{2}-\sqrt{12}}{\sqrt{3}}=a+b\sqrt{6}$일 때, 유리수 a, b에 대하여 $a-b$의 값을 구하여라.

12 제곱근의 덧셈과 뺄셈

다음 식을 간단히 하여라.

$$\sqrt{108}-\sqrt{75}+\sqrt{45}-\sqrt{80}$$

13 근호를 포함한 복잡한 식의 계산

다음 식을 계산하면?

$$\frac{3}{\sqrt{3}}+\sqrt{6}\times\sqrt{30}-\frac{\sqrt{10}+\sqrt{24}}{\sqrt{2}}$$

① $5\sqrt{5}-3\sqrt{3}$　② $5\sqrt{5}-\sqrt{3}$　③ $5\sqrt{5}$
④ $7\sqrt{5}-3\sqrt{3}$　⑤ $7\sqrt{5}-\sqrt{3}$

14 실수의 대소 관계

다음 두 수의 대소를 비교하여라.

$$6-2\sqrt{3},\ \sqrt{3}+1$$

15 곱셈 공식

다음 중 옳은 것은?

① $(2a+3)(2a-3)=-4a^2+9$
② $(-x-2)^2=x^2-4x+4$
③ $(3x-y)^2=9x^2-y^2$
④ $(x+3)(x+4)=x^2+8x+12$
⑤ $(x+2)(3x-1)=3x^2+5x-2$

16 곱셈 공식

다음 중 $(-x+y)^2$의 전개식과 결과가 같은 것을 모두 고르면? (정답 2개)

① $(x+y)^2$ ② $(x-y)^2$ ③ $(y-x)^2$
④ $(-x-y)^2$ ⑤ $-(x-y)^2$

17 곱셈 공식을 이용한 수의 계산

다음 중 곱셈 공식 $(a+b)(a-b)=a^2-b^2$을 이용하면 편리한 계산은?

① 97^2 ② 101^2 ③ 101×104
④ 7.1×6.9 ⑤ 302^2

18 곱셈 공식을 이용한 제곱근 계산

$A=\dfrac{3}{2\sqrt{3}-3}$, $B=\dfrac{3}{2\sqrt{3}+3}$일 때, $A-B$의 값을 구하여라.

19 완전제곱식이 되기 위한 조건

다음 식이 완전제곱식이 될 때, □ 안에 들어갈 수를 구하여라.

$$\square x^2-14x+1$$

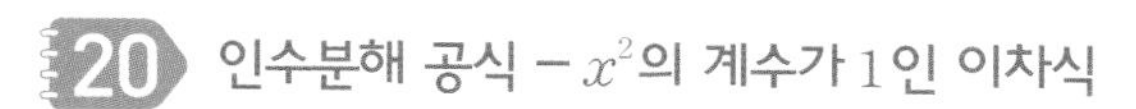

20 인수분해 공식 – x^2의 계수가 1인 이차식

$x^2+7x+12=(x+a)(x+b)$일 때, $a+b$의 값은? (단, a, b는 상수)

① 1　② 6　③ 7
④ 12　⑤ 19

21 인수분해 공식 – x^2의 계수가 1이 아닌 이차식

$3x^2-5x-2=(ax+b)(x+c)$일 때, $a+b+c$의 값은? (단, a, b, c는 상수)

① 1　② 2　③ 3
④ 4　⑤ 5

22 치환을 이용한 인수분해

$(3a-b)(3a-b-8)-20$이 a의 계수가 양수인 두 일차식의 곱으로 인수분해될 때, 두 일차식의 합을 구하여라.

23 적당한 항끼리 묶어 인수분해하기

다음 식을 인수분해하면?

$$x^2-2x-y^2+2y$$

① $(x-y)(x-y-2)$　② $(x-y)(x-y+2)$
③ $(x-y)(x+y-2)$　④ $(x+y)(x-y-2)$
⑤ $(x+y)(x-y+2)$

24 인수분해 공식을 이용한 수의 계산

$\dfrac{997\times999+997\times1007}{1000^2-9}$을 계산하면?

① 1　② 2　③ 3
④ 4　⑤ 5

25 인수분해 공식을 이용하여 식의 값 구하기

$x+y=4$일 때, $x^2+2xy+y^2-2x-2y-2$의 값은?

① 6　② 10　③ 12
④ 22　⑤ 26

01 다음 중 옳은 것은?

① 36의 제곱근은 6이다.
② 8의 음의 제곱근은 $-\sqrt{8}$이다.
③ $\sqrt{64}=\pm8$
④ $\sqrt{30}$은 $\sqrt{3}$의 10배이다.
⑤ $\sqrt{(-a)^2}=-a$

02 $40<n<60$일 때, $\sqrt{24n}$이 정수가 되도록 하는 자연수 n의 값을 구하여라.

03 $\sqrt{4x-3}<3$을 만족하는 정수 x는 모두 몇 개인가?

① 1개 ② 2개 ③ 3개
④ 4개 ⑤ 5개

04 다음 <보기>의 수 중에서 순환하지 않는 무한소수의 개수는?

<보기>
$\sqrt{0.01}$, $0.333\cdots$, $\sqrt{\frac{1}{2}}$, $\sqrt{3}$, $\sqrt{5}-1$

① 1개 ② 2개 ③ 3개
④ 4개 ⑤ 5개

05 오른쪽 그림에서 □ABCD와 □EBFG는 정사각형이고, $\overline{BA}=\overline{BP}$, $\overline{BF}=\overline{BQ}$이다. 두 점 P, Q가 대응하는 수를 각각 x, y라 할 때, $y-x$의 값은?

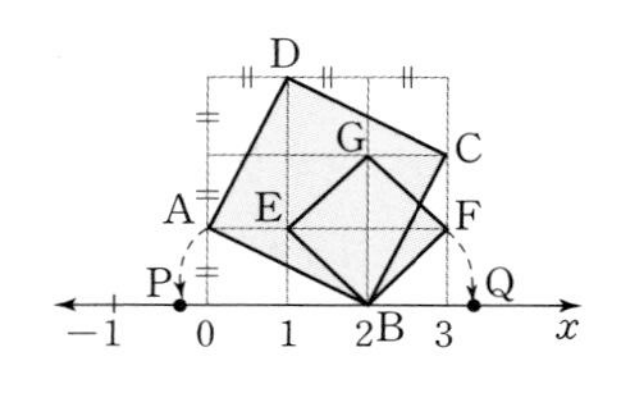

① $\sqrt{2}+\sqrt{5}$ ② $-\sqrt{2}+\sqrt{5}$ ③ $\sqrt{2}-\sqrt{5}$
④ $4-\sqrt{2}+\sqrt{5}$ ⑤ $4+\sqrt{2}-\sqrt{5}$

06 $\sqrt{3}=a$, $\sqrt{5}=b$일 때, $\sqrt{225}$를 a, b를 사용하여 바르게 나타낸 것은?

① ab ② a^2b ③ a^2b^2
④ a^3b^3 ⑤ a^4b^4

07
$(2\sqrt{6}-\sqrt{12})\div\sqrt{3}-\frac{2\sqrt{3}}{\sqrt{2}}+4$를 간단히 하면?

① $-2\sqrt{6}+\sqrt{2}+2$　② $-2\sqrt{6}+\sqrt{3}+2$
③ $2\sqrt{2}-\sqrt{6}+2$　④ $2\sqrt{3}-\sqrt{6}+2$
⑤ $2\sqrt{3}-\sqrt{6}+4$

08
$\sqrt{3}=1.732$, $\sqrt{30}=5.477$일 때, 다음 중 옳은 것은?

① $\sqrt{300}=173.2$　② $\sqrt{3000}=547.7$
③ $\sqrt{0.3}=0.1732$　④ $\sqrt{0.03}=0.5477$
⑤ $\sqrt{0.003}=0.05477$

09
다음 중 두 실수의 대소 관계가 옳은 것은?

① $2\sqrt{3}>3\sqrt{2}$　② $\frac{1}{2}>\sqrt{\frac{1}{2}}$
③ $2+\sqrt{3}>4$　④ $3-\sqrt{2}>1+\sqrt{2}$
⑤ $-1-\sqrt{2}>-1-\sqrt{3}$

10
$(x+Ay)(x-3y)=x^2+Bxy+6y^2$일 때, $A+B$의 값은? (단, A, B는 상수)

① -7　② -3　③ -1
④ 1　⑤ 2

11
오른쪽 그림은 가로, 세로의 길이가 각각 $5a$, $3a$인 직사각형을 네 개의 직사각형으로 나눈 것이다. 색칠한 부분의 넓이는?

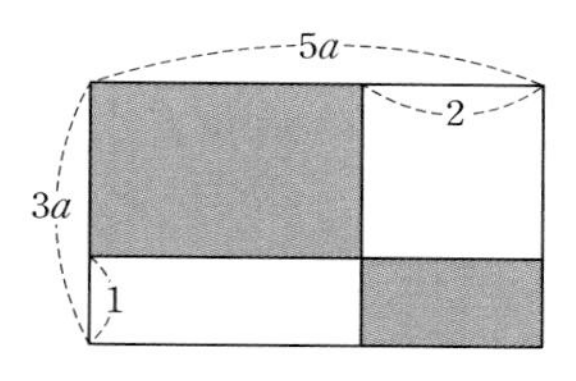

① $15a^2-11a+2$
② $15a^2-11a+4$
③ $15a^2+11a+4$
④ $15a^2-11a$
⑤ $15a^2+11a$

12
$3(x-2)(x-5)+(3x+1)(x-3)$을 전개하여 간단히 하면?

① $6x^2-29x+27$　② $6x^2-15x+7$
③ $6x^2-21x+27$　④ $6x^2-7x+7$
⑤ $6x^2-15x-13$

13 $\frac{1}{9}a^2-\frac{1}{2}ab+\frac{9}{16}b^2$을 인수분해하면?

① $\left(\frac{1}{3}a+\frac{2}{3}b\right)^2$ ② $\left(\frac{1}{3}a-\frac{2}{3}b\right)^2$ ③ $\left(\frac{1}{3}a+\frac{3}{4}b\right)^2$
④ $\left(\frac{1}{3}a-\frac{3}{4}b\right)^2$ ⑤ $\left(\frac{1}{3}a-\frac{4}{3}b\right)^2$

14 다항식 $9x^2+3(m-1)xy+25y^2$이 완전제곱식이 되도록 m의 값을 정하면?

① ±9 ② ±10 ③ ±11
④ $-9,\ 11$ ⑤ $-11,\ 9$

15 다음 중 $x^{16}-1$의 인수를 모두 고르면? (정답 2개)

① x ② $x+1$ ③ x^2
④ x^3+1 ⑤ x^4+1

16 $7x^2-3xy-4y^2=(ax+by)(cx+dy)$일 때, 네 정수 $a,\ b,\ c,\ d$의 합 $a+b+c+d$의 값은? (단, $a>0$)

① 7 ② 9 ③ 11
④ 13 ⑤ 15

17 $xy+yz+xz+z^2$을 인수분해하면?

① $(x+z)(y+z)$ ② $(x+y)(z+y)$
③ $(y+x)(z+x)$ ④ $(x-y)(z+y)$
⑤ $(y+x)(z-x)$

18 다음 중 $6(x+1)^2+(x+1)(x-4)-(x-4)^2$의 인수는?

① $x-3$ ② $2x-7$ ③ $2x+7$
④ $3x+2$ ⑤ $4x-1$

19 x^3+x^2-4x-4를 인수분해하여라.

20 $16x^2+24xy+9y^2-49$가 x의 계수가 4인 두 일차식의 곱으로 인수분해 될 때, 두 일차식의 합은?

① $8x+6y$
② $4x+3y$
③ $8x-6y+7$
④ $4x-6y$
⑤ $8x+6y+14$

21 다음 중 101^2-99^2을 계산할 때 이용하면 가장 편리한 것은?

① $a^2+2ab+b^2=(a+b)^2$
② $a^2-2ab+b^2=(a-b)^2$
③ $a^2-b^2=(a+b)(a-b)$
④ $x^2+(a+b)x+ab=(x+a)(x+b)$
⑤ $acx^2+(ad+bc)x+bd=(ax+b)(cx+d)$

22 $x+y=\sqrt{3}+1$, $x-y=\sqrt{3}$일 때, x^2-y^2-x+y의 값을 구하여라.

서술형 문제

23 다음 식을 간단히 하여라. [7점]

$$\sqrt{(2-\sqrt{5})^2}-\sqrt{(\sqrt{5}-2)^2}$$

24 $(2x+a)^2=4x^2+2x+b$, $(x-c)^2=x^2-8x+d$일 때, $ad-bc$의 값을 구하여라. (단, a, b, c, d는 상수) [8점]

25 x^2의 계수가 1인 이차식을 인수분해하는데 주희는 일차항의 계수를 잘못 보고 인수분해하여 그 결과가 $(x+2)(x+3)$이 되었고, 병철이는 상수항을 잘못 보고 인수분해하여 그 결과가 $(x+1)(x-6)$이 되었다. 처음에 주어진 이차식을 바르게 인수분해하여라. [8점]

01 다음 수의 제곱근을 구할 때, 근호가 없는 수로 나타낼 수 있는 것은 모두 몇 개인가?

$(-2)^2$	제곱근 144	$\sqrt{9}$	$\sqrt{256}$

① 0개 ② 1개 ③ 2개
④ 3개 ⑤ 4개

02 $\sqrt{(-7)^2}-\sqrt{81}+\sqrt{144}\div(-\sqrt{4^2})$을 계산하여라.

03 다음 <보기> 중 무리수인 것은 모두 몇 개인가?

<보기>

ㄱ. $\sqrt{1.69}$ ㄴ. $1.\dot{6}$ ㄷ. π
ㄹ. $\sqrt{9}-1$ ㅁ. 0 ㅂ. $\sqrt{8}+1$

① 1개 ② 2개 ③ 3개
④ 4개 ⑤ 5개

04 다음 수 중에서 두 실수 $\sqrt{3}$과 $\sqrt{5}$ 사이에 있는 실수가 아닌 것은? (단, $\sqrt{3}=1.732$, $\sqrt{5}=2.236$)

① $\sqrt{5}-0.01$ ② $\sqrt{3}-0.1$ ③ 2
④ $\sqrt{3}+0.02$ ⑤ $\frac{\sqrt{3}+\sqrt{5}}{2}$

05 다음 중 옳은 것은?

① $\sqrt{2}+\sqrt{3}=\sqrt{5}$ ② $\sqrt{9}-\sqrt{3}=\sqrt{6}$
③ $3\times\sqrt{4}=\sqrt{12}$ ④ $\sqrt{2}\times\frac{3}{\sqrt{3}}=\sqrt{6}$
⑤ $\sqrt{24}\div4=\sqrt{6}$

06 $\sqrt{75}+2\sqrt{3}-\sqrt{48}-3\sqrt{12}$를 간단히 하면?

① $-3\sqrt{3}$ ② $-\sqrt{3}$ ③ $\sqrt{3}$
④ $3\sqrt{3}$ ⑤ $4\sqrt{3}$

07 부피가 $10\sqrt{3}\text{ cm}^3$인 직육면체의 가로, 세로의 길이가 각각 $\sqrt{2}\text{ cm}$, $\sqrt{30}\text{ cm}$일 때, 이 직육면체의 높이를 구하여라.

08 $(a\sqrt{2}+6)(3-\sqrt{2})$가 유리수일 때, 유리수 a의 값은?

① 1 ② 2 ③ 3
④ 4 ⑤ 5

09 다음 중 식을 바르게 전개한 것은?

① $(a+1)(2b-3)=2ab+a-2b-3$
② $(-a-b)^2=a^2-2ab+b^2$
③ $(3a+2b)(3a-2b)=3a^2-2b^2$
④ $(x+5)(x-3)=x^2-15$
⑤ $(3x-1)(4x+1)=12x^2-x-1$

10 다음 중 $\left(-2x-\frac{1}{3}y\right)^2$의 전개식과 같은 것은?

① $\frac{1}{9}(6x-y)^2$ ② $\frac{1}{9}(6x+y)^2$
③ $\frac{1}{3}(6x-y)^2$ ④ $\frac{1}{3}(6x+y)^2$
⑤ $-\frac{1}{3}(6x+y)^2$

11 $(2-1)(2+1)(2^2+1)(2^4+1)(2^8+1)=2^A+B$일 때, $A+B$의 값을 구하여라. (단, A, B는 상수)

12 $-3(2x-3)(3x+2)+(5x+2)(4x-5)$
$=ax^2+bx+c$일 때, 상수 a, b, c에 대하여 $a+b+c$의 값은?

① -12 ② -8 ③ 8
④ 10 ⑤ 12

13 $x+y=3$, $xy=2$일 때, $(x-y)^2$의 값은?

① 1 ② 3 ③ 5
④ 7 ⑤ 9

14 다음 중 인수분해한 것이 옳지 <u>않은</u> 것은?

① $a^2-8a=a(a-8)$
② $9x^2-16y^2=(3x-4y)^2$
③ $x^2-10x+25=(x-5)^2$
④ $x^2+2x-15=(x-3)(x+5)$
⑤ $3x^2+7x+2=(x+2)(3x+1)$

15 두 다항식 x^2y-xy^2과 $-3x+3y$의 공통인수를 구하여라.

16 $4<a<5$일 때, 다음 식을 간단히 하면?

$$\sqrt{9-6a+a^2}+\sqrt{a^2-10a+25}$$

① -8　② $2a-8$　③ -2
④ 2　⑤ $-2a+8$

17 $x^2-196=(x+a)(x-a)$일 때, 양수 a의 값은?

① 12　② 13　③ 14
④ 15　⑤ 16

18 상수 a, b에 대하여 $x^2-bx+9=(x+3)(x+a)$일 때, ab의 값은?

① -18　② -3　③ 0
④ 3　⑤ 18

19 $6x^2-bx+10=(ax-5)(3x-2)$일 때, $b-a$의 값은? (단, a, b는 상수)

① -21　② -10　③ 8
④ 12　⑤ 17

20 $(x-3y)(x-3y+7)-30$을 인수분해하면?

① $(x-3y-10)(x-3y-3)$
② $(x-3y-10)(x-3y+3)$
③ $(x-3y+10)(x-3y-3)$
④ $(x-3y+10)(x-3y+3)$
⑤ $(x-3y+5)(x-3y-6)$

21 인수분해 공식을 이용하여 다음을 계산하여라.

$$\frac{127\times182+182\times73}{191^2-81}$$

22 $x-y=4$이고 $x^2+y^2=25$일 때, $x^3-x^2y+xy^2-y^3$의 값은?

① 50 ② 75 ③ 100
④ 125 ⑤ 150

서술형 문제

23 $a=\frac{2}{\sqrt{7}-3}$, $b=\frac{2}{\sqrt{7}+3}$일 때, $a^2+3ab+b^2$의 값을 구하여라. [8점]

24 $x^2+bx+\frac{1}{9}=(x+a)^2$일 때, $5a^2+b^2$의 값을 구하여라. [7점]

25 다음 식을 전개한 후 인수분해하여라. [8점]

$$(x-2)(x-4)+2(x+2)(x-2)$$

01 다음 중 제곱근에 대한 설명으로 옳은 것을 모두 고르면? (정답 2개)

① 모든 수의 제곱근은 2개이다.
② $\sqrt{3}$은 3의 양의 제곱근이다.
③ $\sqrt{64}$의 제곱근은 ± 8이다.
④ $\sqrt{25}$의 값은 ± 5이다.
⑤ $(-2)^2$의 제곱근은 ± 2이다.

02 두 실수 x, y에 대하여 $x-y>0$, $xy<0$일 때, 다음 식을 간단히 하면?

$$(\sqrt{x})^2-\sqrt{y^2}-\sqrt{(-2x)^2}+\sqrt{(-y)^2}$$

① $-x$　② x　③ $3x-2y$
④ $3x$　⑤ $3x+2y$

03 넓이가 45 cm^2인 정사각형이 있다. 이 정사각형의 둘레의 길이는?

① $2\sqrt{5}$ cm　② $6\sqrt{5}$ cm　③ $8\sqrt{5}$ cm
④ $12\sqrt{5}$ cm　⑤ $16\sqrt{5}$ cm

04 오른쪽 그림에서 $\triangle$OAB는 직각삼각형이고 $\overline{OB}=\overline{OP}=\overline{OQ}$일 때, 점 P, Q에 대응하는 수를 차례로 구하여라. (단, 작은 정사각형 한 개의 넓이는 1이다.)

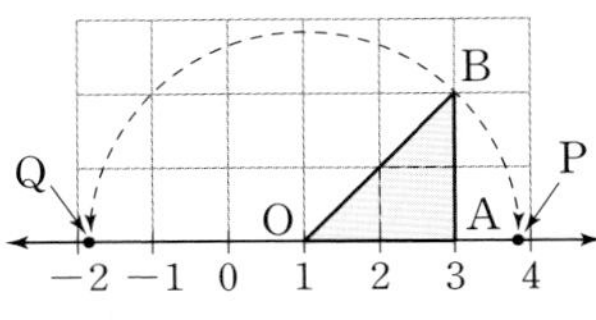

05 $\sqrt{8}\times\sqrt{10}\times\sqrt{15}=a\sqrt{3}$일 때, a의 값은?

① 10　② 20　③ 40
④ 200　⑤ 400

06 다음 중 대소 관계가 옳은 것은?

① $\sqrt{8}>3$　② $\frac{1}{\sqrt{3}}<\frac{1}{3}$
③ $5-\sqrt{3}<1+\sqrt{3}$　④ $-2\sqrt{3}>-3$
⑤ $2\sqrt{2}+2>3+\sqrt{2}$

07 다음 중 옳은 것을 모두 고르면? (정답 2개)

① $(a-b)^2=(b-a)^2$
② $(x+1)^2-(x-1)^2=0$
③ $(-a+3)(-a-3)=a^2-9$
④ $(x+3)(x+4)=x^2+12x+7$
⑤ $\left(x+\frac{1}{x}\right)^2=x^2+\frac{1}{x^2}$

08 $(x+5)(x-A)=x^2-4x+B$일 때, $A-B$의 값은?

① -36　② -6　③ 4
④ 12　⑤ 54

09 $(3x-2)(5x-a)$를 전개하였더니 x의 계수와 상수항이 서로 같았다. 이때 상수 a의 값은?

① -10　② -2　③ -1
④ 2　⑤ 10

10 $x+\frac{1}{x}=7$일 때, $\left(x-\frac{1}{x}\right)^2$의 값은?

① 45　② 47　③ 49
④ 51　⑤ 53

11 $\frac{3\sqrt{2}}{\sqrt{6}+\sqrt{3}}+\frac{\sqrt{6}}{\sqrt{3}+\sqrt{2}}$을 간단히 하면?

① $-2\sqrt{6}$　② $\sqrt{6}-2\sqrt{3}$　③ $2-2\sqrt{2}$
④ 0　⑤ $3\sqrt{2}-\sqrt{6}$

12 다음 중 완전제곱식이 아닌 것은?

① x^2+2x+1　② $a^2-14a+49$
③ $\frac{1}{4}x^2+x-1$　④ $9x^2-12xy+4y^2$
⑤ $36x^2+24x+4$

13 $x^2-5x-14$가 두 일차식의 곱으로 인수분해될 때, 이 두 일차식의 합은? (단, 두 일차식의 일차항의 계수는 1이다.)

① $2x-9$ ② $2x-5$ ③ $2x-3$
④ $2x+5$ ⑤ $2x+9$

14 $x^2+Ax+6=(x+a)(x+b)$이고 a, b가 자연수일 때, A의 값이 될 수 있는 것을 모두 고르면? (정답 2개)

① 1 ② 3 ③ 5
④ 7 ⑤ 9

15 다음 중 $5x^2-17x-12$의 인수를 모두 고르면? (정답 2개)

① $x-5$ ② $x-4$ ③ $x+4$
④ $5x-3$ ⑤ $5x+3$

16 $3x-1$이 $3x^2+kx-2$의 인수일 때, 상수 k의 값은?

① -1 ② 1 ③ 2
④ 4 ⑤ 5

17 넓이가 $3a^2+30a+72$이고 가로의 길이가 $a+4$인 직사각형의 둘레의 길이는?

① $4a+20$ ② $4a+22$ ③ $8a+20$
④ $8a+22$ ⑤ $8a+44$

18 다음 식을 인수분해하면?

$$4x^2(y-1)+(1-y)$$

① $(y+4)(x-1)^2$ ② $(y-2)(x-2)^2$
③ $(y-1)(4x+1)^2$ ④ $(y+1)(2x+1)(2x-1)$
⑤ $(y-1)(2x+1)(2x-1)$

19 $(2x+5)(x-2)+7$을 인수분해하였더니 $(Ax+3)(Bx+C)$가 되었다. $A+B+C$의 값은?

(단, A, B, C는 상수)

① -4　② -2　③ 0
④ 2　⑤ 4

20 다음 중 $4x^2-y^2+12x+9$의 인수는?

① $2x-y$　② $2x+3$　③ $x-y-3$
④ $2x+y+3$　⑤ $2x-y-3$

21 다음 중 4^4-1의 약수가 아닌 것은?

① 3　② 5　③ 15
④ 17　⑤ 34

22 $x=3+2\sqrt{2}$, $y=3-2\sqrt{2}$일 때, x^2-y^2의 값은?

① 12　② $12\sqrt{2}$　③ 24
④ $24\sqrt{2}$　⑤ $48\sqrt{2}$

서술형 문제

23 $0<x<2$일 때, $\sqrt{4x^2}-\sqrt{x^2-4x+4}+\sqrt{x^2+6x+9}$를 간단히 하여라. [7점]

24 두 양수 a, b에 대하여 $a\triangle b=\frac{1}{\sqrt{a}+\sqrt{b}}$로 정의할 때, $1\triangle 2+2\triangle 3+3\triangle 4+\cdots+99\triangle 100$을 간단히 하여라.

[7점]

25 $(x+1)(x+2)(x+3)(x+4)-8$을 인수분해하여라. [8점]

01 다음 <보기> 중 옳은 것을 모두 고른 것은?

<보기>
ㄱ. 제곱근 4와 4의 제곱근은 같다.
ㄴ. -1의 제곱근은 없다.
ㄷ. $(-3)^2$의 제곱근은 $\pm\sqrt{3}$이다.
ㄹ. $a>0$일 때, $\sqrt{(-a)^2}=a$이다.

① ㄱ, ㄴ ② ㄱ, ㄷ ③ ㄱ, ㄹ
④ ㄴ, ㄷ ⑤ ㄴ, ㄹ

02 다음 중 옳지 않은 것은?

① $(\sqrt{7})^2=7$ ② $(-\sqrt{15})^2=15$
③ $\sqrt{\left(-\frac{3}{5}\right)^2}=\frac{3}{5}$ ④ $-(\sqrt{2.4})^2=-2.4$
⑤ $-(-\sqrt{5})^2=5$

03 $-2<x<2$일 때, $\sqrt{(x-2)^2}-\sqrt{(x+2)^2}$을 간단히 하면?

① $-2x$ ② $2x$ ③ $2x-4$
④ $-2x+4$ ⑤ 0

04 부등식 $x<\sqrt{48}$을 만족하는 모든 자연수 x의 값들의 합은?

① 10 ② 15 ③ 18
④ 21 ⑤ 25

05 다음 중 옳지 않은 것을 모두 고르면? (정답 2개)

① 무리수는 순환하지 않는 무한소수이다.
② 실수는 유리수와 무리수로 이루어져 있다.
③ 무한소수는 모두 무리수이다.
④ 근호($\sqrt{\ }$)를 사용하여 나타낸 수는 모두 무리수이다.
⑤ 모든 무리수는 수직선 위의 한 점에 대응한다.

06 $\sqrt{32}-2\sqrt{24}-\sqrt{2}(1+2\sqrt{3})=m\sqrt{2}+n\sqrt{6}$일 때, $m+n$의 값을 구하여라. (단, m, n은 유리수)

07 $\frac{6}{\sqrt{50}}=A\sqrt{2}$, $\frac{21}{5\sqrt{3}}=B\sqrt{3}$일 때, $A+B$의 값을 구하여라. (단, A, B는 상수)

08 다음 제곱근표를 이용하여 그 값을 구할 수 없는 것은?

수	0	1	2	3
5.5	2.345	2.347	2.349	2.352
5.6	2.366	2.369	2.371	2.373
5.7	2.387	2.390	2.392	2.394
5.8	2.408	2.410	2.412	2.415

① $\sqrt{572}$ ② $\sqrt{0.056}$ ③ $\sqrt{56300}$
④ $\sqrt{5610}$ ⑤ $\sqrt{0.0553}$

09 다음 중 대소 관계가 옳지 않은 것은?

① $\sqrt{7}-1>2$ ② $2\sqrt{3}<2+\sqrt{3}$
③ $3\sqrt{5}-1>2\sqrt{5}$ ④ $3\sqrt{2}-2>2\sqrt{3}-2$
⑤ $-3-\sqrt{8}<-\sqrt{6}-\sqrt{8}$

10 $(x+a)^2=x^2+x+b$일 때, ab의 값을 구하여라. (단, a, b는 상수)

11 다음 중 옳은 것은?

① $\left(\frac{1}{2}x+4\right)^2=\frac{1}{4}x^2+2x+4$
② $(8x+1)(8x-1)=16x^2-1$
③ $(x+2y)(x-4y)=x^2-2xy-8y^2$
④ $(3x-3y)(x+2y)=3x^2-7xy-6y^2$
⑤ $(a+b)(2a+3b)=2a^2+3ab+3b^2$

12 $(2x+1)^2-(x-1)(3x+2)$를 전개하면?

① x^2+3 ② x^2+5x+3 ③ x^2+2x-1
④ $-x^2+x+3$ ⑤ $-x^2+5x-1$

13 한 변의 길이가 x cm인 정사각형에서 가로의 길이를 a cm만큼 늘리고, 세로의 길이를 6 cm만큼 줄였더니 넓이가 $(x^2+2x+b)\text{cm}^2$가 되었다. 이때 $\frac{b}{a}$의 값을 구하여라. (단, a, b는 상수)

14 곱셈 공식을 이용하여 $\frac{2018\times2020+1}{2019}$을 계산하면?

① 2018 ② 2019 ③ 2020
④ 2021 ⑤ 2022

15 다음 중 $x^2+3xy-10y^2$의 인수를 모두 고르면? (정답 2개)

① $x-5y$ ② $x+5y$ ③ $x+10y$
④ $x-2y$ ⑤ $x+2y$

16 $(x+1)(x-2)-4$를 인수분해하면?

① $(x-1)(x+2)$ ② $(x+1)(x-2)$
③ $(x-2)(x-3)$ ④ $(x-2)(x+3)$
⑤ $(x+2)(x-3)$

17 $6x^2-Ax-1$을 인수분해하였더니 $(2x+B)(Cx+1)$이 되었다. 이때 $A+B+C$의 값을 구하여라. (단, A, B, C는 상수)

18 $2x^2+5x+3$과 $4x^2-9$를 각각 인수분해했을 때, 공통으로 들어 있는 인수는?

① $x-1$ ② $x+1$ ③ $x+3$
④ $2x+1$ ⑤ $2x+3$

19 어떤 이차식을 인수분해하는데 진영이는 일차항의 계수를 잘못 보아 $(3x+16)(3x-2)$로 인수분해하였고, 윤희는 상수항을 잘못 보아 $(3x+2)^2$으로 인수분해하였다. 처음의 이차식을 바르게 인수분해하여라.

20 x^2-36-y^2+12y를 인수분해하면?

① $(x-y-6)(x-y+6)$
② $(x-y-6)(x+y+6)$
③ $(x+y-6)(x-y-6)$
④ $(x+y-6)(x-y+6)$
⑤ $(x+y-6)(x+y+6)$

21 $4x^4-17x^2+4$는 네 개의 일차식의 곱으로 인수분해된다. 네 개의 일차식의 합을 구하여라. (단, 일차항의 계수는 자연수이다.)

22 인수분해 공식을 이용하여 다음 식을 계산하여라.

$$1^2-2^2+3^2-4^2+5^2-6^2+7^2-8^2+9^2-10^2$$

서술형 문제

23 $\sqrt{45n}$이 자연수가 되도록 하는 자연수 n의 값 중에서 가장 작은 값을 구하여라. [7점]

24 $(3x+2y)(3x-2y)-2(y+2x)(y-2x)$를 전개하면 ax^2+by^2일 때, $a+b$의 값을 구하여라. (단, a, b는 상수) [8점]

25 다음 두 다항식의 공통인수를 구하여라. [8점]

$$(x+y)^2-2(x+y)-8$$
$$(x-2)^2-(y+4)^2$$

MEMO

실전에 강한 절대 공부 감각

중간고사대비

절대공부감각 내신업

www.왕수학.com

새로운 개정 교육과정 반영

\+ BEST 기출 총망라

중학 수학 3·1

중간고사
정답 및 해설

정답 & 해설

1. 제곱근과 실수

시험에 꼭 나오는 핵심개념 6쪽~7쪽

예제 1 답 ⑤

⑤ 제곱하여 음수가 되는 수는 없다.

예제 2 답 (1) $\pm\sqrt{10}$ (2) $\sqrt{10}$ (3) $\sqrt{\frac{2}{3}}$ (4) $-\sqrt{0.5}$

예제 3 답 (1) 6 (2) -6 (3) -3 (4) 3

예제 4 답 (1) < (2) < (3) > (4) >

(2) $\frac{1}{2}>\frac{1}{5}$이므로 $-\sqrt{\frac{1}{2}}<-\sqrt{\frac{1}{5}}$

(3) $4=\sqrt{16}$이므로 $4>\sqrt{15}$

(4) $\frac{1}{2}=\sqrt{\frac{1}{4}}$이므로 $\sqrt{\frac{1}{3}}>\frac{1}{2}$

예제 5 답 (1) 3 (2) 10

(1) $12=2^2\times3$이므로 $x=3$

(2) $90=2\times3^2\times5$이므로 $x=2\times5=10$

예제 6 답 ②, ④

⑤ $-\sqrt{36}=-6$이므로 $-\sqrt{36}$은 무리수가 아니다.

예제 7 답 (1) 1.414 (2) 1.449 (3) 1.421 (4) 1.459

예제 8 답 $\mathrm{P}(\sqrt{2})$

$\square\mathrm{EFGH}=(2\times2)\div2=2$이므로 $\overline{\mathrm{GH}}=\sqrt{2}$

따라서 $\overline{\mathrm{GH}}=\overline{\mathrm{GP}}$이므로 점 P의 좌표는 $\mathrm{P}(\sqrt{2})$이다.

예제 9 답 (1) × (2) ○ (3) × (4) ○

(1) 수직선은 유리수에 대응하는 점들로 완전히 메울 수 없다.

(3) 0과 1 사이에는 무수히 많은 무리수가 있다.

유형 격파 + 기출 문제 8쪽~19쪽

01 ⑤ 02 ② 03 ② 04 ⑤ 05 ③ 06 6 cm
07 ③ 08 ② 09 ② 10 ② 11 ④ 12 ①
13 ②, ③ 14 ③ 15 ② 16 ③ 17 $\sqrt{35}$ cm 18 ②
19 ④ 20 ⑤ 21 ① 22 ① 23 ② 24 ③
25 $-\frac{5}{4}$ 26 ③ 27 3 28 ② 29 ① 30 -5
31 ① 32 ④ 33 ⑤ 34 ② 35 $2x+2$ 36 ③
37 ⑤ 38 ③ 39 ① 40 $-2b+2c$ 41 ①
42 ④ 43 ④ 44 5, $-\sqrt{30}$ 45 ⑤ 46 ③
47 ④ 48 5 49 ⑤ 50 ⑤ 51 1, 2, 3, 4
52 ② 53 11 54 ② 55 ⑤ 56 15 57 ⑤
58 ② 59 70 60 ④ 61 ③ 62 ② 63 ③
64 ② 65 ④ 66 ①, ⑤ 67 ③ 68 ② 69 ⑤
70 4.48 71 $\mathrm{P}(4-\sqrt{2})$, $\mathrm{Q}(4+\sqrt{2})$ 72 $\sqrt{13}$
73 $\mathrm{P}:2-\sqrt{10}$, $\mathrm{Q}:4+\sqrt{8}$ 74 A 75 $1-\sqrt{2}$
76 $\mathrm{E}(2+\sqrt{5})$, $\mathrm{F}(2-\sqrt{5})$ 77 $4-\sqrt{5}$, $4+\sqrt{2}$ 78 ①
79 ② 80 ⑤ 81 ② 82 ③ 83 ③ 84 ③
85 ⑤ 86 ② 87 30 88 ④ 89 9 90 ②
91 ③ 92 ②

01 a의 제곱근의 뜻은 제곱하여 a가 되는 수이므로 x가 a의 제곱근이면 $x^2=a$이다.

02 $(-4)^2=16$이므로 16의 제곱근은 ±4이다.

03 64의 양의 제곱근은 8이고, 9의 음의 제곱근은 -3이므로
$a=8$, $b=-3$
$\therefore a+b=8+(-3)=5$

04 ① 1.44의 제곱근은 ±1.2이다.
② $(-9)^2=81$이므로 $(-9)^2$의 제곱근은 ±9이다.
③ $\frac{121}{16}$의 제곱근은 $\pm\frac{11}{4}$이다.
④ 0.09의 제곱근은 ±0.3이다.

05 ③ 양수의 제곱근은 양수와 음수 2개이고, 0의 제곱근은 1개, 음수의 제곱근은 없다.

06 새로운 정사각형의 한 변의 길이를 x cm라 하면
새로운 정사각형의 넓이는 36 cm²이므로 $x^2=36$
그런데 $x>0$이므로 $x=6$
따라서 새로운 정사각형의 한 변의 길이는 6 cm이다.

07 새로운 원의 반지름의 길이를 r cm라 하면
$\pi\times r^2=\pi\times9^2+\pi\times12^2$, $r^2=225$
그런데 $r>0$이므로 $r=15$
따라서 새로운 원의 반지름의 길이는 15 cm이다.

08 $\sqrt{16}=4$이므로 4의 제곱근은 ±2이다.

09 ①, ③, ④, ⑤ $\pm\sqrt{3}$ ② $\sqrt{3}$

10 2의 제곱근 → $\pm\sqrt{2}$
$\sqrt{9}=3$의 제곱근 → $\pm\sqrt{3}$
$\sqrt{196}=14$의 제곱근 → $\pm\sqrt{14}$
$(-5)^2=25$의 제곱근 → ±5
81의 제곱근 → ±9

11 ① $\sqrt{81}=\sqrt{9^2}=9$ ② $\sqrt{0.25}=\sqrt{0.5^2}=0.5$
③ $\sqrt{\frac{4}{25}}=\sqrt{\left(\frac{2}{5}\right)^2}=\frac{2}{5}$ ⑤ $\sqrt{36}=\sqrt{6^2}=6$

12 ② $(-4)^2=16$의 제곱근은 ±4이다.
③ -64는 음수이므로 제곱근이 없다.
④ $\sqrt{121}=11$
⑤ 제곱근 49는 $\sqrt{49}$이므로 7이다.

13 ② 0의 제곱근은 0의 1개뿐이다.
③ 음수의 제곱근은 없다.

14 ㄱ. 7의 양의 제곱근은 $\sqrt{7}$로 1개뿐이다.
ㄷ. 제곱근 16은 4이므로 4의 제곱근은 ±2이다.
ㄹ. $\sqrt{64}=8$
따라서 옳은 것은 ㄴ, ㄷ, ㅁ으로 모두 3개이다.

15 $(-5)^2=25$의 양의 제곱근은 5이고, $\sqrt{16}=4$의 음의 제곱근은 -2이므로 $A=5$, $B=-2$
$\therefore A+B=5+(-2)=3$

16 $\sqrt{121}=11$의 양의 제곱근은 $\sqrt{11}$이고, 0.16의 음의 제곱근은 -0.4이므로 $a=\sqrt{11}$, $b=-0.4$
$\therefore a^2-10b=(\sqrt{11})^2-10\times(-0.4)=11+4=15$

17 (직사각형의 넓이)$=7\times5=35(\text{cm}^2)$
정사각형의 한 변의 길이를 x cm라 하면 $x^2=35$
그런데 $x>0$이므로 $x=\sqrt{35}$
따라서 정사각형의 한 변의 길이는 $\sqrt{35}$ cm이다.

18 새로운 정사각형의 한 변의 길이를 x cm라 하면
$x^2=2^2+3\times5=19$
그런데 $x>0$이므로 $x=\sqrt{19}$
따라서 새로운 정사각형의 한 변의 길이는 $\sqrt{19}$ cm이다.

19 ① $\sqrt{7^2}=7$ ② $\sqrt{(-7)^2}=7$ ③ $(-\sqrt{7})^2=7$
④ $-\sqrt{7^2}=-7$ ⑤ $(\sqrt{7})^2=7$

20 ① $(\sqrt{7})^2=7$ ② $-\sqrt{(-6)^2}=-6$
③ $(-\sqrt{0.3})^2=0.3$ ④ $\left(-\sqrt{\frac{3}{5}}\right)^2=\frac{3}{5}$

21 ① $\sqrt{(-2)^4}=\sqrt{16}=4$ ② $-\sqrt{(-5)^2}=-5$
③ $\sqrt{169}=\sqrt{13^2}=13$ ④ $(-\sqrt{9})^2=9$
⑤ $a>0$일 때, $-a<0$이므로 $\sqrt{(-a)^2}=a$

22 ① $\sqrt{0.2^2}=0.2$ ③ $-\sqrt{0.04}=-\sqrt{0.2^2}=-0.2$
④ $(-\sqrt{0.01})^2=0.01$ ⑤ $\sqrt{(-0.1)^2}=0.1$

23 ㄱ. $(\sqrt{a})^2=a$ ㄴ. $-\sqrt{(-a)^2}=-a$ ㄷ. $\sqrt{(-a)^2}=a$
ㄹ. $(-\sqrt{a})^2=a$ ㅁ. $-\sqrt{a^2}=-a$
따라서 같은 결과를 가지는 것은 ㄱ, ㄷ, ㄹ과 ㄴ, ㅁ이다.

24 $\sqrt{a^2}=9$이므로 양변을 제곱하면 $a^2=81$
따라서 81의 제곱근은 ±9이므로 $a=\pm9$

25 $\left(-\frac{3}{4}\right)^2=\frac{9}{16}$의 양의 제곱근은 $\frac{3}{4}$이고,
$\frac{25}{9}$의 음의 제곱근은 $-\frac{5}{3}$이므로 $A=\frac{3}{4}$, $B=-\frac{5}{3}$
$\therefore AB=\frac{3}{4}\times\left(-\frac{5}{3}\right)=-\frac{5}{4}$

26 $\sqrt{100}-\sqrt{(-13)^2}+(-\sqrt{2})^2=10-13+2=-1$

27 (주어진 식)$=7-4+3-3=3$

28 (주어진 식)$=\frac{1}{2}+4-3+0.5=2$

29 (주어진 식)$=5+8\times(-3)=-19$

30 (주어진 식)$=7-9+12\div(-4)=-2+(-3)=-5$

31 (주어진 식)$=8-2-5\times3=-9$

32 $a<0$이므로 $-2a>0$
$\therefore \sqrt{a^2}+\sqrt{(-2a)^2}=(-a)+(-2a)=-3a$

33 $a>0$이므로 $-a<0$, $2a>0$, $-3a<0$
$\therefore \sqrt{(-a)^2}-\sqrt{4a^2}-\sqrt{(-3a)^2}=\sqrt{(-a)^2}-\sqrt{(2a)^2}-\sqrt{(-3a)^2}$
$=a-2a-3a=-4a$

34 $ab<0$이므로 두 수 a, b의 부호가 서로 반대이다.
그런데 $a>b$이므로 $a>0$, $b<0$, $-2a<0$
$\therefore \sqrt{a^2}-\sqrt{(-2a)^2}+\sqrt{b^2}=a-2a-b=-a-b$

35 $x>0$이므로 $-x<0$, $x+2>0$
$\therefore \sqrt{(-x)^2}+\sqrt{(x+2)^2}=x+(x+2)=2x+2$

36 $-2<x<5$이므로 $x+2>0$, $x-5<0$
$\therefore \sqrt{(x+2)^2}+\sqrt{(x-5)^2}=(x+2)-(x-5)=x+2-x+5=7$

37 $x<-3$이므로 $x+2<0$, $x+3<0$
$\therefore \sqrt{(x+2)^2}+\sqrt{(x+3)^2}=-(x+2)-(x+3)=-x-2-x-3$
$=-2x-5$

38 $x<0$이므로 $x-2<0$, $-x>0$
$\therefore \sqrt{x^2}+\sqrt{(x-2)^2}+2\sqrt{(-x)^2}=-x-(x-2)+2\times(-x)$
$=-x-x+2-2x$
$=-4x+2$

39 $2<a<3$이므로 $1-a<0$, $3-a>0$
$\therefore \sqrt{(1-a)^2}+\sqrt{(3-a)^2}=-(1-a)+(3-a)$
$=-1+a+3-a=2$

40 $a>b>c$이므로 $a-b>0$, $b-c>0$, $c-a<0$
$\therefore \sqrt{(a-b)^2}-\sqrt{(b-c)^2}-\sqrt{(c-a)^2}=(a-b)-(b-c)+(c-a)$
$=a-b-b+c+c-a$
$=-2b+2c$

41 ① $3=\sqrt{9}$이므로 $\sqrt{8}<3$ ② $-4=-\sqrt{16}$이므로 $-\sqrt{15}>-4$
③ (음수)<0이므로 $0>-\sqrt{2}$ ④ $\frac{1}{2}=\sqrt{\frac{1}{4}}$이므로 $\frac{1}{2}<\sqrt{\frac{1}{2}}$
⑤ $\sqrt{10}>\sqrt{9}$

42 ① $2=\sqrt{4}$이므로 $2>\sqrt{2}$ ② $-2=-\sqrt{4}$이므로 $-\sqrt{8}<-2$
③ $\frac{3}{2}=\sqrt{\frac{9}{4}}$이므로 $\sqrt{\frac{3}{4}}<\frac{3}{2}$ ④ $\frac{1}{5}>\frac{1}{6}$이므로 $\sqrt{\frac{1}{5}}>\sqrt{\frac{1}{6}}$
⑤ $-4=-\sqrt{16}$이므로 $-\sqrt{13}>-4$

43 $-3=-\sqrt{9}$이므로 $-\sqrt{12}<-\sqrt{10}<-3$
$\therefore b<c<a$

44 (음수)<(양수)이고, $-4=-\sqrt{16}$, $5=\sqrt{25}$이므로
$-\sqrt{30}<-\sqrt{28}<-4<\sqrt{8}<5$
따라서 가장 큰 수는 5, 가장 작은 수는 $-\sqrt{30}$이다.

45 $\frac{2}{5}=\sqrt{\frac{4}{25}}=\sqrt{\frac{8}{50}}$, $\sqrt{\frac{2}{5}}=\sqrt{\frac{20}{50}}$, $\sqrt{\frac{4}{5}}=\sqrt{\frac{40}{50}}$,
$\sqrt{\frac{1}{10}}=\sqrt{\frac{5}{50}}$, $\sqrt{\frac{1}{2}}=\sqrt{\frac{25}{50}}$
$\therefore \sqrt{\frac{4}{5}}>\sqrt{\frac{1}{2}}>\sqrt{\frac{2}{5}}>\frac{2}{5}>\sqrt{\frac{1}{10}}$

46 $\sqrt{x}<3$의 각 변을 제곱하면 $x<9$이므로
자연수 x의 개수는 1, 2, 3, 4, 5, 6, 7, 8의 8개이다.
다른 풀이 $\sqrt{x}<\sqrt{9}$이므로
자연수 x의 개수는 1, 2, 3, 4, 5, 6, 7, 8의 8개이다.

47 $\sqrt{3n}\leq 5$의 각 변을 제곱하면 $3n\leq 25$ $\quad\therefore n\leq\frac{25}{3}$
이 조건을 만족하는 자연수 n의 값 중 가장 큰 값은 8이다.

48 $\frac{3}{2}<\sqrt{\frac{x}{2}}$의 각 변을 제곱하면 $\frac{9}{4}<\frac{x}{2}$
각 변에 2를 곱하면 $\frac{9}{2}<x$
따라서 조건을 만족하는 자연수 x의 값 중 가장 작은 값은 5이다.

49 $-3.5\leq-\sqrt{x}$의 각 변에 -1을 곱하면 $\sqrt{x}\leq 3.5$
각 변을 제곱하면 $x\leq 12.25$
따라서 조건을 만족하는 자연수 x의 개수는 12개이다.

50 $-\sqrt{2n-3}>-3$, $\sqrt{2n-3}<3$, $2n-3<9$, $2n<12$ $\quad\therefore n<6$
따라서 조건을 만족하는 자연수 n은 1, 2, 3, 4, 5이므로 구하는 합은
$1+2+3+4+5=15$

51 $a<\sqrt{20}$의 각 변을 제곱하면 $a^2<20$
따라서 조건을 만족하는 자연수 a는 1, 2, 3, 4이다.

52 $-3=-\sqrt{9}<-\sqrt{8}<-\sqrt{4}=-2$이므로 $-\sqrt{8}$에 가장 가까운 정수는 -3이다.
$5=\sqrt{25}<\sqrt{35}<\sqrt{36}=6$이므로 $\sqrt{35}$에 가장 가까운 정수는 6이다.
따라서 $A=-3$, $B=6$이므로 $A+B=-3+6=3$

53 (i) $-\sqrt{x}<-2\rightarrow x>4$ $\quad\therefore x=5,\ 6,\ 7,\ 8,\ \cdots$
(ii) $x\leq\sqrt{48}\rightarrow x^2\leq 48$ $\quad\therefore x=1,\ 2,\ 3,\ 4,\ 5,\ 6$
따라서 (i), (ii)에서 두 부등식을 동시에 만족하는 자연수 x는 5, 6이므로 구하는 합은 $5+6=11$

54 ① $n=2$이면 $\sqrt{18n}=\sqrt{18\times 2}=\sqrt{36}=6$
② $n=4$이면 $\sqrt{18n}=\sqrt{18\times 4}=\sqrt{72}$
③ $n=8$이면 $\sqrt{18n}=\sqrt{18\times 8}=\sqrt{144}=12$
④ $n=18$이면 $\sqrt{18n}=\sqrt{18^2}=18$
⑤ $n=32$이면 $\sqrt{18n}=\sqrt{18\times 32}=\sqrt{24^2}=24$

55 $\sqrt{120x}$가 자연수가 되려면 $120x$가 제곱수이어야 한다.
그런데 $120=2^3\times 3\times 5$이므로 x는 $2\times 3\times 5\times$(제곱수)의 꼴이어야 한다.
따라서 $\sqrt{120x}$가 자연수가 되도록 하는 가장 작은 자연수 x의 값은
$2\times 3\times 5=30$

56 $\sqrt{60n}$이 정수가 되려면 $60n$이 0 또는 제곱수이어야 하고, 제곱수이려면 소인수의 지수가 모두 짝수이어야 한다.
따라서 $5<n<25$이고 $60=2^2\times 3\times 5$이므로 $n=3\times 5$, 즉 $n=15$일 때, $\sqrt{60n}=\sqrt{(2\times 3\times 5)^2}=30$이 된다.

57 $19+x>4^2$이므로 $19+x=5^2$일 때, x의 값이 가장 작다.
따라서 $\sqrt{19+x}$가 자연수가 되도록 하는 가장 작은 자연수 x의 값은 6이다.

58 $20-a$가 0 또는 20보다 작은 제곱수이어야 하므로
$20-a=0\rightarrow a=20$, $20-a=1^2\rightarrow a=19$, $20-a=2^2\rightarrow a=16$
$20-a=3^2\rightarrow a=11$, $20-a=4^2\rightarrow a=4$
$\therefore 20+19+16+11+4=70$

59 $\sqrt{\frac{280}{n}}$이 자연수가 되려면 $\frac{280}{n}$이 제곱수이어야 한다.
그런데 $280=2^3\times 5\times 7$이므로 $\sqrt{\frac{280}{n}}$이 자연수가 되도록 하는 가장 작은 자연수 n의 값은 $n=2\times 5\times 7=70$

61 $\sqrt{0.01}=0.1$, $\sqrt{\frac{1}{16}}=\frac{1}{4}$이므로 무리수는 $\sqrt{2}$, π, $\sqrt{45}$로 모두 3개이다.

62 순환하지 않는 무한소수는 무리수이다.
ㄴ. $\sqrt{\frac{25}{16}}=\frac{5}{4}$, ㄹ. $(-\sqrt{3})^2=3$, ㅂ. $\sqrt{\left(-\frac{2}{5}\right)^2}=\frac{2}{5}$
따라서 순환하지 않는 무한소수는 ㄱ, ㄷ, ㅁ이다.

63 $\sqrt{5}$는 무리수이므로 유리수가 아니고, 순환하지 않는 무한소수이다.

64 ② $\sqrt{4}=\sqrt{2^2}=2$와 같이 근호가 벗겨지는 수는 무리수가 아니다.

65 ④ 소희 : $\sqrt{4}=\sqrt{2^2}=2$와 같이 근호가 벗겨지는 수는 무리수가 아니다.

66 □ 안에 속하는 수는 무리수이다.

67 ③ 모든 순환소수는 유리수이다.

68 $\sqrt{x}=3.035=\sqrt{9.21}$이므로 $x=9.21$
$\sqrt{9.12}=3.020=y$이므로 $y=3.020$
$\therefore x+y=9.21+3.020=12.23$

69 ⑤ $\sqrt{6.36}=2.522$

70 $\sqrt{49}-\sqrt{6.35}=7-2.52=4.48$

71 피타고라스 정리에 의하여
$\overline{AC}^2=1^2+1^2=2$, $\overline{AC}=\sqrt{2}$ ($\because \overline{AC}>0$)
점 P는 4를 나타내는 점에서 왼쪽으로 $\sqrt{2}$만큼 떨어진 점이므로 점 P에 대응하는 수는 $4-\sqrt{2}$이고 점 Q는 오른쪽으로 $\sqrt{2}$만큼 떨어진 점이므로 점 Q에 대응하는 수는 $4+\sqrt{2}$이다.

72 피타고라스 정리에 의하여
$\overline{OA}^2=2^2+3^2=13$, $\overline{OA}=\sqrt{13}$ ($\because \overline{OA}>0$)

73 피타고라스 정리에 의하여
$\overline{CA}=\overline{CP}=\sqrt{10}$, $\overline{DF}=\overline{DQ}=\sqrt{8}$이므로
두 점 P, Q에 대응하는 수는 각각 $2-\sqrt{10}$, $4+\sqrt{8}$이다.

74 $\sqrt{2}-2$는 -2에 대응하는 점에서 오른쪽으로 $\sqrt{2}$만큼 이동한 점이 나타내는 수이고, -2에서 점 A까지의 거리가 $\sqrt{2}$이므로 $\sqrt{2}-2$에 대응하는 점은 점 A이다.

75 한 변의 길이가 1인 정사각형의 대각선의 길이는 $\sqrt{2}$이므로
$\overline{PA}=\overline{PQ}=\overline{RB}=\overline{RS}=\sqrt{2}$
따라서 $a=-1-\sqrt{2}$, $b=\sqrt{2}$이므로
$a+b^2=-1-\sqrt{2}+(\sqrt{2})^2=-1-\sqrt{2}+2=1-\sqrt{2}$

76 피타고라스 정리에 의하여 $\overline{AB}^2=\overline{BC}^2=2^2+1^2=5$이므로
$\overline{AB}=\overline{BC}=\sqrt{5}$ ($\because \overline{AB}>0, \overline{BC}>0$)
따라서 두 점 E, F에 대응하는 수는 각각 $2+\sqrt{5}$, $2-\sqrt{5}$이다.

77 $\overline{BA}=\overline{BP}=\sqrt{5}$이므로 점 P에 대응하는 수는 $4-\sqrt{5}$이다.
또, $\overline{BG}=\overline{BQ}=\sqrt{2}$이므로 점 Q에 대응하는 수는 $4+\sqrt{2}$이다.

78 점 E에 대응하는 수가 $\sqrt{5}-1$이므로 점 B가 나타내는 수는 -1이다.
따라서 점 F에 대응하는 수는 $-1-\sqrt{5}$이다.

79 $\square$ABCD$=\overline{AD}^2=10$이므로 $\overline{AD}=\sqrt{10}$ ($\because \overline{AD}>0$)
따라서 점 P에 대응하는 수는 $3+\sqrt{10}$이다.

81 ① $\sqrt{8}$과 $\sqrt{10}$의 중점에 대응하는 수는 $\frac{\sqrt{8}+\sqrt{10}}{2}$이다.
③ -2와 2 사이에는 유리수가 무수히 많다.
④ 모든 무리수는 수직선 위에 나타낼 수 있다.
⑤ 실수에 대응하는 점으로 수직선을 완전히 메울 수 있다.

82 ㄱ. -3과 $\sqrt{7}$ 사이에 있는 자연수는 1, 2이다.
ㄴ. -3과 $\sqrt{7}$ 사이에 있는 정수는 -2, -1, 0, 1, 2이다.

83 ① $\sqrt{3}+0.1=1.832\cdots$ ② $\sqrt{3}+0.01=1.742\cdots$
③ $\sqrt{6}+0.01=2.459\cdots$ ④ $\sqrt{6}-0.5=1.949\cdots$
⑤ $\sqrt{6}-0.02=2.429\cdots$

84 $3=\sqrt{9}$, $4=\sqrt{16}$이고, 3과 4 사이에 있는 수는
$\sqrt{\frac{40}{3}}$, $\sqrt{13}$, $\sqrt{\frac{19}{2}}$로 모두 3개이다.

85 ① $\sqrt{2}+0.2=1.614\cdots$ ② $\sqrt{3}-0.2=1.532\cdots$
③ $\sqrt{2}+0.03=1.444\cdots$
④ $\frac{\sqrt{2}+\sqrt{3}}{2}$은 $\sqrt{2}$와 $\sqrt{3}$의 중점에 대응하는 수이다.
⑤ $\sqrt{2}<\sqrt{3}$이므로 $\frac{\sqrt{2}-\sqrt{3}}{2}$은 음수가 되어 $\sqrt{2}$보다 작은 수이다.

86 ② $\sqrt{3}+1=2.732\cdots$이므로 $\sqrt{3}+1$은 $\sqrt{7}$보다 큰 수이다.

87 m의 값이 가장 크려면 n의 값이 가장 작아야 한다.
그런데 $9000=2^3\times3^2\times5^3$이므로 m의 값을 가장 크게 하는 가장 작은 n의 값은 $2\times5=10$
따라서 m의 값 중 가장 큰 값은 $\sqrt{\frac{9000}{10}}=\sqrt{900}=30$

88 $252=2^2\times3^2\times7$이므로 $\sqrt{\frac{252}{n}}$를 자연수가 되도록 하는 자연수 n의 값은 7, $2^2\times7$, $3^2\times7$, $2^2\times3^2\times7$이다. 그런데 $700=2^2\times5^2\times7$이므로 7, $2^2\times7$, $3^2\times7$, $2^2\times3^2\times7$은 모두 $\sqrt{700n}$을 자연수가 되도록 한다.
따라서 구하는 개수는 4개이다.

89 $\sqrt{200-a}-\sqrt{20+b}$의 값이 가장 큰 자연수가 되려면 $\sqrt{200-a}$는 가장 큰 자연수가 되어야 하고, $\sqrt{20+b}$는 가장 작은 자연수가 되어야 한다.
$\sqrt{200-a}$가 가장 큰 자연수가 되도록 하는 a의 값은
$200-a=196$에서 $a=4$
$\sqrt{20+b}$가 가장 작은 자연수가 되도록 하는 b의 값은
$20+b=25$에서 $b=5$
$\therefore a+b=4+5=9$

90 $64<80<81$이므로 $8<\sqrt{80}<9$ $\therefore f(80)=8$
$36<40<49$이므로 $6<\sqrt{40}<7$ $\therefore f(40)=6$
$\therefore f(80)-f(40)=8-6=2$

91 $\sqrt{1}=1$, $\sqrt{4}=2$, $\sqrt{9}=3$, $\sqrt{16}=4$, $\cdots$이므로
$N(1)=N(2)=N(3)=1$
$N(4)=N(5)=N(6)=N(7)=N(8)=2$
$N(9)=N(10)=3$
$\therefore N(1)+N(2)+N(3)+\cdots+N(10)$
$=1\times3+2\times5+3\times2=19$

92 $\sqrt{1}=1$, $\sqrt{4}=2$, $\sqrt{9}=3$, $\sqrt{16}=4$, $\sqrt{25}=5$, $\cdots$이므로
$N(1)=0$, $N(2)=N(3)=N(4)=1$
$N(5)=N(6)=\cdots=N(9)=2$
$N(10)=N(11)=\cdots=N(16)=3$
$N(17)=N(18)=\cdots=N(25)=4$
따라서 $0+1\times3+2\times5+3\times7+4\times4=50$이므로
$N(1)+N(2)+N(3)+\cdots+N(20)=50$에서 $n=20$

학교 시험 100점 맞기

20쪽~23쪽

01 ①, ④	02 ①	03 ⑤	04 ⑤	05 ②	06 ②
07 ③	08 ③	09 ②	10 ③	11 ①, ④	12 ③
13 $\sqrt{10}$, $1-\sqrt{10}$		14 ②	15 ㄱ, ㄹ, ㅁ		16 ②
17 ③	18 ①	19 ⑤	20 ①	21 ④	22 ②
23 a^2, a, $\sqrt{a}$, $\sqrt{\frac{1}{a}}$, $\frac{1}{a}$			24 $5+\sqrt{2}$	25 $-2x+2y$	
26 25					

01 ① 9의 제곱근은 ±3이다.
③ $\sqrt{36}=6$이므로 $\sqrt{36}$의 제곱근은 $\pm\sqrt{6}$이다.
④ $(-4)^2=16$이므로 $(-4)^2$의 제곱근은 ±4이다.

02 $\sqrt{49}=7$이므로 $\sqrt{49}$의 음의 제곱근은 $-\sqrt{7}$이고,
$\sqrt{4^2}=4$이므로 $\sqrt{4^2}$의 양의 제곱근은 2이다.
따라서 $a=-\sqrt{7}$, $b=2$이므로
$a^2+b=(-\sqrt{7})^2+2=7+2=9$

03 $-\sqrt{16}+(-\sqrt{8})^2-\sqrt{(-6)^2}+\sqrt{144}$
$=-\sqrt{4^2}+(-\sqrt{8})^2-\sqrt{(-6)^2}+\sqrt{12^2}$
$=-4+8-6+12=10$

04 $x>0$이므로 $-3x<0$, $2x>0$
$\therefore \sqrt{(-3x)^2}-\sqrt{4x^2}=\sqrt{(-3x)^2}-\sqrt{(2x)^2}=-(-3x)-2x$
$=3x-2x=x$

05 $a>b$이므로 $a-b>0$, $b-a<0$
$\therefore \sqrt{(a-b)^2}-\sqrt{(b-a)^2}=(a-b)-\{-(b-a)\}$
$=a-b+b-a=0$

06 $\sqrt{80x}$가 자연수가 되려면 $80x$가 제곱수이어야 한다.
그런데 $80=2^4\times5$이므로 x는 $5\times$(제곱수)의 꼴이어야 한다.

따라서 $\sqrt{80x}$가 자연수가 되도록 하는 가장 작은 자연수 x의 값은 5이다.

07 $10-x=0$이면 $x=10$, $10-x=1^2$이면 $x=9$
$10-x=2^2$이면 $x=6$, $10-x=3^2$이면 $x=1$
따라서 구하는 개수는 1, 6, 9, 10의 4개이다.

08 ① $12<13$이므로 $\sqrt{12}<\sqrt{13}$
② $0.1=\sqrt{0.01}$이므로 $\sqrt{0.1}>0.1$
③ $\frac{1}{2}=\sqrt{\frac{1}{4}}$이므로 $\sqrt{\frac{1}{2}}>\frac{1}{2}$
④ $3=\sqrt{9}$이므로 $3>\sqrt{8}$
⑤ $2=\sqrt{4}$이므로 $\sqrt{2}<2$

09 (음수)$<0<$(양수)이고, $2=\sqrt{4}$이므로 $2>\sqrt{3}>\sqrt{\frac{5}{2}}>\sqrt{2}>0>-1$
따라서 주어진 수 중 세 번째로 큰 수는 $\sqrt{\frac{5}{2}}$이다.

10 $9<\sqrt{x}\le 11$의 각 변을 제곱하면 $81<x\le 121$
따라서 이것을 만족하는 자연수 x의 개수는 $121-81=40$(개)

11 ② $\sqrt{64}=8$이므로 $\sqrt{64}$는 무리수가 아니다.

12 ① 무한소수 중 순환소수는 유리수이다.
② 유리수는 유한소수와 순환소수로 나뉜다.
④ 유리수이면서 무리수인 수는 없다.
⑤ $\sqrt{4}=\sqrt{2^2}=2$와 같이 근호가 벗겨지는 수는 무리수가 아니다.

13 피타고라스 정리에 의하여
$\overline{CA}=\overline{CP}=\sqrt{10}$이므로 $a=\sqrt{10}$
점 P에 대응하는 수는 $1-\sqrt{10}$이므로 $b=1-\sqrt{10}$

14 $\overline{AD}$를 빗변으로 하는 직각이등변삼각형을 그린다.
이때 피타고라스 정리에 의해 $\overline{AD}^2=2^2+2^2=8$, $\overline{AD}=\sqrt{8}$이다.
따라서 $\overline{AD}=\overline{DP}$이므로 수직선 위의 점 P에 대응하는 수는 $5-\sqrt{8}$이다.

15 ㄴ. 무한소수 중 순환하지 않는 무한소수만 무리수이다.
ㄷ. 무리수는 유리수가 아니므로 $\frac{(\text{정수})}{(0\text{이 아닌 정수})}$의 꼴로 나타낼 수 없다.

16 ① $\sqrt{3}<\sqrt{5}<\sqrt{6}$
② $\sqrt{6}-1=1.449\cdots$
③ $\sqrt{3}<2=\sqrt{4}<\sqrt{6}$
④ $\sqrt{3}+0.3=2.032\cdots$
⑤ $\frac{\sqrt{3}+\sqrt{6}}{2}$은 $\sqrt{3}$과 $\sqrt{6}$의 중점에 대응하는 수이다.

17 두 정사각형의 닮음비가 3 : 4이므로 한 변의 길이를 각각 $3x$ cm, $4x$ cm라 하면 $(3x)^2+(4x)^2=100$, $25x^2=100$, $x^2=4$
$\therefore x=2(\because x>0)$
따라서 작은 정사각형의 한 변의 길이는 $3\times 2=6$(cm)

18 $0<x<1$이므로 $x=\frac{1}{2}$이라 하면
$x-\frac{1}{x}=\frac{1}{2}-2=-\frac{3}{2}$ $\quad\therefore x-\frac{1}{x}<0$
$x+\frac{1}{x}=\frac{1}{2}+2=\frac{5}{2}$ $\quad\therefore x+\frac{1}{x}>0$
$\therefore \sqrt{\left(x-\frac{1}{x}\right)^2}-\sqrt{\left(x+\frac{1}{x}\right)^2}-\sqrt{(2x)^2}$
$=-\left(x-\frac{1}{x}\right)-\left(x+\frac{1}{x}\right)-2x$
$=-x+\frac{1}{x}-x-\frac{1}{x}-2x=-4x$

19 $\sqrt{360a}$가 자연수가 되기 위해서는 근호 안에 있는 수 $360a$가 제곱수가 되어야 한다. 그런데 $360=2^3\times 3^2\times 5$이므로 $360a$가 제곱수가 되도록 하는 가장 작은 자연수 a의 값은 $2\times 5=10$
이때 a의 값이 가장 작으므로 b의 값도 가장 작게 되고,
$b=\sqrt{2^4\times 3^2\times 5^2}=\sqrt{(2^2\times 3\times 5)^2}=2^2\times 3\times 5=60$
따라서 구하는 값은 $10+60=70$

20 원을 오른쪽으로 반 바퀴 돌리면 움직인 거리는 이 원의 둘레의 길이의 $\frac{1}{2}$이다.
따라서 이 원의 둘레의 길이는 $2\pi\times 1=2\pi$이고, 1에서 오른쪽으로 이동했으므로 점 A에 대응하는 수는 $1+\frac{1}{2}\times 2\pi=1+\pi$

21 $\sqrt{\frac{72}{n}}$가 정수가 되려면 $\frac{72}{n}$가 0 또는 제곱수이어야 한다.
그런데 $\frac{72}{n}=\frac{2^3\times 3^2}{n}$이므로 $\sqrt{\frac{72}{n}}$를 정수가 되도록 하는 정수 n의 값은 2, 2×2^2, 2×3^2, $2\times 2^2\times 3^2$이다.
따라서 구하는 개수는 4개이다.

22 $\sqrt{1}=1$, $\sqrt{4}=2$, $\sqrt{9}=3$, $\sqrt{16}=4$, $\cdots$이므로
$N(1)=N(2)=N(3)=1$
$N(4)=N(5)=N(6)=N(7)=N(8)=2$
$N(9)=N(10)=\cdots=N(15)=3$
$\therefore N(1)+N(2)+N(3)+\cdots+N(15)$
$=1\times 3+2\times 5+3\times 7=34$

23 (1단계) $a=\frac{1}{2}$을 각 식에 대입하면
$a^2=\left(\frac{1}{2}\right)^2=\frac{1}{4}$, $\sqrt{a}=\sqrt{\frac{1}{2}}$, $a=\frac{1}{2}$, $\sqrt{\frac{1}{a}}=\sqrt{2}$, $\frac{1}{a}=2$
(2단계) $a^2=\frac{1}{4}=\sqrt{\frac{1}{16}}$, $\sqrt{a}=\sqrt{\frac{1}{2}}$, $a=\frac{1}{2}=\sqrt{\frac{1}{4}}$, $\sqrt{\frac{1}{a}}=\sqrt{2}$,
$\frac{1}{a}=2=\sqrt{4}$
(3단계) $a^2<a<\sqrt{a}<\sqrt{\frac{1}{a}}<\frac{1}{a}$이므로 작은 것부터 차례로 나열하면
a^2, a, $\sqrt{a}$, $\sqrt{\frac{1}{a}}$, $\frac{1}{a}$

24 (1단계) 점 P에 대응하는 수가 $6-\sqrt{2}$이고, $\overline{BD}=\overline{BP}=\sqrt{2}$이므로 점 B에 대응하는 수는 6이다. 따라서 $\overline{AB}=1$이므로 점 A에 대응하는 수는 $6-1=5$
(2단계) $\overline{AQ}=\overline{AC}=\sqrt{2}$
(3단계) 점 Q에 대응하는 수는 5에서 오른쪽으로 $\sqrt{2}$만큼 갔으므로 $5+\sqrt{2}$이다.

25 $xy>0$이므로 x, y 모두 양수이거나 음수이다.
그런데 $x+y<0$이므로 x, y 모두 음수이다. …… ❶

또, $x<y$이므로 $x-y<0$ …… ❷

$\therefore \sqrt{x^2}-\sqrt{y^2}+\sqrt{(x-y)^2}$

$=-x-(-y)-(x-y)=-x+y-x+y$

$=-2x+2y$ …… ❸

채점 기준	배점
❶ x, y의 부호 구하기	2점
❷ $x-y$의 부호 구하기	2점
❸ 주어진 식을 간단히 하기	3점

26 (i) $\sqrt{x+2}\le 6$, $x+2\le 36$ $\quad\therefore x\le 34$

(ii) $-\sqrt{3x}\le -5$, $\sqrt{3x}\ge 5$, $3x\ge 25$ $\quad\therefore x\ge \frac{25}{3}$ …… ❶

(i), (ii)에 의해서 두 부등식을 만족하는 자연수 x의 값 중에서 가장 큰 값은 34, 가장 작은 값은 9이므로 $m=34$, $n=9$ …… ❷

$\therefore m-n=25$ …… ❸

채점 기준	배점
❶ x의 값의 범위 구하기	3점
❷ m, n의 값을 각각 구하기	2점
❸ $m-n$의 값 구하기	1점

2. 근호를 포함한 식의 계산

시험에 꼭 나오는 핵심개념 24쪽~25쪽

예제 1 답 (1) 8 (2) $6\sqrt{2}$ (3) 2 (4) $2\sqrt{7}$

(1) $\sqrt{2}\times\sqrt{32}=\sqrt{2\times 32}=\sqrt{64}=8$

(2) $2\sqrt{3}\times 3\sqrt{\frac{2}{3}}=(2\times 3)\sqrt{3\times\frac{2}{3}}=6\sqrt{2}$

(3) $\sqrt{96}\div\sqrt{24}=\frac{\sqrt{96}}{\sqrt{24}}=\sqrt{\frac{96}{24}}=\sqrt{4}=2$

(4) $\frac{6\sqrt{42}}{3\sqrt{6}}=2\sqrt{\frac{42}{6}}=2\sqrt{7}$

예제 2 답 (1) $2\sqrt{5}$ (2) $-5\sqrt{2}$

(1) $\sqrt{20}=\sqrt{2^2\times 5}=2\sqrt{5}$

(2) $-\sqrt{50}=-\sqrt{2\times 5^2}=-5\sqrt{2}$

예제 3 답 (1) $\frac{\sqrt{7}}{4}$ (2) $-\frac{\sqrt{6}}{10}$

(1) $\sqrt{\frac{21}{48}}=\sqrt{\frac{7}{16}}=\frac{\sqrt{7}}{\sqrt{4^2}}=\frac{\sqrt{7}}{4}$

(2) $-\sqrt{0.06}=-\sqrt{\frac{6}{100}}=-\frac{\sqrt{6}}{\sqrt{10^2}}=-\frac{\sqrt{6}}{10}$

예제 4 답 (1) $\frac{2\sqrt{3}}{3}$ (2) $\frac{\sqrt{5}}{2}$

(1) $\frac{2}{\sqrt{3}}=\frac{2\times\sqrt{3}}{\sqrt{3}\times\sqrt{3}}=\frac{2\sqrt{3}}{3}$

(2) $\frac{5}{2\sqrt{5}}=\frac{5\times\sqrt{5}}{2\sqrt{5}\times\sqrt{5}}=\frac{5\sqrt{5}}{10}=\frac{\sqrt{5}}{2}$

예제 5 답 (1) $5\sqrt{2}$ (2) $-3\sqrt{3}$ (3) $4\sqrt{6}$

(1) $2\sqrt{2}+3\sqrt{2}=(2+3)\sqrt{2}=5\sqrt{2}$

(2) $4\sqrt{3}-7\sqrt{3}=(4-7)\sqrt{3}=-3\sqrt{3}$

(3) $\sqrt{6}+5\sqrt{6}-2\sqrt{6}=(1+5-2)\sqrt{6}=4\sqrt{6}$

예제 6 답 (1) $2+\sqrt{6}$ (2) -7

(1) $\sqrt{2}(\sqrt{2}+\sqrt{3})=(\sqrt{2})^2+\sqrt{6}=2+\sqrt{6}$

(2) $3\sqrt{7}-\sqrt{7}(\sqrt{7}+3)=3\sqrt{7}-(\sqrt{7})^2-3\sqrt{7}=-7$

예제 7 답 (1) $<$ (2) $>$

(1) $(\sqrt{3}+2)-4=\sqrt{3}-2=\sqrt{3}-\sqrt{4}<0$

$\therefore \sqrt{3}+2<4$

(2) $(2-\sqrt{2})-(2-\sqrt{3})=2-\sqrt{2}-2+\sqrt{3}$

$=-\sqrt{2}+\sqrt{3}>0$

$\therefore 2-\sqrt{2}>2-\sqrt{3}$

유형 격파 + 기출 문제 26쪽~33쪽

01 ④	02 (1) $\sqrt{14}$ (2) $6\sqrt{6}$ (3) $\sqrt{\frac{7}{15}}$ (4) 20				
03 (1) $\sqrt{6}$ (2) $2\sqrt{3}$ (3) 4 (4) 12			04 9	05 ②	06 ②
07 ⑤	08 ④	09 ③	10 ③	11 ①	12 ①
13 ④	14 ⑤	15 ⑤	16 ②	17 ⑤	18 ④
19 ⑤	20 ④	21 ③	22 ④	23 1	24 ②
25 ②	26 ①	27 $2\sqrt{6}$	28 ②	29 ⑤	30 ②
31 ③	32 ②, ④	33 ⑤	34 ③	35 ①	36 $-\frac{3}{4}$
37 $4\sqrt{5}$	38 $2\sqrt{5}$	39 1	40 ⑤	41 ①	42 ④
43 $\frac{\sqrt{6}}{2}$	44 ③	45 ⑤	46 $\frac{4\sqrt{5}}{5}-2\sqrt{2}$		47 $\sqrt{6}$ cm
48 $9\sqrt{6}$ cm^2		49 $18+18\sqrt{2}$		50 ②	51 ③
52 ⑤	53 2	54 ③	55 $\sqrt{27}+1<\sqrt{12}+3$		56 ②
57 ⑤	58 y	59 ②	60 ④	61 ⑤	62 ③
63 $\frac{2}{3}$	64 $36\sqrt{6}\pi$ cm^3		65 $8+8\sqrt{2}$		

01 ④ $\sqrt{72}\div\sqrt{\frac{8}{9}}=\sqrt{72\times\frac{9}{8}}=\sqrt{9^2}=9$

02 (3) (주어진 식)$=\sqrt{\frac{2}{5}\times\frac{7}{6}}=\sqrt{\frac{7}{15}}$

(4) (주어진 식)$=(5\times 2)\sqrt{\frac{5}{2}\times\frac{8}{5}}=10\sqrt{2^2}=20$

03 (2) (주어진 식)$=\frac{4\sqrt{15}}{2\sqrt{5}}=2\sqrt{\frac{15}{5}}=2\sqrt{3}$

(3) (주어진 식)$=\sqrt{\frac{48}{3}}=\sqrt{16}=\sqrt{4^2}=4$

(4) (주어진 식)$=6\sqrt{\frac{10}{3}\times\frac{6}{5}}=6\sqrt{2^2}=12$

04 (주어진 식)$=\sqrt{\frac{14}{3}\times\frac{5}{2}\times\frac{3}{10}}=\sqrt{\frac{7}{2}}$

$a=2$, $b=7$이므로 $a+b=9$

05 ① $\sqrt{\frac{2}{3}}\times\sqrt{\frac{1}{2}}=\sqrt{\frac{2}{3}\times\frac{1}{2}}=\sqrt{\frac{1}{3}}$

② $3\times\frac{1}{\sqrt{3}}=\frac{\sqrt{9}}{\sqrt{3}}=\sqrt{\frac{9}{3}}=\sqrt{3}$

③ $2\sqrt{2}\div\sqrt{24}=\frac{2\sqrt{2}}{\sqrt{24}}=\frac{\sqrt{8}}{\sqrt{24}}=\sqrt{\frac{1}{3}}$

④ $\sqrt{6}\div\sqrt{18}=\frac{\sqrt{6}}{\sqrt{18}}=\sqrt{\frac{6}{18}}=\sqrt{\frac{1}{3}}$

⑤ $\frac{\sqrt{2}}{\sqrt{6}}=\sqrt{\frac{2}{6}}=\sqrt{\frac{1}{3}}$

06 $\sqrt{2^2\times3^2\times5}=\sqrt{(2\times3)^2\times5}=6\sqrt{5}$이므로 $a=6$, $b=5$

$\therefore a+b=6+5=11$

07 ① $\sqrt{a^2b}=a\sqrt{b}$ ② $-a\sqrt{b}=-\sqrt{a^2b}$ ③ $\sqrt{\frac{b^2}{a}}=\frac{b}{\sqrt{a}}$ ④ $\sqrt{\frac{b}{a^2}}=\frac{\sqrt{b}}{a}$

08 $\sqrt{108}=\sqrt{6^2\times3}=6\sqrt{3}$, $\sqrt{648}=\sqrt{18^2\times2}=18\sqrt{2}$

이므로 $a=6$, $b=18$

$\therefore \frac{b}{a}=\frac{18}{6}=3$

09 $\sqrt{12}\times\sqrt{15}\times\sqrt{35}=\sqrt{12\times15\times35}=\sqrt{6300}=\sqrt{30^2\times7}=30\sqrt{7}$

이므로 $a=30$

다른 풀이 $\sqrt{12}\times\sqrt{15}\times\sqrt{35}=\sqrt{2^2\times3}\times\sqrt{3\times5}\times\sqrt{5\times7}$

$=2\times(\sqrt{3})^2\times(\sqrt{5})^2\times\sqrt{7}$

$=30\sqrt{7}$

이므로 $a=30$

10 $\sqrt{0.48}=\sqrt{\frac{48}{100}}=\frac{4\sqrt{3}}{10}=\frac{2\sqrt{3}}{5}$이므로 $a=\frac{2}{5}$

11 $\frac{\sqrt{54}}{3\sqrt{2}}=\frac{\sqrt{9\times6}}{3\sqrt{2}}=\frac{3\sqrt{6}}{3\sqrt{2}}=\sqrt{\frac{6}{2}}=\sqrt{3}$

12 $\sqrt{2}\times\sqrt{3}\times\sqrt{a}\times\sqrt{12}\times\sqrt{2a}=\sqrt{2\times3\times a\times12\times2a}$

$=\sqrt{(12a)^2}=12a$

이므로 $12a=24$ $\therefore a=2$

13 $\frac{\sqrt{53+x}}{2}=3\sqrt{2}$의 양변에 2를 곱하면

$\sqrt{53+x}=6\sqrt{2}=\sqrt{6^2\times2}=\sqrt{72}$

$53+x=72$ $\therefore x=19$

14 $\sqrt{2000}=\sqrt{100\times20}=10\sqrt{20}$,

$\sqrt{0.05}=\sqrt{\frac{5}{100}}=\sqrt{\frac{20}{400}}=\frac{\sqrt{20}}{20}$이므로

$A=10$, $B=\frac{1}{20}$ $\therefore \frac{A}{B}=A\div B=10\div\frac{1}{20}=10\times20=200$

15 $a\sqrt{\frac{2b}{a}}+b\sqrt{\frac{8a}{b}}=\sqrt{a^2\times\frac{2b}{a}}+\sqrt{b^2\times\frac{8a}{b}}=\sqrt{2ab}+\sqrt{8ab}$

$=\sqrt{2\times50}+\sqrt{8\times50}=10+20=30$

16 $\sqrt{50}=\sqrt{5^2\times2}=5\sqrt{2}=5a$

17 $\sqrt{225}=\sqrt{3^2\times5^2}=(\sqrt{3})^2\times(\sqrt{5})^2=a^2b^2$

18 $\sqrt{1.5}=\sqrt{\frac{15}{10}}=\sqrt{\frac{3}{2}}=\frac{\sqrt{3}}{\sqrt{2}}=\frac{b}{a}$

19 $\sqrt{0.125}=\sqrt{\frac{125}{1000}}=\frac{\sqrt{5^2\times5}}{\sqrt{10^2\times10}}=\frac{5\sqrt{5}}{10\sqrt{10}}=\frac{a}{2b}$

다른 풀이 $\sqrt{0.125}=\sqrt{\frac{125}{1000}}=\sqrt{\frac{5^3}{10^3}}=\frac{\sqrt{5^3}}{\sqrt{10^3}}=\frac{a^3}{b^3}$으로도 나타낼 수 있다.

20 $\frac{21}{2\sqrt{7}}=\frac{21\times\sqrt{7}}{2\sqrt{7}\times\sqrt{7}}=\frac{21\sqrt{7}}{14}=\frac{3\sqrt{7}}{2}$

21 $\frac{\sqrt{7}}{2\sqrt{3}}=\frac{\sqrt{7}\times\sqrt{3}}{2\sqrt{3}\times\sqrt{3}}=\frac{\sqrt{7\times3}}{2\times3}=\frac{\sqrt{21}}{6}$이므로 $k=\sqrt{21}$

22 $\frac{6}{a}=\frac{6}{\sqrt{3}}=\frac{6\times\sqrt{3}}{\sqrt{3}\times\sqrt{3}}=\frac{6\sqrt{3}}{3}=2\sqrt{3}$이므로 $\frac{6}{a}$은 a의 2배이다.

23 $\frac{5}{\sqrt{18}}=\frac{5}{3\sqrt{2}}=\frac{5\times\sqrt{2}}{3\sqrt{2}\times\sqrt{2}}=\frac{5\sqrt{2}}{6}$이므로 $A=\frac{5}{6}$

$\frac{1}{2\sqrt{3}}=\frac{1\times\sqrt{3}}{2\sqrt{3}\times\sqrt{3}}=\frac{\sqrt{3}}{6}$이므로 $B=\frac{1}{6}$

$\therefore A+B=\frac{5}{6}+\frac{1}{6}=1$

24 $4\sqrt{5}\div6\sqrt{2}\times3\sqrt{6}=\frac{4\sqrt{5}\times3\sqrt{6}}{6\sqrt{2}}=\frac{2\sqrt{30}}{\sqrt{2}}=2\sqrt{15}$

25 $3\sqrt{2}\times(-2\sqrt{6})\div\frac{\sqrt{3}}{2}=3\sqrt{2}\times(-2\sqrt{6})\times\frac{2}{\sqrt{3}}=-24$

26 $\frac{2}{\sqrt{3}}\div\frac{\sqrt{5}}{\sqrt{3}}\times\frac{3\sqrt{5}}{\sqrt{6}}=\frac{2}{\sqrt{3}}\times\frac{\sqrt{3}}{\sqrt{5}}\times\frac{3\sqrt{5}}{\sqrt{6}}=\frac{6}{\sqrt{6}}=\frac{6\times\sqrt{6}}{\sqrt{6}\times\sqrt{6}}=\sqrt{6}$

27 $A=6\div2\sqrt{2}\times\frac{4}{\sqrt{3}}=6\times\frac{1}{2\sqrt{2}}\times\frac{4}{\sqrt{3}}=\frac{24}{2\sqrt{6}}=\frac{12}{\sqrt{6}}$

$=\frac{12\sqrt{6}}{6}=2\sqrt{6}$

28 (주어진 식)$=\frac{3}{\sqrt{7}}\times\frac{4}{\sqrt{14}}\times\frac{\sqrt{28}}{6}=\frac{12\times2\sqrt{7}}{\sqrt{7}\times\sqrt{14}\times6}$

$=\frac{4}{\sqrt{14}}=\frac{4\sqrt{14}}{14}=\frac{2\sqrt{14}}{7}$

따라서 $a=2$, $b=7$이므로 $a+b=9$

29 ① $\sqrt{2}+\sqrt{3}\neq\sqrt{5}$ ② $\sqrt{8}-\sqrt{5}\neq\sqrt{3}$

③ $2+\sqrt{3}\neq2\sqrt{3}$ ④ $\sqrt{25}+\sqrt{3}=5+\sqrt{3}\neq\sqrt{28}$

⑤ $-\sqrt{4}+\sqrt{9}=-2+3=1$

30 $5\sqrt{8}-3\sqrt{28}+\sqrt{63}-\sqrt{72}=5\times2\sqrt{2}-3\times2\sqrt{7}+3\sqrt{7}-6\sqrt{2}$

$=(10-6)\sqrt{2}+(-6+3)\sqrt{7}$

$=4\sqrt{2}-3\sqrt{7}$

31 $5\sqrt{5}+3\sqrt{20}-\sqrt{45}=5\sqrt{5}+3\times2\sqrt{5}-3\sqrt{5}=(5+6-3)\sqrt{5}=8\sqrt{5}$

이므로 $a=8$

32 ① $\sqrt{8}+\sqrt{2}=2\sqrt{2}+\sqrt{2}=(2+1)\sqrt{2}=3\sqrt{2}$

② $\sqrt{5}+\sqrt{45}-\sqrt{80}=\sqrt{5}+3\sqrt{5}-4\sqrt{5}=(1+3-4)\sqrt{5}=0$

③ $\sqrt{\frac{2}{3}}\times\sqrt{\frac{9}{10}}\div\left(-\sqrt{\frac{3}{5}}\right)=\sqrt{\frac{2}{3}}\times\sqrt{\frac{9}{10}}\times\left(-\sqrt{\frac{5}{3}}\right)=-1$

④ $\frac{2\sqrt{5}}{5}+\frac{4}{\sqrt{5}}=\frac{2\sqrt{5}}{5}+\frac{4\sqrt{5}}{5}=\frac{6\sqrt{5}}{5}$

⑤ $5\sqrt{20}\div\sqrt{5}=\frac{5\sqrt{20}}{\sqrt{5}}=5\sqrt{4}=10$

33 $\sqrt{a}=\sqrt{18}+\sqrt{32}-5\sqrt{2}=3\sqrt{2}+4\sqrt{2}-5\sqrt{2}=2\sqrt{2}=\sqrt{8}$이므로 $a=8$

34 $7\sqrt{a}-2=3\sqrt{a}+6$, $7\sqrt{a}-3\sqrt{a}=6+2$, $4\sqrt{a}=8$, $\sqrt{a}=2$

$\therefore a=4$

35 $\frac{1}{\sqrt{8}}-\sqrt{32}+\frac{6}{\sqrt{18}}=\frac{1}{2\sqrt{2}}-4\sqrt{2}+\frac{6}{3\sqrt{2}}$

$=\frac{1\times\sqrt{2}}{2\sqrt{2}\times\sqrt{2}}-4\sqrt{2}+\frac{6\times\sqrt{2}}{3\sqrt{2}\times\sqrt{2}}$

$=\frac{\sqrt{2}}{4}-4\sqrt{2}+\sqrt{2}=-\frac{11\sqrt{2}}{4}$

이므로 $k=-\frac{11}{4}$

36 $\sqrt{2}-\frac{\sqrt{27}}{2}+\frac{\sqrt{3}}{4}-\frac{1}{\sqrt{2}}=\sqrt{2}-\frac{3\sqrt{3}}{2}+\frac{\sqrt{3}}{4}-\frac{\sqrt{2}}{2}$

$=\left(1-\frac{1}{2}\right)\sqrt{2}+\left(-\frac{3}{2}+\frac{1}{4}\right)\sqrt{3}$

$=\frac{\sqrt{2}}{2}-\frac{5\sqrt{3}}{4}$

이므로 $a=\frac{1}{2}$, $b=-\frac{5}{4}$

$\therefore a+b=\frac{1}{2}+\left(-\frac{5}{4}\right)=-\frac{3}{4}$

37 $4\sqrt{5}-\sqrt{x}=2\sqrt{5}$, $\sqrt{x}=2\sqrt{5}=\sqrt{20}$ $\quad\therefore x=20$

$\sqrt{12}+\sqrt{y+7}=5\sqrt{3}$, $2\sqrt{3}+\sqrt{y+7}=5\sqrt{3}$, $\sqrt{y+7}=3\sqrt{3}=\sqrt{27}$

$\therefore y=20$

$\therefore \sqrt{x}+\sqrt{y}=\sqrt{20}+\sqrt{20}=4\sqrt{5}$

38 $\overline{BC}$가 빗변인 직각삼각형에서 피타고라스 정리에 의해 $\overline{BC}=\sqrt{5}$이다.
따라서 두 점 E, F에 대응하는 수는 각각 $2+\sqrt{5}$, $2-\sqrt{5}$이므로
두 점 E, F 사이의 거리는
$(2+\sqrt{5})-(2-\sqrt{5})=2+\sqrt{5}-2+\sqrt{5}=2\sqrt{5}$

39 $3(\sqrt{20}-\sqrt{18})+\sqrt{8}(4-\sqrt{10})=3\sqrt{20}-3\sqrt{18}+4\sqrt{8}-\sqrt{80}$

$=6\sqrt{5}-9\sqrt{2}+8\sqrt{2}-4\sqrt{5}$

$=-\sqrt{2}+2\sqrt{5}$

이므로 $a=-1$, $b=2$

$\therefore a+b=-1+2=1$

40 ① $\sqrt{3}(\sqrt{6}-\sqrt{3})=\sqrt{18}-(\sqrt{3})^2=3\sqrt{2}-3$

② $\frac{9}{4\sqrt{18}}=\frac{9}{4\times3\sqrt{2}}=\frac{3\times\sqrt{2}}{4\sqrt{2}\times\sqrt{2}}=\frac{3\sqrt{2}}{8}$

③ $\frac{\sqrt{3}}{\sqrt{12}}=\frac{1}{\sqrt{4}}=\frac{1}{2}$

④ $\frac{\sqrt{2}-\sqrt{3}}{\sqrt{8}}=\frac{(\sqrt{2}-\sqrt{3})\times\sqrt{2}}{2\sqrt{2}\times\sqrt{2}}=\frac{2-\sqrt{6}}{4}$

⑤ $\sqrt{30}\div\sqrt{2}\times\sqrt{6}=\frac{\sqrt{30}\times\sqrt{6}}{\sqrt{2}}=\sqrt{90}=3\sqrt{10}$

41 $\frac{\sqrt{30}-\sqrt{5}}{\sqrt{5}}-\frac{3\sqrt{2}+\sqrt{3}}{\sqrt{3}}=\frac{(\sqrt{30}-\sqrt{5})\times\sqrt{5}}{\sqrt{5}\times\sqrt{5}}-\frac{(3\sqrt{2}+\sqrt{3})\times\sqrt{3}}{\sqrt{3}\times\sqrt{3}}$

$=\frac{5\sqrt{6}-5}{5}-\frac{3\sqrt{6}+3}{3}=\sqrt{6}-1-\sqrt{6}-1$

$=-2$

42 $\sqrt{3}(\sqrt{2}+2\sqrt{3})-\sqrt{2}(\sqrt{2}-3\sqrt{3})=\sqrt{6}+6-2+3\sqrt{6}=4+4\sqrt{6}$

43 $a=\frac{\sqrt{3}+\sqrt{2}}{\sqrt{3}}=\frac{(\sqrt{3}+\sqrt{2})\times\sqrt{3}}{\sqrt{3}\times\sqrt{3}}=\frac{3+\sqrt{6}}{3}$

$b=\frac{\sqrt{3}-\sqrt{2}}{\sqrt{3}}=\frac{(\sqrt{3}-\sqrt{2})\times\sqrt{3}}{\sqrt{3}\times\sqrt{3}}=\frac{3-\sqrt{6}}{3}$

$a+b=\frac{3+\sqrt{6}}{3}+\frac{3-\sqrt{6}}{3}=2$, $a-b=\frac{3+\sqrt{6}}{3}-\frac{3-\sqrt{6}}{3}=\frac{2\sqrt{6}}{3}$

$\therefore \frac{a+b}{a-b}=(a+b)\div(a-b)=2\div\frac{2\sqrt{6}}{3}=2\times\frac{3}{2\sqrt{6}}$

$=\frac{3}{\sqrt{6}}=\frac{3\sqrt{6}}{6}=\frac{\sqrt{6}}{2}$

44 $\frac{2\sqrt{3}+4}{\sqrt{3}}-\sqrt{2}(\sqrt{6}-\sqrt{2})=\frac{(2\sqrt{3}+4)\times\sqrt{3}}{\sqrt{3}\times\sqrt{3}}-\sqrt{12}+2$

$=\frac{6+4\sqrt{3}}{3}-2\sqrt{3}+2$

$=2+\frac{4\sqrt{3}}{3}-2\sqrt{3}+2=4-\frac{2\sqrt{3}}{3}$

이므로 $a=4$, $b=-\frac{2}{3}$

$\therefore ab=4\times\left(-\frac{2}{3}\right)=-\frac{8}{3}$

45 $\sqrt{18}-\frac{\sqrt{3}}{\sqrt{2}}\left(\frac{\sqrt{48}}{2}-\frac{\sqrt{3}}{\sqrt{8}}\right)=\sqrt{18}-\frac{\sqrt{3}}{\sqrt{2}}\times\frac{\sqrt{48}}{2}-\frac{\sqrt{3}}{\sqrt{2}}\times\left(-\frac{\sqrt{3}}{\sqrt{8}}\right)$

$=3\sqrt{2}-\frac{\sqrt{3}\times\sqrt{24}}{2}+\frac{3}{4}$

$=3\sqrt{2}-3\sqrt{2}+\frac{3}{4}=\frac{3}{4}$

46 $\sqrt{10}\left(\frac{1}{\sqrt{2}}-\frac{1}{\sqrt{5}}\right)-4\left(\frac{1}{\sqrt{8}}+\frac{1}{\sqrt{80}}\right)=\frac{\sqrt{10}}{\sqrt{2}}-\frac{\sqrt{10}}{\sqrt{5}}-\frac{4}{2\sqrt{2}}-\frac{4}{4\sqrt{5}}$

$=\sqrt{5}-\sqrt{2}-\sqrt{2}-\frac{\sqrt{5}}{5}$

$=\frac{4\sqrt{5}}{5}-2\sqrt{2}$

47 (직육면체의 높이)

=(직육면체의 부피)÷{(가로의 길이)×(세로의 길이)}

$=12\sqrt{5}\div(\sqrt{6}\times\sqrt{20})=\frac{12\sqrt{5}}{\sqrt{120}}=\frac{12}{2\sqrt{6}}=\sqrt{6}$(cm)

48 (사다리꼴의 넓이)$=\frac{1}{2}\times(2\sqrt{3}+\sqrt{48})\times3\sqrt{2}$

$=\frac{1}{2}\times(2\sqrt{3}+4\sqrt{3})\times3\sqrt{2}$

$=\frac{1}{2}\times6\sqrt{3}\times3\sqrt{2}=9\sqrt{6}$(cm^2)

49 (직육면체의 겉넓이)

$=2\{(\sqrt{3}+\sqrt{6})\times\sqrt{6}+(\sqrt{3}+\sqrt{6})\times\sqrt{3}+\sqrt{6}\times\sqrt{3}\}$

$=2(\sqrt{18}+6+3+\sqrt{18}+\sqrt{18})=2(9+3\times3\sqrt{2})=18+18\sqrt{2}$

50 $4\sqrt{3}+2a-7-2a\sqrt{3}=(2a-7)+(4-2a)\sqrt{3}$
주어진 식이 유리수가 되기 위해서는 $4-2a=0$ $\therefore a=2$

51 $(3\sqrt{5}-1)a+15-\sqrt{5}=3a\sqrt{5}-a+15-\sqrt{5}$
$=15-a+(3a-1)\sqrt{5}$
주어진 식이 유리수가 되기 위해서는 $3a-1=0$ $\therefore a=\frac{1}{3}$

52 $8\sqrt{2}-4\sqrt{2}+6-\sqrt{2k}=6+(4-\sqrt{k})\sqrt{2}$
주어진 식이 유리수가 되기 위해서는 $4-\sqrt{k}=0$, $\sqrt{k}=4$ $\therefore k=16$

53 $(3-2\sqrt{2})x+(2-\sqrt{2})y+1-3\sqrt{2}=0$
$3x-2\sqrt{2}x+2y-\sqrt{2}y+1-3\sqrt{2}=0$
$(3x+2y+1)+(-2x-y-3)\sqrt{2}=0$
$3x+2y+1=0$ ⋯ ㉠, $-2x-y-3=0$ ⋯ ㉡
㉠, ㉡을 연립하여 풀면 $x=-5$, $y=7$ $\therefore x+y=-5+7=2$

54 ① $(\sqrt{15}+1)-4=\sqrt{15}-3=\sqrt{15}-\sqrt{9}>0$ $\therefore \sqrt{15}+1>4$
② $(\sqrt{18}+3)-(\sqrt{8}+3)=\sqrt{18}-\sqrt{8}>0$ $\therefore \sqrt{18}+3>\sqrt{8}+3$
③ $(\sqrt{18}-1)-(\sqrt{12}-1)=\sqrt{18}-\sqrt{12}>0$ $\therefore \sqrt{18}-1>\sqrt{12}-1$
④ $2=\sqrt{4}>\sqrt{3}$이므로 $2+\sqrt{6}>\sqrt{6}+\sqrt{3}$
⑤ $1<2$이므로 $1-\sqrt{2}<2-\sqrt{2}$

55 $(\sqrt{27}+1)-(\sqrt{12}+3)=3\sqrt{3}+1-2\sqrt{3}-3=\sqrt{3}-2<0$
$\therefore \sqrt{27}+1<\sqrt{12}+3$

56 ① $2-(\sqrt{2}+1)=1-\sqrt{2}=\sqrt{1}-\sqrt{2}<0$ $\therefore 2<\sqrt{2}+1$
② $5-(\sqrt{8}+2)=3-\sqrt{8}=\sqrt{9}-\sqrt{8}>0$ $\therefore 5>\sqrt{8}+2$
③ $(3-\sqrt{3})-(3-\sqrt{5})=-\sqrt{3}+\sqrt{5}>0$ $\therefore 3-\sqrt{3}>3-\sqrt{5}$
④ $3-\sqrt{5}-(-1+\sqrt{5})=4-2\sqrt{5}=\sqrt{16}-\sqrt{20}<0$
$\therefore 3-\sqrt{5}<-1+\sqrt{5}$
⑤ $(6-\sqrt{6})-4=2-\sqrt{6}=\sqrt{4}-\sqrt{6}<0$ $\therefore 6-\sqrt{6}<4$

57 $A-B=(\sqrt{12}+1)-5=\sqrt{12}-4=\sqrt{12}-\sqrt{16}<0$ $\therefore A<B$
$B-C=5-(\sqrt{18}+1)=4-\sqrt{18}=\sqrt{16}-\sqrt{18}<0$ $\therefore B<C$
$\therefore A<B<C$

58 $-\sqrt{7}<2$이므로 $x<y$
$y-z=(2+\sqrt{8})-(2-\sqrt{7})=\sqrt{8}+\sqrt{7}>0$ $\therefore y>z$
$\sqrt{8}>2$이므로 $x>z$
$\therefore z<x<y$
따라서 세 수 x, y, z 중 가장 큰 수는 y이다.

59 $\sqrt{70000}=\sqrt{7\times10000}=100\sqrt{7}=100\times2.646=264.6$

60 $\sqrt{0.2}=\sqrt{\frac{2}{10}}=\sqrt{\frac{20}{100}}=\frac{\sqrt{20}}{10}=\frac{4.472}{10}=0.4472$

61 $\sqrt{0.9}=\sqrt{\frac{9}{10}}=\frac{3}{\sqrt{10}}=\frac{3\sqrt{10}}{10}=\frac{3\times3.162}{10}=0.9486$

62 $\sqrt{520}=\sqrt{400\times1.3}=20\sqrt{1.3}=20\times1.140=22.8$

63 정사각형 D의 한 변의 길이를 x라 하면
$S_4=\frac{1}{3}S_3=\frac{1}{3}\times\frac{1}{3}S_2=\frac{1}{3}\times\frac{1}{3}\times\frac{1}{3}S_1=\frac{12}{27}=\frac{4}{9}$이므로
$x^2=\frac{4}{9}$ $\therefore x=\frac{2}{3}$ ($\because x>0$)

64 밑면인 원의 반지름의 길이를 r cm라 하면
$2\pi r=6\sqrt{2}\pi$ $\therefore r=3\sqrt{2}$
따라서 이 전개도로 만들어지는 원기둥의 부피는
$\pi\times(3\sqrt{2})^2\times2\sqrt{6}=36\sqrt{6}\pi(\text{cm}^3)$

65 가장 바깥쪽에 있는 정사각형부터 차례로 A, B, C, D라 하자.
정사각형 B의 한 변의 길이를 x라 하면
정사각형 B의 넓이는 정사각형 A의 넓이의 $\frac{1}{2}$이므로
$x^2=\frac{1}{2}\times4^2=8$ $\therefore x=\sqrt{8}=2\sqrt{2}$ ($\because x>0$)
정사각형 D의 한 변의 길이를 y라 하면
정사각형 D의 넓이는 $y^2=\frac{1}{2}\times\frac{1}{2}\times\frac{1}{2}\times4^2=2$이므로
$y=\sqrt{2}$ ($\because y>0$)
따라서 색칠한 부분의 둘레의 길이는
$2(2+2+2\sqrt{2})+4\times\sqrt{2}=8+8\sqrt{2}$

학교 시험 100점 맞기

34쪽~37쪽

01 ①, ④ 02 1 03 ⑤ 04 ⑤ 05 ⑤
06 $-\frac{2\sqrt{5}}{3}$ 07 ③ 08 ② 09 $5-5\sqrt{6}$
10 $8-\sqrt{10}$ 11 $2\sqrt{10}+\frac{5}{2}$ 12 ④ 13 ⑤ 14 ①
15 ⑤ 16 B 17 ③ 18 ⑤ 19 ① 20 ②
21 ④ 22 ① 23 5 24 $11-2\sqrt{5}$
25 $-\sqrt{2}+4\sqrt{5}$ 26 $\left(3\sqrt{2}+\frac{3}{2}\right)$ cm

01 ② $\sqrt{8}+\sqrt{2}=2\sqrt{2}+\sqrt{2}=3\sqrt{2}$
③ $2\sqrt{2}\times\sqrt{2}=2\times2=4$
⑤ $\sqrt{75}\div\sqrt{3}=\frac{\sqrt{75}}{\sqrt{3}}=\sqrt{\frac{75}{3}}=\sqrt{25}=5$

02 (i) $\sqrt{48}=\sqrt{4^2\times3}=4\sqrt{3}$이므로 $a=3$
(ii) $-2\sqrt{8}+\sqrt{50}=-2\times2\sqrt{2}+5\sqrt{2}=(-4+5)\sqrt{2}=\sqrt{2}$
이므로 $b=1$
(iii) $\sqrt{50}-(-\sqrt{3})^2-\frac{10}{\sqrt{2}}=5\sqrt{2}-3-5\sqrt{2}=-3$이므로 $c=-3$
$\therefore a+b+c=3+1+(-3)=1$

03 ① $6\sqrt{3}-\sqrt{3}-\sqrt{12}=6\sqrt{3}-\sqrt{3}-2\sqrt{3}=3\sqrt{3}$
② $\sqrt{24}+2\sqrt{6}=2\sqrt{6}+2\sqrt{6}=4\sqrt{6}$
③ $\sqrt{540}\div\sqrt{3}\div\sqrt{5}=\sqrt{540}\times\frac{1}{\sqrt{3}}\times\frac{1}{\sqrt{5}}=\sqrt{\frac{540}{15}}=\sqrt{36}=6$
④ $\sqrt{27}-\sqrt{12}=3\sqrt{3}-2\sqrt{3}=\sqrt{3}$

04 ① $\sqrt{18}=\sqrt{3^2\times2}=3\sqrt{2}$ ② $-\sqrt{8}=-\sqrt{2^2\times2}=-2\sqrt{2}$

③ $\sqrt{96}=\sqrt{4^2\times6}=4\sqrt{6}$ ④ $\sqrt{6}\times\sqrt{10}=\sqrt{60}=\sqrt{2^2\times15}=2\sqrt{15}$

⑤ $\frac{\sqrt{81}}{\sqrt{3}}=\sqrt{\frac{81}{3}}=\sqrt{27}=\sqrt{3^2\times3}=3\sqrt{3}$

05 $\sqrt{125}=\sqrt{5^2\times5}=5\sqrt{5}$, $\sqrt{\frac{1}{80}}=\frac{1}{4\sqrt{5}}=\frac{\sqrt{5}}{20}$이므로 $a=5$, $b=\frac{1}{20}$

$\therefore ab=5\times\frac{1}{20}=\frac{1}{4}$

06 $\left(-\frac{2\sqrt{2}}{3}\right)\times\sqrt{\frac{15}{8}}\div\frac{\sqrt{3}}{2}=-\left(\frac{2\sqrt{2}}{3}\times\frac{\sqrt{15}}{2\sqrt{2}}\times\frac{2}{\sqrt{3}}\right)=-\frac{2\sqrt{5}}{3}$

07 $2\sqrt{48}+2\sqrt{8}-3\sqrt{27}-\sqrt{18}=8\sqrt{3}+4\sqrt{2}-9\sqrt{3}-3\sqrt{2}=\sqrt{2}-\sqrt{3}$

08 $\frac{2-\sqrt{2}}{\sqrt{2}}=\frac{(2-\sqrt{2})\times\sqrt{2}}{\sqrt{2}\times\sqrt{2}}=\frac{2\sqrt{2}-2}{2}=-1+\sqrt{2}$이므로

$a=-1$, $b=1$

$\therefore ab=(-1)\times1=-1$

다른 풀이 $\frac{2-\sqrt{2}}{\sqrt{2}}=\frac{2}{\sqrt{2}}-\frac{\sqrt{2}}{\sqrt{2}}=\frac{2\sqrt{2}}{(\sqrt{2})^2}-1=-1+\sqrt{2}$이므로

$a=-1$, $b=1$ $\therefore ab=(-1)\times1=-1$

09 $\sqrt{36}-\sqrt{24}+\frac{2\sqrt{3}-\sqrt{2}}{\sqrt{2}}-4\sqrt{6}=6-2\sqrt{6}+\frac{(2\sqrt{3}-\sqrt{2})\times\sqrt{2}}{\sqrt{2}\times\sqrt{2}}-4\sqrt{6}$

$=6-6\sqrt{6}+\frac{2\sqrt{6}-2}{2}=5-5\sqrt{6}$

10 (주어진 식)$=10-\frac{10\sqrt{2}}{\sqrt{5}}-\frac{2\sqrt{2}-2\sqrt{5}}{\sqrt{2}}$

$=10-\frac{10\sqrt{10}}{5}-2+\frac{2\sqrt{10}}{2}$

$=8-\sqrt{10}$

11 (사다리꼴의 넓이)$=\frac{1}{2}\times(\sqrt{8}+\sqrt{5}+\sqrt{8})\times\sqrt{5}$

$=\frac{1}{2}\times(2\sqrt{2}+\sqrt{5}+2\sqrt{2})\times\sqrt{5}$

$=2\sqrt{10}+\frac{5}{2}$

12 $\sqrt{3}(5\sqrt{3}-6)-a(1-\sqrt{3})=5\times(\sqrt{3})^2-6\sqrt{3}-a+a\sqrt{3}$

$=(15-a)+(-6+a)\sqrt{3}$

주어진 식이 유리수가 되기 위해서는 $-6+a=0$ $\therefore a=6$

13 ① $\sqrt{3.14}=1.772$

② $\sqrt{32000}=\sqrt{3.20\times10000}=100\sqrt{3.20}=100\times1.789=178.9$

③ $\sqrt{333}=\sqrt{3.33\times100}=10\sqrt{3.33}=10\times1.825=18.25$

④ $\sqrt{0.0313}=\sqrt{\frac{313}{10000}}=\sqrt{\frac{3.13}{100}}=\frac{\sqrt{3.13}}{10}=\frac{1.769}{10}=0.1769$

14 $\sqrt{410}=\sqrt{4.1\times100}=10\sqrt{4.1}=10\times2.025=20.25$

15 ① $(-\sqrt{6}-2)-(-\sqrt{10}-2)=-\sqrt{6}+\sqrt{10}>0$

$\therefore -\sqrt{6}-2>-\sqrt{10}-2$

② $4-(\sqrt{8}+1)=3-\sqrt{8}=\sqrt{9}-\sqrt{8}>0$ $\therefore 4>\sqrt{8}+1$

③ $2=\sqrt{4}<\sqrt{5}$이므로 $2+\sqrt{3}<\sqrt{5}+\sqrt{3}$

④ $(\sqrt{15}+2)-6=\sqrt{15}-4=\sqrt{15}-\sqrt{16}<0$ $\therefore \sqrt{15}+2<6$

⑤ $3=\sqrt{9}>\sqrt{8}$이므로 $3+\sqrt{2}>\sqrt{2}+\sqrt{8}$

16 $A-B=2+\sqrt{5}-(\sqrt{3}-2)=4+\sqrt{5}-\sqrt{3}>0$ $\therefore A>B$

$A-C=2+\sqrt{5}-(1+2\sqrt{5})=1-\sqrt{5}<0$ $\therefore A<C$

$C>A>B$이므로 가장 작은 수는 B이다.

17 $\frac{a\sqrt{b}}{\sqrt{a}}+\frac{b\sqrt{a}}{\sqrt{b}}=\frac{a\sqrt{b}\times\sqrt{a}}{\sqrt{a}\times\sqrt{a}}+\frac{b\sqrt{a}\times\sqrt{b}}{\sqrt{b}\times\sqrt{b}}=\frac{a\sqrt{ab}}{a}+\frac{b\sqrt{ab}}{b}$

$=\sqrt{ab}+\sqrt{ab}=\sqrt{25}+\sqrt{25}=5+5=10$

18 한 변의 길이가 1인 정사각형의 대각선의 길이는 $\sqrt{2}$이므로 점 P에 대응하는 수는 $-3+\sqrt{2}$이고, 점 Q에 대응하는 수는 $-1+\sqrt{2}$이다.

$\therefore a=-3+\sqrt{2}$, $b=-1+\sqrt{2}$

$\therefore \sqrt{2}a-2b=\sqrt{2}(-3+\sqrt{2})-2(-1+\sqrt{2})$

$=-3\sqrt{2}+2+2-2\sqrt{2}$

$=4-5\sqrt{2}$

19 $\sqrt{19.17}=\sqrt{2.13\times9}=3\sqrt{2.13}=3\times1.459=4.377$

20 x, y를 각각 유리화 하면 $x=\frac{5+2\sqrt{5}}{5}$, $y=\frac{5-2\sqrt{5}}{5}$이다.

$x+y=2$, $x-y=\frac{4\sqrt{5}}{5}$이므로 $\frac{x-y}{x+y}=\frac{4\sqrt{5}}{5}\times\frac{1}{2}=\frac{2\sqrt{5}}{5}$이다.

21 가장 바깥쪽에 있는 정사각형부터 차례로 A, B, C, D라 하자.

정사각형 B의 한 변의 길이를 x라 하면

정사각형 B의 넓이는 정사각형 A의 넓이의 $\frac{1}{2}$이므로

$x^2=\frac{1}{2}\times2^2=2$ $\therefore x=\sqrt{2}$ ($\because x>0$)

정사각형 C의 한 변의 길이를 y라 하면

정사각형 C의 넓이는 정사각형 B의 넓이의 $\frac{1}{2}$이므로

$y^2=\frac{1}{2}\times(\sqrt{2})^2=1$ $\therefore y=1$ ($\because y>0$)

정사각형 D의 한 변의 길이를 z라 하면

정사각형 D의 넓이는 정사각형 C의 넓이의 $\frac{1}{2}$이므로

$z^2=\frac{1}{2}\times1^2=\frac{1}{2}$ $\therefore z=\sqrt{\frac{1}{2}}=\frac{\sqrt{2}}{2}$ ($\because z>0$)

따라서 색칠한 부분의 둘레의 길이는 $4\left(\sqrt{2}+1+\frac{\sqrt{2}}{2}\right)=6\sqrt{2}+4$

22 $\sqrt{\frac{x}{y}}-\sqrt{\frac{y}{x}}=\frac{\sqrt{x}}{\sqrt{y}}-\frac{\sqrt{y}}{\sqrt{x}}=\frac{\sqrt{x}\times\sqrt{y}}{\sqrt{y}\times\sqrt{y}}-\frac{\sqrt{y}\times\sqrt{x}}{\sqrt{x}\times\sqrt{x}}=\frac{\sqrt{xy}}{y}-\frac{\sqrt{xy}}{x}$

$=\sqrt{25}\left(\frac{1}{y}-\frac{1}{x}\right)=5\left(\frac{x-y}{xy}\right)=5\times\frac{4}{25}=\frac{4}{5}$

다른 풀이 $\sqrt{\frac{x}{y}}-\sqrt{\frac{y}{x}}=\frac{\sqrt{x}}{\sqrt{y}}-\frac{\sqrt{y}}{\sqrt{x}}=\frac{x-y}{\sqrt{xy}}=\frac{4}{\sqrt{25}}=\frac{4}{5}$

23 1단계 $\frac{6}{\sqrt{50}}=\frac{6}{5\sqrt{2}}=\frac{6\times\sqrt{2}}{5\sqrt{2}\times\sqrt{2}}=\frac{6\sqrt{2}}{10}=\frac{3\sqrt{2}}{5}$이므로 $a=\frac{3}{5}$

2단계 $\frac{14}{\sqrt{7}}=\frac{14\times\sqrt{7}}{\sqrt{7}\times\sqrt{7}}=\frac{14\sqrt{7}}{7}=2\sqrt{7}$이므로 $b=2$

3단계 $5a+b=5\times\frac{3}{5}+2=5$

24 (1단계) $\overline{BA}$를 빗변으로 하는 직각삼각형에서 피타고라스 정리에 의해 $\overline{BA}=\sqrt{5}$이다.

따라서 점 P에 대응하는 수는 $4-\sqrt{5}$이므로 $1<4-\sqrt{5}<2$에서 $a=(4-\sqrt{5})-1=3-\sqrt{5}$

(2단계) $\overline{BE}$를 빗변으로 하는 직각삼각형에서 피타고라스 정리에 의해 $\overline{BE}=\sqrt{2}$이다.

따라서 점 Q에 대응하는 수는 $4+\sqrt{2}$이므로 $5<4+\sqrt{2}<6$에서 $b=5$

(3단계) $2a+b=2(3-\sqrt{5})+5=11-2\sqrt{5}$

25 $A=\sqrt{20}+\dfrac{2}{\sqrt{2}}-\sqrt{5}=2\sqrt{5}+\sqrt{2}-\sqrt{5}=\sqrt{2}+\sqrt{5}$ …… ❶

$B=\sqrt{50}+\sqrt{5}-3\sqrt{2}-2\sqrt{20}=5\sqrt{2}+\sqrt{5}-3\sqrt{2}-4\sqrt{5}$
$=2\sqrt{2}-3\sqrt{5}$ …… ❷

$A-B=\sqrt{2}+\sqrt{5}-(2\sqrt{2}-3\sqrt{5})=-\sqrt{2}+4\sqrt{5}$ …… ❸

채점 기준	배점
❶ A를 간단히 하기	2점
❷ B를 간단히 하기	2점
❸ $A-B$의 값 구하기	2점

26 ($\triangle$EFG의 넓이)$=\dfrac{1}{2}\times(4+\sqrt{2})\times\sqrt{6}=2\sqrt{6}+\sqrt{3}(\text{cm}^2)$ …… ❶

($\square$ABCD의 넓이)$=(2\sqrt{6}+\sqrt{3})\times 3=6\sqrt{6}+3\sqrt{3}(\text{cm}^2)$ …… ❷

$\square$ABCD에서 $\overline{BC}$의 길이를 x cm라고 하면

$x=\dfrac{6\sqrt{6}+3\sqrt{3}}{2\sqrt{3}}=3\sqrt{2}+\dfrac{3}{2}$ …… ❸

채점 기준	배점
❶ $\triangle$EFG의 넓이 구하기	2점
❷ $\square$ABCD의 넓이 구하기	2점
❸ $\overline{BC}$의 길이 구하기	2점

3. 다항식의 곱셈

시험에 꼭 나오는 핵심개념 38쪽~39쪽

예제 1 답 -7

$(3x+1)(2x-5)=6x^2-15x+2x-5$
$=6x^2-13x-5$

x^2의 계수는 6, x의 계수는 -13이므로 합은 -7이다.

예제 2 답 (1) x^2+4x+4 (2) a^2-6a+9 (3) $4x^2+4xy+y^2$ (4) $9a^2-24ab+16b^2$

예제 3 답 ③

$(x+3)(x-3)=x^2-9$

예제 4 답 (1) 6, 8 (2) -5, -2

예제 5 답 -1

$(-x-2y)(3x-4y)=-3x^2-2xy+8y^2$이므로

$A=-3$, $B=-2$ $\therefore A-B=-1$

예제 6 답 (1) 10609 (2) 9604 (3) 24.84 (4) 10920

(1) $(100+3)^2=100^2+2\times100\times3+3^2=10609$

(2) $(100-2)^2=100^2-2\times100\times2+2^2=9604$

(3) $(5+0.4)(5-0.4)=5^2-0.4^2=24.84$

(4) $(100+4)(100+5)=100^2+(4+5)\times100+4\times5$
$=10920$

예제 7 답 $1-\sqrt{2}$, $1-\sqrt{2}$, $1-\sqrt{2}$, -1, $-1+\sqrt{2}$

예제 8 답 (1) 50 (2) 64

(1) $a^2+b^2=(a-b)^2+2ab=6^2+2\times7=50$

(2) $(a+b)^2=(a-b)^2+4ab=6^2+4\times7=64$

유형 격파 + 기출 문제 40쪽~49쪽

01 ② 02 ③ 03 ④ 04 ③ 05 ①
06 $A=3$, $B=7$ 07 2 08 ③ 09 ④ 10 14
11 $4x^2-36xy+81y^2$ 12 ③, ⑤ 13 ㄴ, ㄷ 14 ④ 15 ②
16 $\dfrac{21}{2}$ 17 ② 18 ① 19 ④ 20 ① 21 ⑤
22 $x^2-\dfrac{9}{16}y^2$ 23 ⑤ 24 ②, ④ 25 ④ 26 ②
27 ④ 28 $-\dfrac{1}{32}$ 29 ① 30 ③ 31 ⑤ 32 ⑤
33 ① 34 ④ 35 ④ 36 ② 37 9 38 -9
39 $5x^2-4x-5$ 40 ③ 41 18 42 ⑤ 43 6
44 ⑤ 45 ④ 46 ④ 47 -12 48 $2x^2+5xy+2y^2$
49 ② 50 40401 51 101 52 ③ 53 ⑤ 54 ⑤
55 (ㄱ)$=20$, (ㄴ)$=540$ 56 15 57 255 58 ②
59 $2-\sqrt{3}$, $6-3\sqrt{3}$ 60 ① 61 ⑤ 62 ⑤ 63 ④
64 ③ 65 10 66 ③ 67 ② 68 (1) 27 (2) 10
69 (1) 6 (2) 8 70 (1) 7 (2) 5 71 18 72 ①
73 3 74 6 75 ② 76 ⑤
77 $2\sqrt{3}$, -1, $x+y$, $2\sqrt{3}$, -1, 14, $x+y$, $-2\sqrt{3}$ 78 ③
79 ④

01 $(a-b)(2a-3b)=2a^2-3ab-2ab+3b^2=2a^2-5ab+3b^2$

02 $(x+y)(x-3y)=x^2-3xy+xy-3y^2=x^2-2xy-3y^2$

따라서 계수들의 총합은 $1+(-2)+(-3)=-4$

03 $(2y+1)(4y-3)=8y^2-6y+4y-3$
$=8y^2-2y-3$

$A=8$, $B=2$이므로 $A+B=10$

04 $(-3x+4)(y-1)=-3xy+3x+4y-4$

xy의 계수는 -3, y의 계수는 4이므로

두 계수의 합은 $-3+4=1$이다.

05 $(5x-2)(ax+3)=5ax^2+(15-2a)x-6$

$15-2a=11$에서 $a=2$

따라서 x^2의 계수는 $5a=5\times2=10$이다.

06 $(3x-y)(2x+Ay)=6x^2+(3A-2)xy-Ay^2$
$3A-2=B$, $-A=-3$에서 $A=3$, $B=7$

07 $(x-y)(2x+3y-1)=2x^2+3xy-x-2xy-3y^2+y$
$=2x^2+xy-3y^2-x+y$
따라서 $a=1$, $b=-1$이므로 $a-b=1-(-1)=2$

08 상수항이 -4이므로 $2a=-4$, $a=-2$
$\therefore (x-2)(x-3y+2)=x^2-3xy+2x-2x+6y-4$
$=x^2-3xy+6y-4$
따라서 x의 계수는 0이다.

09 $(Ax-B)^2=A^2x^2-2ABx+B^2=9x^2-6x+C$에서
$A^2=9$이므로 $A=3$ $(\because A>0)$
$2AB=6$이므로 $B=1$
$C=B^2=1$
$\therefore A-B+C=3-1+1=3$

10 $(3x+5)^2=(3x)^2+2\times3x\times5+5^2=9x^2+30x+25$
따라서 $a=9$, $b=30$, $c=25$이므로 $a+b-c=14$

11 $(2x-9y)^2=(2x)^2-2\times2x\times9y+(9y)^2=4x^2-36xy+81y^2$

12 ③ $(2y+5)^2=4y^2+20y+25$
③ $\left(3a-\frac{1}{4}\right)^2=9a^2-\frac{3}{2}a+\frac{1}{16}$

13 ㄱ. $(a-b)^2=a^2-2ab+b^2$
ㄹ. $(2y+x)(-2y-x)=-x^2-4xy-4y^2$

14 $(x+A)^2=x^2+2Ax+A^2$에서 $2A=10$, $A^2=25$ $\quad\therefore A=5$

15 $(2x-A)^2=4x^2-4Ax+A^2$이므로
$-4A=-12$, $A^2=B$에서 $A=3$, $B=9$
따라서 $A-B=3-9=-6$

16 $(-x+2a)^2=x^2-4ax+4a^2$
$-4a=-6$, $4a^2=b$에서 $a=\frac{3}{2}$, $b=9$
따라서 $a+b=\frac{3}{2}+9=\frac{21}{2}$

17 $\left(\frac{1}{4}x+A\right)^2=\frac{1}{16}x^2+\frac{A}{2}x+A^2=\frac{1}{16}x^2+Bx+4$에서
$A^2=4$이므로 $A=2$ 또는 $A=-2$
$A=2$일 때 $B=\frac{A}{2}=1$, $A=-2$일 때 $B=\frac{A}{2}=-1$
$\therefore AB=2$

18 (주어진 식)$=x^2+2ax+a^2-(4x^2-20x+25)$
$=-3x^2+(2a+20)x+a^2-25$
이므로 $2a+20=12$, $2a=-8$ $\quad\therefore a=-4$

19 $\left(-\frac{1}{3}x-2y\right)^2=\left\{-\frac{1}{3}(x+6y)\right\}^2=\frac{1}{9}(x+6y)^2$

20 $(-a+b)^2=(b-a)^2=(a-b)^2=\{-(a-b)\}^2=a^2-2ab+b^2$
ㄹ. $-(a-b)^2=-a^2+2ab-b^2$
ㅁ. $(-a-b)^2=(a+b)^2=a^2+2ab+b^2$

21 $(x+3)(x-3)=x^2-9$
① $(-x+3)(x+3)=-x^2+9$
② $(3-x)(3+x)=9-x^2$
③ $(x-3)(-x-3)=-x^2+9$
④ $(-x-3)(x+3)=-(x+3)^2=-x^2-6x-9$
⑤ $(-3-x)(3-x)=-9+x^2$

22 $\left(x+\frac{3}{4}y\right)\left(x-\frac{3}{4}y\right)=x^2-\left(\frac{3}{4}y\right)^2=x^2-\frac{9}{16}y^2$

23 $(2x-7)(2x+A)=4x^2+(-14+2A)x-7A=4x^2-B$
$-14+2A=0$, $-7A=-B$에서 $A=7$, $B=49$
$\therefore A+B=56$

24 $(-5x+a)(5x+a)=-(5x)^2+a^2=-25x^2+16$이므로 $a^2=16$
$\therefore a=4$ 또는 $a=-4$

25 ④ $(-x+5)(-x-5)=x^2-25$
⑤ $(2a+4b)(a-2b)=2(a+2b)(a-2b)$
$=2(a^2-4b^2)=2a^2-8b^2$

26 $(a-1)(a+1)(a^2+1)(a^4+1)(a^8+1)$
$=(a^2-1)(a^2+1)(a^4+1)(a^8+1)$
$=(a^4-1)(a^4+1)(a^8+1)$
$=(a^8-1)(a^8+1)$
$=a^{16}-1$

27 $(a-2b)(a+2b)(a^2+4b^2)(a^4+16b^4)$
$=(a^2-4b^2)(a^2+4b^2)(a^4+16b^4)$
$=(a^4-16b^4)(a^4+16b^4)$
$=a^8-256b^8$

28 $\left(\frac{1}{2}-x\right)\left(\frac{1}{2}+x\right)\left(\frac{1}{4}+x^2\right)\left(\frac{1}{16}+x^4\right)$
$=\left(\frac{1}{4}-x^2\right)\left(\frac{1}{4}+x^2\right)\left(\frac{1}{16}+x^4\right)$
$=\left(\frac{1}{16}-x^4\right)\left(\frac{1}{16}+x^4\right)=\frac{1}{256}-x^8$
따라서 $a=-1$, $b=8$, $c=\frac{1}{256}$이므로
$abc=(-1)\times8\times\frac{1}{256}=-\frac{1}{32}$

29 $(x-3)(5x-4)=5x^2+(-4-15)x+12$
$=5x^2-19x+12=ax^2+bx+c$
따라서 $a=5$, $b=-19$, $c=12$이므로
$a+b+c=5+(-19)+12=-2$

30 $(x+3)(2x-5)=2x^2+(-5+6)x-15$
$=2x^2+x-15$

31 $(x+2)(x+A)=x^2+(2+A)x+2A$
$2+A=B$, $2A=6$에서 $A=3$, $B=5$
따라서 $AB=3\times5=15$

32 $(x+3)(x-A)=x^2+(3-A)x-3A$에서
x의 계수가 5이므로 $3-A=5$, $A=-2$
따라서 상수항은 $-3A=-3\times(-2)=6$

33 $(2x+A)(x+3)=2x^2+(6+A)x+3A=Bx^2+Cx+15$이므로
$2=B$, $6+A=C$, $3A=15$에서 $A=5$, $B=2$, $C=11$
$\therefore A+B-C=5+2-11=-4$

34 ④ $(-5x+y)(-x-y)=5x^2+4xy-y^2$

35 ① $(x-3)^2=x^2-6x+9$
② $(x+1)(x-4)=x^2-3x-4$
③ $(x-5)(3x+2)=3x^2-13x-10$
⑤ $\left(x+\frac{1}{4}\right)\left(x-\frac{1}{4}\right)=x^2-\frac{1}{16}$

36 (주어진 식)$=-2(x^2+2x-3)+(6x^2-x-2)$
$=-2x^2-4x+6+6x^2-x-2$
$=4x^2-5x+4$
따라서 x의 계수는 -5이다.

37 $(x+a)(x+6)=x^2+(a+6)x+6a$이므로
$a+6=8$, $6a=12$에서 $a=2$
$(-2x+3)(3x-a)=(-2x+3)(3x-2)=-6x^2+13x-6$
이므로 $b=13$, $c=-6$
$\therefore a+b+c=2+13-6=9$

38 $(x+a)(x+b)=x^2+(a+b)x+ab=x^2+cx+8$에서
$ab=8$이므로 a, b의 값을 순서쌍 (a, b)로 나타내면
$(-8, -1)$, $(-4, -2)$, $(-2, -4)$, $(-1, -8)$, $(1, 8)$, $(2, 4)$, $(4, 2)$, $(8, 1)$이다.
따라서 $c=a+b$이므로 c의 값 중 가장 작은 값은
$(-8)+(-1)=-9$

39 $(x-2)^2+(2x+3)(2x-3)=(x^2-4x+4)+(4x^2-9)$
$=5x^2-4x-5$

40 $(x-5)^2-(2x+3)(x-2)=(x^2-10x+25)-(2x^2-x-6)$
$=x^2-10x+25-2x^2+x+6$
$=-x^2-9x+31$
따라서 $a=-9$, $b=31$이므로 $a+b=(-9)+31=22$

41 $2(x-3)(x+4)-(3x-1)(x+2)$
$=2(x^2+x-12)-(3x^2+5x-2)$
$=2x^2+2x-24-3x^2-5x+2$
$=-x^2-3x-22$
따라서 $a=-1$, $b=-3$, $c=-22$이므로
$a+b-c=(-1)+(-3)-(-22)=18$

42 (주어진 식)$=4x^2-y^2-3(y^2-x^2)=4x^2-y^2-3y^2+3x^2$
$=7x^2-4y^2$
따라서 $a=7$, $b=-4$이므로 $a+b=3$

43 (주어진 식)$=x^2+\frac{1}{6}x-\frac{1}{6}+\frac{4}{9}x^2+\frac{4}{3}x+1$
$=\frac{13}{9}x^2+\frac{3}{2}x+\frac{5}{6}$
따라서 $a=2$, $b=3$이므로 $ab=6$이다.

44 (색칠한 부분의 넓이)=(가로의 길이)×(세로의 길이)
$=(a-2)(b-1)=ab-a-2b+2$

다른 풀이 오른쪽 그림에서

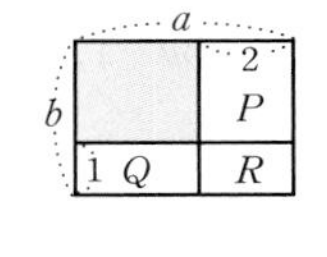

(색칠한 부분의 넓이)
$=a\times b-(P+R)-(Q+R)+R$
$=ab-2b-a+2$

45 (색칠한 부분의 넓이)=(가로의 길이)×(세로의 길이)
$=(a+b)(a-b)=a^2-b^2$

46 (길을 제외한 화단의 넓이)$=(4x-2)(3x-2)=12x^2-14x+4$

47 $(x+a)(x-7)=x^2+(a-7)x-7a=x^2-5x+b$
$a-7=-5$이므로 $a=2$, $b=-7\times2=-14$
$\therefore a+b=2+(-14)=-12$

48 (사다리꼴의 넓이)$=(2x-y+2x+3y)\times(x+2y)\times\frac{1}{2}$
$=\frac{1}{2}(4x+2y)(x+2y)=\frac{1}{2}(4x^2+10xy+4y^2)$
$=2x^2+5xy+2y^2$

49 (직육면체의 겉넓이)
$=2\{(x+1)(2x+1)+(x+1)(2x-1)+(2x+1)(2x-1)\}$
$=2(2x^2+3x+1+2x^2+x-1+4x^2-1)=16x^2+8x-2$

50 $201^2=(200+1)^2=200^2+2\times200\times1+1^2=40401$

51 (주어진 식)$=(100-2)(100-3)-(100-1)(100-5)$
$=10000-500+6-(10000-600+5)$
$=101$

53 ① $102^2=(100+2)^2$
② $98^2=(100-2)^2$
③ $51\times49=(50+1)\times(50-1)$
④ $103\times98=(100+3)\times(100-2)$
⑤ $49^2=(50-1)^2$

54 ① $43^2=(40+3)^2=40^2+2\times40\times3+3^2=1600+240+9=1849$
② $1.9^2=(2-0.1)^2=2^2-2\times2\times0.1+0.1^2=4-0.4+0.01=3.61$
③ $98\times102=(100-2)\times(100+2)=100^2-2^2$
$=10000-4=9996$
④ $7.3\times6.7=(7+0.3)\times(7-0.3)=7^2-0.3^2$
$=49-0.09=48.91$
⑤ $103\times104=(100+3)\times(100+4)$
$=100^2+(3+4)\times100+12=10712$

55 $\frac{520^2-400}{500}=\frac{520^2-20^2}{500}=\frac{(520+20)(520-20)}{500}=540$
$\therefore$ (ㄱ)$=20$, (ㄴ)$=540$

56 (좌변)$=(5^2-1)(5^2+1)(5^4+1)(5^8+1)$
$=(5^4-1)(5^4+1)(5^8+1)$
$=(5^8-1)(5^8+1)=5^{16}-1$
이므로 $a=16$, $b=1$ $\therefore a-b=15$

57 $(2+1)(2^2+1)(2^4+1)$
$=1\times(2+1)(2^2+1)(2^4+1)$
$=(2-1)(2+1)(2^2+1)(2^4+1)$
$=(2^2-1)(2^2+1)(2^4+1)$
$=(2^4-1)(2^4+1)$
$=2^8-1=256-1=255$

58 $21\times19\times401\times160001$
$=(20+1)(20-1)(400+1)(160000+1)$
$=(20+1)(20-1)(20^2+1)(20^4+1)$
$=(20^2-1)(20^2+1)(20^4+1)$
$=(20^4-1)(20^4+1)$
$=20^8-1$
$\therefore n=8$

59 $\dfrac{3}{2+\sqrt{3}}=\dfrac{3(2-\sqrt{3})}{(2+\sqrt{3})(2-\sqrt{3})}=\dfrac{6-3\sqrt{3}}{1}=6-3\sqrt{3}$

60 $3-\sqrt{5}$의 역수는 $\dfrac{1}{3-\sqrt{5}}$이므로

$\dfrac{1}{3-\sqrt{5}}=\dfrac{3+\sqrt{5}}{(3-\sqrt{5})(3+\sqrt{5})}=\dfrac{3+\sqrt{5}}{4}=\dfrac{3}{4}+\dfrac{\sqrt{5}}{4}$

따라서 $a=\dfrac{3}{4}$, $b=\dfrac{1}{4}$이므로 $a-b=\dfrac{3}{4}-\dfrac{1}{4}=\dfrac{1}{2}$

61 (주어진 식)$=18-12\sqrt{2}+4-(25-12)$
$=22-12\sqrt{2}-13=9-12\sqrt{2}$
$\therefore a=9,\ b=-12,\ c=0$이므로 $a+b+c=-3$

62 ⑤ (주어진 식)$=\dfrac{4(2-\sqrt{2})}{2}-\dfrac{2(2+\sqrt{2})}{2}$
$=4-2\sqrt{2}-2-\sqrt{2}=2-3\sqrt{2}$

63 $\dfrac{\sqrt{3}}{\sqrt{6}-\sqrt{2}}-\dfrac{\sqrt{3}}{\sqrt{2}+\sqrt{6}}$
$=\dfrac{\sqrt{3}(6+\sqrt{2})}{(\sqrt{6}-2)(6+\sqrt{2})}-\dfrac{\sqrt{3}(\sqrt{2}-\sqrt{6})}{(\sqrt{2}+\sqrt{6})(\sqrt{2}-\sqrt{6})}$
$=\dfrac{\sqrt{18}+\sqrt{6}}{4}-\dfrac{\sqrt{6}-\sqrt{18}}{-4}=\dfrac{\sqrt{18}+\sqrt{6}+\sqrt{6}-\sqrt{18}}{4}$
$=\dfrac{2\sqrt{6}}{4}=\dfrac{\sqrt{6}}{2}$

64 (주어진 식)$=\dfrac{(2+\sqrt{3})^2}{1}+\dfrac{(2\sqrt{3}-4)^2}{-4}$
$=4+4\sqrt{3}+3-\dfrac{1}{4}(12-16\sqrt{3}+16)$
$=7+4\sqrt{3}-7+4\sqrt{3}=8\sqrt{3}$
$\therefore a=0,\ b=8$이므로 $a+b=8$

65 $x^2+y^2=(x+y)^2-2xy=(-4)^2-2\times3=16-6=10$

66 $(x+y)^2=(x-y)^2+4xy=3^2+4\times2=9+8=17$

67 $(a+b)^2=(a-b)^2+4ab$에서
$3^2=(-2)^2+4ab,\ 4ab=5\quad \therefore ab=\dfrac{5}{4}$

68 (1) $x^2-xy+y^2=(x+y)^2-3xy=6^2-3\times3=27$

(2) $\dfrac{y}{x}+\dfrac{x}{y}=\dfrac{x^2+y^2}{xy}=\dfrac{(x+y)^2-2xy}{xy}=\dfrac{6^2-2\times3}{3}=\dfrac{30}{3}=10$

69 (1) $x^2+\dfrac{1}{x^2}=\left(x-\dfrac{1}{x}\right)^2+2=2^2+2=6$

(2) $\left(x+\dfrac{1}{x}\right)^2=\left(x-\dfrac{1}{x}\right)^2+4=2^2+4=8$

70 (1) $x^2+\dfrac{1}{x^2}=\left(x+\dfrac{1}{x}\right)^2-2=3^2-2=7$

(2) $\left(x-\dfrac{1}{x}\right)^2=\left(x+\dfrac{1}{x}\right)^2-4=3^2-4=5$

71 $x-4-\dfrac{1}{x}=0,\ x-\dfrac{1}{x}=4$
$\therefore x^2+\dfrac{1}{x^2}=\left(x-\dfrac{1}{x}\right)^2+2=4^2+2=18$

72 $x^2+x+\dfrac{1}{x}+\dfrac{1}{x^2}=\left(x+\dfrac{1}{x}\right)+\left(x^2+\dfrac{1}{x^2}\right)$
$=\left(x+\dfrac{1}{x}\right)+\left(x+\dfrac{1}{x}\right)^2-2$
$=(-3)+(-3)^2-2=4$

73 $(2\sqrt{6}+a)(2\sqrt{6}-3)=(2\sqrt{6})^2+(a-3)\times2\sqrt{6}-3a$
$=24-3a+(2a-6)\sqrt{6}$
주어진 식이 유리수가 되기 위해서는 $2a-6=0\quad \therefore a=3$

74 (주어진 식)$=(18-12\sqrt{5}+3a\sqrt{5}-10a)+(5-6\sqrt{5}+9)$
$=32-10a+(-18+3a)\sqrt{5}$
주어진 식이 유리수가 되기 위해서는 $-18+3a=0\quad \therefore a=6$

75 $\dfrac{a+2\sqrt{2}}{6-4\sqrt{2}}=\dfrac{(a+2\sqrt{2})(6+4\sqrt{2})}{(6-4\sqrt{2})(6+4\sqrt{2})}=\dfrac{(16+6a)+(4a+12)\sqrt{2}}{4}$

주어진 수가 유리수가 되기 위해서는 $\dfrac{1}{4}(4a+12)=0,\ a+3=0$

$\therefore a=-3$

76 $(2+\sqrt{3})^2+m(3-4\sqrt{3})=4+4\sqrt{3}+3+3m-4m\sqrt{3}$
$=(7+3m)+(4-4m)\sqrt{3}$
$4-4m=0\quad \therefore m=1$

78 $a^2+b^2=(a-b)^2+2ab$에서
$34=(4\sqrt{2})^2+2ab,\ 2ab=2\quad \therefore ab=1$
$(a+b)^2=(a-b)^2+4ab=(4\sqrt{2})^2+4=36,\ a+b=\pm6$
$\therefore a+b=6$($\because a,\ b$는 양수)

79 $a=-\sqrt{7}+3,\ b=-\sqrt{7}-3$이고, $a+b=-2\sqrt{7},\ ab=-2$이다.
$a^2+b^2+5ab=(a+b)^2+3ab=(-2\sqrt{7})^2+3\times(-2)$
$=28-6=22$

학교 시험 100점 맞기 50쪽~53쪽

01 ③	02 ①	03 ①	04 ②	05 ②	06 ④
07 ⑤	08 ④	09 ⑤	10 200	11 ③	12 4
13 ②	14 ③	15 ③	16 -2, 2917 ⑤	18 42	

19 ①	20 ④	21 9	22 17	23 20	24 −30

01 $(2a+1)(2-3b)=4a-6ab-3b+2$
ab의 계수는 -6, 상수항은 2이므로 구하려는 값은 -4이다.

02 ① $(x-y)^2=(y-x)^2=x^2-2xy+y^2$
② $\left(x+\frac{1}{x}\right)^2=x^2+2+\frac{1}{x^2}$
③ $(-x+2)(-x-2)=(-x)^2-2^2=x^2-4$
④ $(x-4)(x+5)=x^2+x-20$
⑤ $(2x-3)(3x-2)=6x^2-13x+6$

03 좌변을 전개하면 $9x^2-6Ax+A^2$이므로
$-6A=-24$, $A^2=B$에서 $A=4$, $B=16$
따라서 $A-B=4-16=-12$

04 $(x+2)(x-3)-(x-2)^2$
$=(x^2-x-6)-(x^2-4x+4)$
$=x^2-x-6-x^2+4x-4$
$=3x-10$

05 $(Ax+1)(2x+B)=2Ax^2+(AB+2)x+B=6x^2+Cx-3$
$B=-3$
$2A=6$, $A=3$
$C=AB+2=-9+2=-7$
$\therefore A+B+C=3+(-3)-7=-7$

06 ① x^2+4x+4 ② $x^2+4x-12$ ③ $3x^2+4x-4$
④ $x^2-4x-21$ ⑤ $-4x^2+4x+3$

07 ① 6 ② 4 ③ 2 ④ −12 ⑤ 12

08 $(2a-b)(a+2b)=2a^2+3ab-2b^2$

09 $52^2-49\times51=(50+2)^2-(50-1)(50+1)$
$=2500+200+4-2500+1=205$

10 $203\times197=(200+3)(200-3)=40000-9=39991$
이므로 $A=200$, $B=40000$
$\therefore \frac{B}{A}=\frac{40000}{200}=200$

11 $102\times98=(100+2)(100-2)=100^2-2^2=9996$

12 $(a-b)^2=a^2-2ab+b^2$에서 $3^2=17-2ab$, $2ab=8$ $\therefore ab=4$

13 $\frac{y}{x}+\frac{x}{y}=\frac{x^2+y^2}{xy}=\frac{(x+y)^2-2xy}{xy}=\frac{36-4}{2}=16$

14 분모를 유리화하면 $a=3+2\sqrt{2}$, $b=3-2\sqrt{2}$이므로
$(a+b)^2-(a-b)^2=4ab=4(3+2\sqrt{2})(3-2\sqrt{2})=4$

15 $(3+1)(3^2+1)(3^4+1)(3^8+1)$
$=\frac{1}{2}(3-1)(3+1)(3^2+1)(3^4+1)(3^8+1)$
$=\frac{1}{2}(3^2-1)(3^2+1)(3^4+1)(3^8+1)$
$=\frac{1}{2}(3^4-1)(3^4+1)(3^8+1)$
$=\frac{1}{2}(3^8-1)(3^8+1)=\frac{1}{2}(3^{16}-1)$
따라서 $A=2$, $B=16$이므로 $B-A=14$

16 (주어진 식)$=6x^2+12ax+6a^2-(2x^2-9x-5)$
$=4x^2+(12a+9)x+6a^2+5$
$12a+9=-15$에서 $a=-2$
(상수항)$=6a^2+5=6\times(-2)^2+5=29$

17 $\left(x-\frac{1}{x}\right)^2=\left(x+\frac{1}{x}\right)^2-4=49-4=45$
$x-\frac{1}{x}=\pm3\sqrt{5}$에서 $x>1$이므로 $x-\frac{1}{x}=3\sqrt{5}$

18 $a^2+b^2=(a+b)^2-2ab=36-8=28$
$\frac{1}{a}+\frac{1}{b}=\frac{a+b}{ab}=\frac{6}{4}=\frac{3}{2}$
$(a^2+b^2)\left(\frac{1}{a}+\frac{1}{b}\right)=28\times\frac{3}{2}=42$

19 직사각형 GFCH에서
(가로의 길이)$=\overline{AD}-\overline{AE}=x-2y$,
(세로의 길이)$=\overline{DC}-\overline{DH}=\overline{DC}-\overline{DE}=2y-(x-2y)$
$=-x+4y$이므로
$\square$GFCH$=(x-2y)(-x+4y)=-x^2+6xy-8y^2$

20 $x^2+y^2=(x+y)^2-2xy=4^2-2\times3=10$
$x^4+y^4=(x^2)^2+(y^2)^2=(x^2+y^2)^2-2x^2y^2$
$=10^2-2\times3^2=100-18=82$

21 1단계 $(2x+3)(3x+1)=6x^2+(2+9)x+3=6x^2+11x+3$
2단계 $2(x-4)(x+5)=2(x^2+x-20)=2x^2+2x-40$
3단계 (주어진 식)$=6x^2+11x+3-(2x^2+2x-40)$
$=4x^2+9x+43$
따라서 일차항의 계수는 9이다.

22 1단계 $\frac{\sqrt{5}+2}{\sqrt{5}-2}=\frac{(\sqrt{5}+2)^2}{(\sqrt{5}-2)(\sqrt{5}+2)}=9+4\sqrt{5}$
$\frac{3-\sqrt{8}}{3+\sqrt{8}}=\frac{(3-\sqrt{8})^2}{(3+\sqrt{8})(3-\sqrt{8})}=17-12\sqrt{2}$
$\frac{3}{\sqrt{8}+\sqrt{5}}=\frac{3(\sqrt{8}-\sqrt{5})}{(\sqrt{8}+\sqrt{5})(\sqrt{8}-\sqrt{5})}=2\sqrt{2}-\sqrt{5}$
2단계 (주어진 식)$=(9+4\sqrt{5})+(17-12\sqrt{2})-(2\sqrt{2}-\sqrt{5})$
$=26-14\sqrt{2}+5\sqrt{5}$
따라서 $a=26$, $b=-14$, $c=5$
3단계 $a+b+c=26+(-14)+5=17$

23 $(x+a)(x-4)=x^2+(a-4)x-4a=x^2-6x+b$
$a-4=-6$, $-4a=b$ $\therefore a=-2$, $b=8$ …… ❶
$(cx+2)(x-5)=cx^2+(-5c+2)x-10=-3x^2+dx-10$
$c=-3$, $-5c+2=d$ $\therefore c=-3$, $d=17$ …… ❷
$\therefore a+b+c+d=-2+8+(-3)+17=20$ …… ❸

채점 기준	배점
❶ a, b의 값 각각 구하기	3점
❷ c, d의 값 각각 구하기	3점
❸ $a+b+c+d$의 값 구하기	2점

24 $(x+a)(x-4)=x^2+(a-4)x-4a=x^2+6x+b$
$a-4=6$이므로 $a=10$ …… ❶
$b=-4a=-40$ …… ❷
$\therefore a+b=10+(-40)=-30$ …… ❸

채점 기준	배점
❶ a의 값 구하기	3점
❷ b의 값 구하기	3점
❸ $a+b$의 값 구하기	2점

4. 인수분해 공식

시험에 꼭 나오는 핵심개념 54쪽~55쪽

예제 1 답 ③

예제 2 답 (1) $x(x+2)$ (2) $3a(3-b)$
(3) $(x+1)(x-3)$ (4) $(2a+1)(2b-3)$

(4) $(2a+1)(b-2)+(2a+1)(b-1)$
$=(2a+1)\{(b-2)+(b-1)\}$
$=(2a+1)(2b-3)$

예제 3 답 (1) $(x+3)^2$ (2) $(2x+y)^2$
(3) $\left(x-\frac{1}{2}\right)^2$ (4) $(x-y)^2$

(1) $x^2+6x+9=x^2+2\times x\times 3+3^2=(x+3)^2$
(2) $4x^2+4xy+y^2=(2x)^2+2\times 2x\times y+y^2=(2x+y)^2$
(3) $x^2-x+\frac{1}{4}=x^2-2\times x\times\frac{1}{2}+\left(\frac{1}{2}\right)^2=\left(x-\frac{1}{2}\right)^2$

예제 4 답 (1) 25 (2) ± 12
(1) $10x=2\times x\times 5$이므로 $\square=5^2=25$
(2) $\square=\pm 2\times 1\times 6=\pm 12$

예제 5 답 (1) $(x+2)(x-2)$ (2) $(3x+1)(3x-1)$
(3) $(2x+5y)(2x-5y)$ (4) $\left(x+\frac{1}{4}\right)\left(x-\frac{1}{4}\right)$

(2) $9x^2-1=(3x)^2-1^2=(3x+1)(3x-1)$
(3) $4x^2-25y^2=(2x)^2-(5y)^2=(2x+5y)(2x-5y)$
(4) $x^2-\frac{1}{16}=x^2-\left(\frac{1}{4}\right)^2=\left(x+\frac{1}{4}\right)\left(x-\frac{1}{4}\right)$

예제 6 답 (1) $(x+1)(x+2)$ (2) $(x-2)(x-4)$
(3) $(x+3y)(x-y)$ (4) $(x+y)(x-2y)$

예제 7 답 (1) $(2x+1)(x+1)$ (2) $(x+2)(3x-1)$
(3) $(3x+2y)(2x-3y)$ (4) $(4x-y)(x-2y)$

유형 격파 + 기출 문제 56쪽~65쪽

01 ⑤	02 ⑤	03 ③	04 $5xy(2x-y^2)$		05 ②
06 ①	07 ③	08 $a(2x+7y)^2$		09 ⑤	10 ①
11 ③	12 ⑤	13 ⑤	14 ②	15 ④	
16 -16, 14		17 ⑤	18 ③	19 1	20 ①
21 ①	22 ①	23 ③	24 ⑤	25 ④	26 ②
27 ④	28 ④	29 4	30 ⑤	31 ③	32 ③
33 ①	34 ①	35 ④	36 ③	37 ①	38 ⑤
39 ③	40 ①	41 ②	42 ①	43 ④	44 ④
45 ②, ④	46 ⑤	47 ①	48 ⑤	49 ②	50 ④
51 ⑤	52 ①	53 ②	54 ③	55 ④	56 ②
57 ⑤	58 ①	59 ①	60 ⑤	61 ②	62 ④
63 ③	64 $6x+4$	65 ⑤	66 ⑤	67 ②	68 ③
69 5	70 ②	71 48	72 ③, ⑤	73 12	74 -1
75 ④	76 $(x+2)(x-4)$		77 $(2x+1)(2x-3)$		

01 ⑤ ㉡의 과정은 분배법칙을 이용한 것이다.

02 $2a^2b+4ab-6b^2=2b(a^2+2a-3b)$이므로
각 항의 공통인수는 $2b$이다.

05 $12a^2b-6ab^2=6ab(2a-b)$이므로 $12a^2b-6ab^2$의 인수가 아닌 것은 ② a^2b^2이다.

06 $x^2+4x+4=x^2+2\times x\times 2+2^2=(x+2)^2$

07 $4x^2-12x+9=(2x)^2-2\times 2x\times 3+3^2=(2x-3)^2$

08 $4ax^2+28axy+49ay^2=a\{(2x)^2+2\times 2x\times 7y+(7y)^2\}$
$=a(2x+7y)^2$

09 ① $a^2+8a+16=(a+4)^2$ ② $9a^2-6ab+b^2=(3a-b)^2$
③ $16x^2-16xy+4y^2=4(2x-y)^2$ ④ $a^2+a+\frac{1}{4}=\left(a+\frac{1}{2}\right)^2$

10 $24xy=2\times 3x\times 4y$이므로 $\square=(4y)^2=16y^2$

11 $\square=\pm 2\times\frac{1}{2}=\pm 1$이므로 $\square$ 안에 들어갈 알맞은 양수는 1이다.

12 $(x+7)(x-3)+a=x^2+4x-21+a$이고 $4x=2\times x\times 2$이므로
$-21+a=2^2$ $\therefore a=25$

13 $10x=2\times x\times 5$이므로 $A=5^2=25$
$x^2-10x+A=x^2-10x+25=(x-5)^2$이므로 $B=-5$
$\therefore A-B=25-(-5)=25+5=30$
다른 풀이 $x^2-10x+A=(x+B)^2=x^2+2Bx+B^2$이므로
$2B=-10$에서 $B=-5$, $A=B^2=(-5)^2=25$
$\therefore A-B=25-(-5)=25+5=30$

14 $A=\pm 2\times 2\times\frac{1}{2}=\pm 2$

15 ④ $4x^2\pm 12xy+9y^2=(2x\pm 3y)^2$

16 $2(m+1)=\pm 2\times 3\times 5$이므로 $m+1=\pm 15$
$\therefore m=-16$ 또는 $m=14$

17 $1<x\le 2$이므로 $0<x-1\le 1$, $2<x+1\le 3$

$\therefore \sqrt{x^2-2x+1}+\sqrt{(x+1)^2}=\sqrt{(x-1)^2}+\sqrt{(x+1)^2}$
$=(x-1)+(x+1)$
$=2x$

18 $-1<x<0$이므로 $2<x+3<3$

$\therefore \sqrt{x^2}+\sqrt{x^2+6x+9}=\sqrt{x^2}+\sqrt{(x+3)^2}=-x+(x+3)=3$

19 $\sqrt{x^2-4x+4}+\sqrt{x^2-2x+1}=\sqrt{(x-2)^2}+\sqrt{(x-1)^2}$이고,

$1<x<2$이므로 $-1<x-2<0$, $0<x-1<1$

따라서 주어진 식을 간단히 하면 $-(x-2)+(x-1)=1$

20 $\sqrt{a^2-6a+9}-\sqrt{a^2-10a+25}=\sqrt{(a-3)^2}-\sqrt{(a-5)^2}$이고,

$0<a<3$이므로 $-3<a-3<0$, $-5<a-5<-2$

따라서 주어진 식을 간단히 하면 $-(a-3)+(a-5)=-2$

21 $\sqrt{25a^2+10ab+b^2}+\sqrt{a^2-6ab+9b^2}=\sqrt{(5a+b)^2}+\sqrt{(a-3b)^2}$

그런데 a, b 모두 양수이므로 $5a+b>0$이고, $a<3b$이므로

$a-3b<0$이다.

따라서 $(5a+b)-(a-3b)=4$이므로 $4a+4b=4$에서 $a+b=1$

22 $\sqrt{x}=a-1$이므로 $x=(a-1)^2=a^2-2a+1$

$\therefore \sqrt{x-2a+3}-\sqrt{x+8a+8}=\sqrt{a^2-4a+4}-\sqrt{a^2+6a+9}$
$=\sqrt{(a-2)^2}-\sqrt{(a+3)^2}$

$-3<a<2$이므로 $-5<a-2<0$, $0<a+3<5$

따라서 주어진 식을 간단히 하면 $-(a-2)-(a+3)=-2a-1$

23 $25x^2-16=(5x)^2-4^2=(5x+4)(5x-4)$

24 $3y^2-48=3(y^2-16)=3(y+4)(y-4)$

25 $12x^2-75y^2=3(4x^2-25y^2)=3(2x+5y)(2x-5y)$
$=a(bx+cy)(bx-cy)$

따라서 $a=3$, $b=2$, $c=5$이므로

$a+b+c=3+2+5=10$

26 $\frac{1}{4}x^2-\frac{16}{9}y^2=\left(\frac{1}{2}x+\frac{4}{3}y\right)\left(\frac{1}{2}x-\frac{4}{3}y\right)=(Ax+By)(Ax-By)$

따라서 $A=\frac{1}{2}$, $B=\frac{4}{3}$이므로

$AB=\frac{1}{2}\times\frac{4}{3}=\frac{2}{3}$

27 $\frac{1}{2}x^2-2y^2=\frac{1}{2}(x^2-4y^2)=\frac{1}{2}(x+2y)(x-2y)$

28 $x^3-x=x(x^2-1)=x(x+1)(x-1)$이므로 x^3-x의 인수가 아닌 것은 ④ x^2이다.

29 $x^4-16y^4=(x^2+4y^2)(x^2-4y^2)=(x^2+4y^2)(x+2y)(x-2y)$
$=(x^2+Ay^2)(x+By)(x+Cy)$

$\therefore A+B+C=4+2+(-2)=4$

30 A는 $(x+7)(x-2)$의 일차항의 계수이므로

$A=7+(-2)=5$

32 B는 $(x+1)(x+3)$의 상수항이므로

$B=1\times 3=3$

33 $x^2-x-12=(x+3)(x-4)=(x+a)(x+b)$

$\therefore a+b=3+(-4)=-1$

34 $x^2+4x-12=(x+6)(x-2)$

따라서 두 일차식의 합은 $(x+6)+(x-2)=2x+4$

35 $4+b=2$ $\quad\therefore b=-2$

$a=4b=4\times(-2)=-8$

$\therefore b-a=-2-(-8)=-2+8=6$

36 $x(x-3)-10=x^2-3x-10=(x+2)(x-5)$

37 $(x+3)(x+2)-12x=x^2+5x+6-12x$
$=x^2-7x+6$
$=(x-1)(x-6)$

따라서 두 일차식의 합은 $(x-1)+(x-6)=2x-7$

38 $-3A=-15$이므로 $A=5$

다른 풀이 $-6+A=-1$이므로 $A=5$

41 ① $-ax^2+3ax=-ax(x-3)$

③ $x^2-10x+25=(x-5)^2$

④ $x^2-25=x^2-5^2=(x+5)(x-5)$

⑤ $x^2-4x-5=(x+1)(x-5)$

42 ① $4x^2-1=(2x)^2-1^2=(2x+1)(2x-1)$

43 $5x^2-12x-9=(5x+3)(x-3)=(5x+A)(x+B)$

따라서 $A=3$, $B=-3$이므로

$A-B=3-(-3)=3+3=6$

44 $6x^2-5x-6=(2x-3)(3x+2)$

따라서 두 일차식의 합은 $(2x-3)+(3x+2)=5x-1$

45 $4x^2+4x-15=(2x-3)(2x+5)$

46 $7x^2-3xy-4y^2=(7x+4y)(x-y)$이므로

$a+b+c+d=7+4+1+(-1)=11$

47 $(x+1)(3x+B)=3x^2+(B+3)x+B=3x^2+Ax-2$

이므로 $B=-2$, $A=B+3=-2+3=1$

$\therefore A+B=1+(-2)=-1$

48 $8x^2-10xy-12y^2=2(4x^2-5xy-6y^2)=2(x-2y)(4x+3y)$

49 $AB=3$이고 A, B는 자연수이므로 $A=1$, $B=3$ 또는 $A=3$, $B=1$

$-4A-2B=-14$이므로 $2A+B=7$ $\quad\therefore A=3$, $B=1$

$\therefore A-B=3-1=2$

50 $x^2y-xy^2=xy(x-y)$

$3x-3y=3(x-y)$

따라서 공통인수는 $x-y$이다.

51 ① $2x^2-32=2(x^2-16)=2(x+4)(x-4)$

② $x^2+8x+16=(x+4)^2$

③ $4x^2+15x-4=(4x-1)(x+4)$

④ $x^2+3x-4=(x+4)(x-1)$

⑤ $2x^2-8=2(x^2-4)=2(x+2)(x-2)$

52 $2x^2-5x-12=(2x+3)(x-4)$
$x^2-2x-8=(x-4)(x+2)$
따라서 공통인수는 $x-4$이다.

53 $3x^2-8x-3=(3x+1)(x-3)$
$2x^2-x-15=(2x+5)(x-3)$
따라서 공통인수는 $x-3$이다.

54 $6x^2-5x-6=(2x-3)(3x+2)$
$3x^2-19x-14=(x-7)(3x+2)$
따라서 공통인수가 $3x+2$이므로 $a=3$, $b=2$
$\therefore a+b=3+2=5$

55 ㄱ. $x^2-4=x^2-2^2=(x+2)(x-2)$
ㄴ. $x^2-x-6=(x+2)(x-3)$
ㄷ. $2x^2-5x+2=(2x-1)(x-2)$

56 $x^2-9=x^2-3^2=(x+3)(x-3)$
$2x^2-11x+15=(2x-5)(x-3)$
$x^2-6x+9=(x-3)^2$
따라서 세 다항식의 공통인수는 $x-3$이다.

57 $x^2-Ax+28=(x-4)(x+B)$로 놓으면
$-4B=28$ $\therefore B=-7$
$-A=-4+B=-4+(-7)=-11$ $\therefore A=11$

58 $2x^2+Ax+15=(2x-3)(x+B)$로 놓으면
$-3B=15$ $\therefore B=-5$
$\therefore A=2B-3=2\times(-5)-3=-13$

59 $x^2-x+a=(x+4)(x+b)$로 놓으면
$4+b=-1$ $\therefore b=-5$
$\therefore a=4b=4\times(-5)=-20$

60 $x^2-ax+20$이 $x-5$로 나누어떨어진다는 뜻은 $x-5$가 $x^2-ax+20$의 인수라는 뜻이다.
즉, $x^2-ax+20=(x-5)(x+b)$로 놓으면
$-5b=20$ $\therefore b=-4$
따라서 $-a=-5+b=-5+(-4)=-9$이므로 $a=9$

61 $x^2+x+a=(x-4)(x+m)$으로 놓으면
$-4+m=1$ $\therefore m=5$, $a=-4m=(-4)\times5=-20$
$3x^2+bx-4=(x-4)(3x+n)$으로 놓으면
$-4n=-4$ $\therefore n=1$, $b=n-12=1-12=-11$
$\therefore a-b=-20-(-11)=-20+11=-9$

62 타일 6개의 넓이의 합은 x^2+3x+2이므로
$x^2+3x+2=(x+1)(x+2)$
따라서 큰 직사각형 모양의 가로의 길이와 세로의 길이의 합은
$(x+1)+(x+2)=2x+3$

63 정사각형의 넓이는 $x^2+4x+4=(x+2)^2$이므로 정사각형의 한 변의 길이는 $x+2$이다.

64 주어진 직사각형의 넓이의 합은 $2x^2+3x+1$이므로
$2x^2+3x+1=(x+1)(2x+1)$
따라서 큰 직사각형의 둘레의 길이는
$2\{(x+1)+(2x+1)\}=6x+4$

65 (직사각형의 넓이)=(가로의 길이)×(세로의 길이)이고
$6a^2+7a-20=(3a-4)(2a+5)$이므로 세로의 길이는 $2a+5$이다.

66 $6a^2+18a+12=6(a^2+3a+2)=6(a+1)(a+2)$이므로
직사각형의 세로의 길이는 $6(a+2)$이다.
∴ (직사각형의 둘레의 길이)$=2\{(a+1)+6(a+2)\}=14a+26$

67 $16x^2-40xy+25y^2=(4x-5y)^2$이므로 정사각형의 한 변의 길이는 $4x-5y$이다.

68 (사다리꼴의 넓이)$=\frac{1}{2}\times$\{(윗변의 길이)+(아랫변의 길이)\}×(높이)
이므로
$2a^2+a-6=\frac{1}{2}\times\{(a-2)+(a+6)\}\times$(높이)
$(2a-3)(a+2)=(a+2)\times$(높이)
∴ (높이)$=2a-3$

69 (왼쪽 땅의 넓이)$=(3x+3)(2x+3)-(2x+3)\times x$
$=6x^2+15x+9-2x^2-3x$
$=4x^2+12x+9=(2x+3)^2$
이므로 $a=2$, $b=3$
$\therefore a+b=2+3=5$

70 (잔디밭의 넓이)$=\pi\left(r+\frac{r}{2}\right)^2-\pi r^2=\pi\times\left(\frac{3}{2}r\right)^2-\pi r^2$
$=\pi\left\{\left(\frac{3}{2}r\right)^2-r^2\right\}=\pi\left(\frac{3}{2}r+r\right)\left(\frac{3}{2}r-r\right)$
$=\pi\times\frac{5}{2}r\times\frac{r}{2}=\frac{5}{4}\pi r^2$

71 $2x^2+8x+A=2\left(x^2+4x+\frac{A}{2}\right)$이므로 $4x=2\times x\times2$에서
$\frac{A}{2}=2^2=4$ $\therefore A=8$
$9x^2+Bx+16$에서 $B=2\times3\times4=24$ ($\because B>0$)
Cx^2-2x+4에서 $2x=2\times\frac{1}{2}x\times2$이므로 $C=\left(\frac{1}{2}\right)^2=\frac{1}{4}$
$\therefore ABC=8\times24\times\frac{1}{4}=48$

72 $x^{16}-1=(x^8+1)(x^8-1)$
$=(x^8+1)(x^4+1)(x^4-1)$
$=(x^8+1)(x^4+1)(x^2+1)(x^2-1)$
$=(x^8+1)(x^4+1)(x^2+1)(x+1)(x-1)$

73 a, b가 자연수이므로 합이 7이 되는 두 자연수를 찾으면 1과 6, 2와 5, 3과 4이다. 이때 두 자연수의 곱을 각각 구하면 6, 10, 12이므로 k의 값 중 가장 큰 값은 12이다.

74 $3x^2+2xy-y^2=(x+y)(3x-y)$이므로 $b=1$
$5x^2+3xy+ay^2=(x+y)(5x+ky)$로 놓으면
$k+5=3$에서 $k=-2$, $a=k=-2$
$\therefore a+b=-2+1=-1$

75 현수 : $(x+2)(x-9)=x^2-7x-18$ ➡ 상수항 : -18
민지 : $(x-1)(x-2)=x^2-3x+2$ ➡ 일차항의 계수 : -3
따라서 처음에 주어진 이차식은 $x^2-3x-18$이므로
$x^2-3x-18=(x+3)(x-6)$

76 상진 : $(x+3)(x-5)=x^2-2x-15$ ➡ 일차항의 계수 : -2
태수 : $(x+4)(x-2)=x^2+2x-8$ ➡ 상수항 : -8
따라서 처음에 주어진 이차식은 x^2-2x-8이므로
$x^2-2x-8=(x+2)(x-4)$

77 지환 : $(x-1)(4x+3)=4x^2-x-3$ ➡ 상수항 : -3
지은 : $(2x-1)^2=4x^2-4x+1$ ➡ 일차항의 계수 : -4
따라서 처음에 주어진 이차식은 $4x^2-4x-3$이므로
$4x^2-4x-3=(2x+1)(2x-3)$

학교 시험 100점 맞기 66쪽~69쪽

01 ⑤	02 ④	03 ⑤	04 ③	05 ④	06 ⑤
07 ②	08 ①	09 ②	10 ②	11 ④	12 ②
13 $x-3$	14 ①	15 ④	16 ④	17 ⑤	18 ④
19 ③	20 ③	21 ⑤	22 ①	23 6	24 $2x+1$
25 0	26 $(x+9)(x-2)$				

01 ① $9x^2-30x+25=(3x-5)^2$
② x^2+x+1은 인수분해할 수 없다.
③ $a^2+8a+15=(a+3)(a+5)$
④ $4x^2-9y^2=(2x)^2-(3y)^2=(2x+3y)(2x-3y)$

02 $2a(x-y)-3a(x-y)=(x-y)(2a-3a)=-a(x-y)$

03 ① $25a^2-10ab+b^2=(5a-b)^2$ ② $2a^2-4a+2=2(a-1)^2$
③ $a^2+a+\frac{1}{4}=\left(a+\frac{1}{2}\right)^2$ ④ $16a^2-24ab+9b^2=(4a-3b)^2$

04 $6x=2\times 3x\times 1$이므로 $k=1^2=1$

05 $\square=\pm 2\times 2=\pm 4$

06 $A=2\times\frac{2}{3}=\frac{4}{3}$($\because$ A는 양수)
$x^2+Ax+\frac{4}{9}=x^2+\frac{4}{3}x+\frac{4}{9}=\left(x+\frac{2}{3}\right)^2$이므로 $B=\frac{2}{3}$
$\therefore A+B=\frac{4}{3}+\frac{2}{3}=2$

07 $\sqrt{x^2-6x+9}-\sqrt{x^2-4x+4}=\sqrt{(x-3)^2}-\sqrt{(x-2)^2}$이고,
$2<x<3$이므로 $-1<x-3<0$, $0<x-2<1$
따라서 주어진 식을 간단히 하면 $-(x-3)-(x-2)=-2x+5$

08 $x^2-3xy-10y^2=(x+2y)(x-5y)$
따라서 두 일차식의 합은 $(x+2y)+(x-5y)=2x-3y$

09 $(x+1)(x+2)-6=x^2+3x-4=(x+4)(x-1)$

11 $(2x+B)(Cx-3)=2Cx^2+(-6+BC)x-3B$
$=8x^2-Ax-3$
이므로 $-3B=-3$에서 $B=1$, $2C=8$에서 $C=4$
$-6+BC=-A$에서 $A=6-BC=6-1\times 4=2$
$\therefore A+B+C=2+1+4=7$

12 ① $2ax+2a=2a(x+1)$
② $2x^2-3x-2=(2x+1)(x-2)$
③ $x^2-1=(x+1)(x-1)$
④ $2x^2+5x+3=(2x+3)(x+1)$
⑤ $x^2-2x-3=(x+1)(x-3)$

13 $x^2+5x-24=(x+8)(x-3)$
$2x^2-5x-3=(2x+1)(x-3)$
따라서 공통인수는 $x-3$이다.

14 $3x^2+kx+32=(x-8)(3x+m)$으로 놓으면
$-8m=32$ $\therefore m=-4$
$\therefore k=m-24=-4-24=-28$

15 정사각형의 넓이는 $a^2+2ab+b^2=(a+b)^2$이므로 정사각형의 한 변의 길이는 $a+b$이다.

16 (직사각형의 넓이)=(가로의 길이)×(세로의 길이)이고
$8x^2+14x+3=(2x+3)(4x+1)$이므로 세로의 길이는 $4x+1$이다.

17 $2^{16}-1=(2^8+1)(2^8-1)$
$=(2^8+1)(2^4+1)(2^4-1)$
$=(2^8+1)(2^4+1)(2^2+1)(2^2-1)$
$=(2^8+1)(2^4+1)(2^2+1)(2+1)(2-1)$
$=257\times 17\times 5\times 3\times 1$
따라서 $2^{16}-1$의 약수가 아닌 것은 ⑤ 258이다.

18 $x^2+ax+49$에서 $a=2\times 7=14$($\because$ a는 양수)
$4x^2+16x+b=4\left(x^2+4x+\frac{b}{4}\right)$이므로 $4x=2\times x\times 2$에서
$\frac{b}{4}=2^2=4$ $\therefore b=16$
$\therefore a+b=14+16=30$

19 (주어진 식)$=4x^2-20x+25-(x^2+8x-9)-2$
$=3x^2-28x+32$
$=(x-8)(3x-4)$

20 $n^2+8n-9=(n+9)(n-1)$이고, 소수는 1과 그 자신만을 약수로 가지므로 $n+9$, $n-1$ 중 하나는 1이어야 한다.
그런데 n이 자연수이므로 $n-1<n+9$
즉, $n-1=1$이므로 $n=2$
따라서 구하는 소수는 $2+9=11$

21 a, b가 자연수이므로 합이 11이 되는 두 자연수를 찾으면 1과 10, 2와 9, 3과 8, 4와 7, 5와 6이다. 이때 두 자연수의 곱을 각각 구하면 10, 18, 24, 28, 30이므로 k의 값 중 가장 큰 값은 30이다.

22 $2x^2+3xy-2y^2=(x+2y)(2x-y)$이므로 $b=2$
$4x^2+5xy+ay^2=(x+2y)(4x+ky)$로 놓으면
$k+8=5$에서 $k=-3$, $a=2k=2\times(-3)=-6$
$\therefore a+b=-6+2=-4$

23 1단계 $81x^2-\frac{4}{9}=\left(9x+\frac{2}{3}\right)\left(9x-\frac{2}{3}\right)$

2단계 A, B는 양수이므로 $A=9$, $B=\frac{2}{3}$

3단계 $AB=9\times\frac{2}{3}=6$

24 1단계 $(2x+3)^2-2^2=4x^2+12x+9-4=4x^2+12x+5$

2단계 $4x^2+12x+5=(2x+5)(2x+1)$

따라서 도형 B의 세로의 길이는 $2x+1$이다.

25 $a>0$, $ab<0$이므로 $b<0$ …… ❶

$a>0$, $b<0$이므로 $-a<0$, $a-b>0$ …… ❷

$\therefore \sqrt{(-a)^2}-\sqrt{a^2-2ab+b^2}+\sqrt{b^2}=\sqrt{(-a)^2}-\sqrt{(a-b)^2}+\sqrt{b^2}$

$=-(-a)-(a-b)-b$

$=a-a+b-b$

$=0$ …… ❸

채점 기준	배점
❶ b의 부호 구하기	2점
❷ $-a$, $a-b$의 부호 구하기	2점
❸ 주어진 식을 간단히 하기	3점

26 효빈이는 일차항의 계수를 잘못 보았으므로

$(x+3)(x-6)=x^2-3x-18$ ➡ 상수항 : -18 …… ❶

동훈이는 상수항을 잘못 보았으므로

$(x-3)(x+10)=x^2+7x-30$ ➡ 일차항의 계수 : 7 …… ❷

따라서 처음에 주어진 이차식은 $x^2+7x-18$이므로 바르게 인수분해하면 $(x+9)(x-2)$이다. …… ❸

채점 기준	배점
❶ 처음에 주어진 이차식의 상수항 구하기	2점
❷ 처음에 주어진 이차식의 일차항의 계수 구하기	2점
❸ 처음에 주어진 이차식을 바르게 인수분해하기	3점

5. 인수분해 공식의 활용

시험에 꼭 나오는 핵심개념 70쪽

예제 1 답 (1) $2(x+3)^2$ (2) $a(x-y)(a+1)$

(1) $2x^2+12x+18=2(x^2+6x+9)=2(x+3)^2$

(2) $a^2(x-y)-a(y-x)=a^2(x-y)+a(x-y)$

$=a(x-y)(a+1)$

예제 2 답 (1) $(x+y-2)^2$ (2) $(3x+4)(x-2)$

(1) $x+y=A$라 하면

$(x+y)^2-4(x+y)+4=A^2-4A+4=(A-2)^2$

$=(x+y-2)^2$

(2) $2x+1=A$, $x+3=B$라 하면

$(2x+1)^2-(x+3)^2$

$=A^2-B^2=(A+B)(A-B)$

$=\{(2x+1)+(x+3)\}\{(2x+1)-(x+3)\}$

$=(3x+4)(x-2)$

예제 3 답 (1) $(a+2)(b+c)$ (2) $(x+y+2)(x-y-2)$

(1) $ab+ac+2b+2c=a(b+c)+2(b+c)$

$=(a+2)(b+c)$

(2) $x^2-y^2-4y-4=x^2-(y^2+4y+4)$

$=x^2-(y+2)^2$

$=(x+y+2)(x-y-2)$

예제 4 답 (1) 900 (2) 5000 (3) 9800

(1) $33^2-2\times33\times3+3^2=(33-3)^2=30^2=900$

(2) $75^2-25^2=(75+25)(75-25)=100\times50$

$=5000$

(3) $101^2-4\times101+3=(101-1)(101-3)$

$=100\times98=9800$

예제 5 답 (1) 2 (2) $8\sqrt{2}$

(1) $x^2-4x+4=(x-2)^2=(2+\sqrt{2}-2)^2$

$=(\sqrt{2})^2=2$

(2) $x+y=4$, $x-y=2\sqrt{2}$이므로

$x^2-y^2=(x+y)(x-y)=4\times2\sqrt{2}=8\sqrt{2}$

유형 격파 + 기출 문제 71쪽~77쪽

01 ①	02 ②	03 $-3(x+2)(x-7)$	04 ④	05 ③	
06 ④	07 ②	08 ②, ⑤	09 ②	10 ①	11 ①
12 ②	13 -6	14 ③	15 $-3(x+1)(x-4y+1)$		
16 ②	17 ③	18 ③	19 ③	20 ④	21 $6x$
22 ②	23 ①	24 ⑤	25 $(2x+y-3)(2x-y-3)$		
26 ③	27 ㄱ, ㄴ, ㅂ		28 ⑤	29 ①	30 ①
31 $(a-1)(a+b+2)$		32 ②	33 ③	34 ④	35 ①
36 2500	37 ⑤	38 ③	39 ②	40 ④	41 1256
42 ①	43 ⑤	44 ④	45 8	46 ⑤	47 ②
48 24 cm	49 ①	50 ①, ④	51 ⑤	52 ③	53 9
54 ③	55 ①				

01 $-x^2+8x-16=-(x^2-8x+16)=-(x-4)^2$

02 $-18x^2+8y^2=-2(9x^2-4y^2)=-2(3x+2y)(3x-2y)$

03 $-3x^2+15x+42=-3(x^2-5x-14)=-3(x+2)(x-7)$

04 $-4x^2-2x+2=-2(2x^2+x-1)=-2(x+1)(2x-1)$이므로

$a=1$, $b=2$, $c=-1$

$\therefore a+b+c=1+2+(-1)=2$

05 $2a^3+12a^2+18a=2a(a^2+6a+9)=2a(a+3)^2$

06 $ab(x-y)+b(y-x)=ab(x-y)-b(x-y)=b(x-y)(a-1)$

$=b(a-1)(x-y)$

07 $25x^2(x-2)-4x+8=25x^2(x-2)-4(x-2)$

$=(x-2)(25x^2-4)$
$=(x-2)(5x+2)(5x-2)$

08 $(x+1)y^2+3(x+1)y-28(x+1)=(x+1)(y^2+3y-28)$
$=(x+1)(y+7)(y-4)$

09 $(x-1)^2-(x-1)-12$
$=A^2-A-12$ ← $x-1=A$로 치환
$=(A+3)(A-4)$ ← 인수분해
$=(x-1+3)(x-1-4)$ ← A에 $x-1$을 대입
$=(x+2)(x-5)$
따라서 □ 안에 들어갈 알맞은 식은 $x-5$이다.

10 $x+y=A$라 하면
$(x+y)(x+y-3)-4=A(A-3)-4=A^2-3A-4$
$=(A-4)(A+1)=(x+y-4)(x+y+1)$

11 $x-y=A$라 하면
$1-(x-y)^2=1^2-A^2=(1+A)(1-A)$
$=\{1+(x-y)\}\{1-(x-y)\}$
$=(1+x-y)(1-x+y)$

12 $a+b=A$, $2b-c=B$라 하면
$(a+b)^2-(2b-c)^2=A^2-B^2=(A+B)(A-B)$
$=\{(a+b)+(2b-c)\}\{(a+b)-(2b-c)\}$
$=(a+3b-c)(a-b+c)$

13 $x+2y=A$라 하면
$(x+2y)(x+2y-6)+9=A(A-6)+9=A^2-6A+9$
$=(A-3)^2=(x+2y-3)^2$
이므로 $a=1$, $b=2$, $c=-3$
$\therefore abc=1\times2\times(-3)=-6$

14 $x+1=A$, $y-2=B$라 하면
$2(x+1)^2-3(x+1)(y-2)+(y-2)^2$
$=2A^2-3AB+B^2=(A-B)(2A-B)$
$=\{(x+1)-(y-2)\}\{2(x+1)-(y-2)\}$
$=(x-y+3)(2x-y+4)$

15 $x+2y+1=A$, $x-y+1=B$라 하면
$(x+2y+1)^2-4(x-y+1)^2$
$=A^2-4B^2=(A+2B)(A-2B)$
$=\{(x+2y+1)+2(x-y+1)\}\{(x+2y+1)-2(x-y+1)\}$
$=(3x+3)(-x+4y-1)=-3(x+1)(x-4y+1)$

16 $x+y=A$라 하면
$(x+y)^2-9x-9y+18=(x+y)^2-9(x+y)+18$
$=A^2-9A+18$
$=(A-3)(A-6)$
$=(x+y-3)(x+y-6)$
$\therefore a+b+c+d=1+(-3)+1+(-6)=-7$

17 $x^2-3x=A$라 하면
$(x^2-3x-2)(x^2-3x-12)+16$
$=(A-2)(A-12)+16=A^2-14A+40=(A-4)(A-10)$
$=(x^2-3x-4)(x^2-3x-10)=(x+1)(x-4)(x+2)(x-5)$
따라서 인수가 아닌 것은 ③ $x-2$이다.

18 $(n+3)^2-n^2=(n+3+n)(n+3-n)=3(2n+3)$이고
$n+(n+3)=2n+3$이므로 3배가 된다.

19 $x^4+2x^2-3=A^2+2A-3$ ← $x^2=A$로 치환
$=(A+3)(A-1)$ ← 인수분해
$=(x^2+3)(x^2-1)$ ← A에 x^2을 대입
$=(x^2+3)(x+1)(x-1)$

20 $x^2=A$, $y^2=B$라 하면
$x^4-y^4=(x^2)^2-(y^2)^2=A^2-B^2=(A+B)(A-B)$
$=(x^2+y^2)(x^2-y^2)=(x^2+y^2)(x+y)(x-y)$
따라서 x^4-y^4의 인수는 ㄱ, ㄴ, ㄷ으로 모두 3개이다.

21 $x^2=A$라 하면
$4x^4-5x^2+1=4A^2-5A+1=(4A-1)(A-1)$
$=(4x^2-1)(x^2-1)$
$=(2x+1)(2x-1)(x+1)(x-1)$
$\therefore$ (네 개의 일차식의 합)
$=(2x+1)+(2x-1)+(x+1)+(x-1)=6x$

22 $a^2-2ab-4b+2a=a^2-2ab+2a-4b=a(a-2b)+2(a-2b)$
$=(a+2)(a-2b)$

23 $x^3+x^2-x-1=x^2(x+1)-(x+1)=(x+1)(x^2-1)$
$=(x+1)(x+1)(x-1)=(x+1)^2(x-1)$

24 $x^3+2x^2y-x-2y=(2x^2y-2y)+(x^3-x)$
$=2y(x^2-1)+x(x^2-1)$
$=(x^2-1)(2y+x)=(x+1)(x-1)(x+2y)$

25 $4x^2-y^2-12x+9=(4x^2-12x+9)-y^2=(2x-3)^2-y^2$
$=(2x-3+y)(2x-3-y)$
$=(2x+y-3)(2x-y-3)$

26 $x^2-16-y^2-8y=x^2-(y^2+8y+16)=x^2-(y+4)^2$
$=(x+y+4)(x-y-4)$

27 (주어진 식)$=a^3-a^2b-4a+4b=a^2(a-b)-4(a-b)$
$=(a-b)(a^2-4)=(a-b)(a+2)(a-2)$

28 $x^2y^2-x^2-y^2+1=x^2(y^2-1)-(y^2-1)=(x^2-1)(y^2-1)$
$=(x+1)(x-1)(y+1)(y-1)$
따라서 인수가 아닌 것은 ⑤ $xy-1$이다.

29 $x^2+5x-5y-y^2=x^2-y^2+5x-5y=(x+y)(x-y)+5(x-y)$
$=(x-y)(x+y+5)$
이므로 $a=-1$, $b=1$, $c=5$
$\therefore abc=(-1)\times1\times5=-5$

30 $x^2-25-16y^2-40y=x^2-(16y^2+40y+25)=x^2-(4y+5)^2$
$=(x+4y+5)(x-4y-5)$
따라서 두 일차식의 합은 $(x+4y+5)+(x-4y-5)=2x$

31 $a^2-1+ab+a-b-1=(a^2-1)+b(a-1)+(a-1)$

$=(a+1)(a-1)+b(a-1)+(a-1)$
$=(a-1)(a+b+2)$

32 $xy-x-y=14$의 양변에 1을 더하면
$xy-x-y+1=15$, $x(y-1)-(y-1)=15$, $(x-1)(y-1)=15$

$x-1$	$y-1$	x	y
1	15	2	16
3	5	4	6
5	3	6	4
15	1	16	2

따라서 $x+y$의 값 중 가장 작은 값은 $4+6=6+4=10$이다.

33 $(x+4)(x-2)-7=x^2+2x-8-7$
$=x^2+2x-15$
$=(x+5)(x-3)$
따라서 두 일차식의 합은 $(x+5)+(x-3)=2x+2$

34 $(3x+2)(5x-3)+4=15x^2+x-6+4$
$=15x^2+x-2$
$=(3x-1)(5x+2)$
따라서 $A=3$, $B=-1$, $C=5$이므로
$A+B+C=3+(-1)+5=7$

35 $2\langle x,\ 1,\ 3\rangle+\langle x,\ 1,\ -1\rangle$
$=2(x-1)(x-3)+(x-1)(x+1)=2(x^2-4x+3)+(x^2-1)$
$=3x^2-8x+5=(x-1)(3x-5)$

36 $49^2+2\times49+1=49^2+2\times49\times1+1^2$
$=(49+1)^2=2500$

37 $1111^2-2\times1111\times111+111^2=(1111-111)^2=1000^2$
$=(10^3)^2=10^6$

38 $74^2-26^2=(74+26)(74-26)=4800$

39 (주어진 식)$=(2+\sqrt{2}+2-\sqrt{2})(2+\sqrt{2}-2+\sqrt{2})$
$=4\times2\sqrt{2}=8\sqrt{2}$

40 $\sqrt{82^2-18^2}=\sqrt{(82+18)(82-18)}=\sqrt{100\times64}=\sqrt{10^2\times8^2}=80$

41 $3.14\times25^2-3.14\times15^2=3.14(25^2-15^2)$
$=3.14(25+15)(25-15)$
$=3.14\times40\times10=1256$

42 $\dfrac{500^2-1}{499}\times99+501$
$=\dfrac{(500+1)(500-1)}{499}\times99+501=501\times99+501$
$=501\times(99+1)=50100$

43 $1^2-3^2+5^2-7^2+9^2-11^2+13^2-15^2+17^2-19^2$
$=(1+3)(1-3)+(5+7)(5-7)+\cdots+(17+19)(17-19)$
$=-2(4+12+20+28+36)=(-2)\times100=-200$

44 $x^2-y^2=(x+y)(x-y)$
$=\{(\sqrt{2}+1)+(\sqrt{2}-1)\}\{(\sqrt{2}+1)-(\sqrt{2}-1)\}$
$=2\sqrt{2}\times2=4\sqrt{2}$

다른 풀이 $x^2-y^2=(\sqrt{2}+1)^2-(\sqrt{2}-1)^2$
$=2+2\sqrt{2}+1-(2-2\sqrt{2}+1)$
$=2\sqrt{2}+2\sqrt{2}=4\sqrt{2}$

45 $x^2y+x+xy^2+y=(x^2y+xy^2)+(x+y)=xy(x+y)+(x+y)$
$=(x+y)(xy+1)$
$=(2+\sqrt{3}+2-\sqrt{3})\{(2+\sqrt{3})(2-\sqrt{3})+1\}$
$=4\times\{2^2-(\sqrt{3})^2+1\}=8$

46 $x^2-y^2+2x+1=(x^2+2x+1)-y^2=(x+1)^2-y^2$
$=(x+y+1)(x-y+1)$
$=\{(\sqrt{5}-2)+1\}\{(\sqrt{5}+2)+1\}$
$=(\sqrt{5}-1)(\sqrt{5}+3)=2+2\sqrt{5}$

47 $x^2-2xy+y^2-7x+7y+12=(x-y)^2-7(x-y)+12$
$=5^2-7\times5+12=25-35+12=2$

48 두 카드의 둘레의 길이의 합이 100 cm이므로 $4(x+y)=100$
$\therefore x+y=25$
$x>y$라 할 때, 두 카드의 넓이의 차가 150 cm^2이므로
$x^2-y^2=150$, $(x+y)(x-y)=150$ $\quad\therefore x-y=6$
따라서 두 카드의 둘레의 길이의 차는
$4x-4y=4(x-y)=4\times6=24(\text{cm})$

49 $(x+1)(x-4)(x-3)(x+2)-6$
$=(x+1)(x-3)(x-4)(x+2)-6$
$=(x^2-2x-3)(x^2-2x-8)-6$
$=(A-3)(A-8)-6$ ← $x^2-2x=A$로 치환
$=A^2-11A+18$
$=(A-2)(A-9)$
$=(x^2-2x-2)(x^2-2x-9)$

50 $(x-2)(x-1)(x+2)(x+3)-12$
$=(x-2)(x+3)(x-1)(x+2)-12$
$=(x^2+x-6)(x^2+x-2)-12$
$=(A-6)(A-2)-12$ ← $x^2+x=A$로 치환
$=A^2-8A$
$=A(A-8)$
$=(x^2+x)(x^2+x-8)$
$=x(x+1)(x^2+x-8)$

51 $x(x-2)(x-4)(x-6)+k$
$=x(x-6)(x-2)(x-4)+k$
$=(x^2-6x)(x^2-6x+8)+k$
$=A(A+8)+k$ ← $x^2-6x=A$로 치환
$=A^2+8A+k$
따라서 $8A=2\times A\times4$이므로 $k=4^2=16$

52 $\sqrt{38+\dfrac{1}{36}}=\sqrt{36+2+\dfrac{1}{36}}=\sqrt{6^2+2\times6\times\dfrac{1}{6}+\left(\dfrac{1}{6}\right)^2}$
$=\sqrt{\left(6+\dfrac{1}{6}\right)^2}=6+\dfrac{1}{6}=\dfrac{37}{6}$

53 $2^7+1=A$, $2^7-1=B$라 하면

$(2^7+1)^2-(2^7-1)^2=A^2-B^2=(A+B)(A-B)$
$=\{(2^7+1)+(2^7-1)\}\{(2^7+1)-(2^7-1)\}$
$=(2\times2^7)\times2=2^9$

$\therefore n=9$

54 $x^4-y^4=(x^2)^2-(y^2)^2=(x^2+y^2)(x^2-y^2)$
$=(x^2+y^2)(x+y)(x-y)$

$(x+y)^2+(x-y)^2=2(x^2+y^2)$이므로

$(\sqrt{3})^2+(\sqrt{2})^2=2(x^2+y^2)$, $x^2+y^2=\frac{5}{2}$

$\therefore x^4-y^4=\frac{5}{2}\times\sqrt{3}\times\sqrt{2}=\frac{5\sqrt{6}}{2}$

55 $\frac{x^3-3x^2-x+3}{x^2-2x-3}$

$=\frac{(x^3-x)+(-3x^2+3)}{x^2-2x-3}=\frac{x(x^2-1)-3(x^2-1)}{x^2-2x-3}$

$=\frac{(x^2-1)(x-3)}{(x+1)(x-3)}=\frac{(x+1)(x-1)(x-3)}{(x+1)(x-3)}$

$=x-1=1+\sqrt{3}-1=\sqrt{3}$

학교 시험 100점맞기 78쪽~81쪽

01 ①	02 ①	03 ④	04 ⑤	05 ②	06 ⑤
07 ④	08 ③	09 $(x+2)(x-3)$	10 ④	11 ②	
12 ②	13 ⑤	14 ④	15 ③	16 ①	17 ③
18 $(ab+a+1)(ab+b+1)$		19 ③	20 ①	21 ②, ⑤	
22 ②	23 $x-2$	24 175	25 $\frac{101}{200}$	26 $2-3\sqrt{2}$	

01 $8x^2-24xy+18y^2=2(4x^2-12xy+9y^2)=2(2x-3y)^2$

02 $x+y=A$라 하면
$(x+y)^2-4(x+y)+4=A^2-4A+4=(A-2)^2=(x+y-2)^2$

03 $x-1=A$라 하면
$(x-1)^2-4(x-1)-12=A^2-4A-12=(A+2)(A-6)$
$=(x-1+2)(x-1-6)$
$=(x+1)(x-7)$

04 $3x+2=A$라 하면
$2(3x+2)^2-3(3x+2)+1=2A^2-3A+1=(2A-1)(A-1)$
$=(6x+4-1)(3x+2-1)$
$=(6x+3)(3x+1)$
$=3(2x+1)(3x+1)$

05 $x+y=A$라 하면
$(x+y)(x+y-4)-12=A(A-4)-12=A^2-4A-12$
$=(A-6)(A+2)$
$=(x+y-6)(x+y+2)$

06 $3x+2y=A$, $x-2y=B$라 하면
$(3x+2y)^2-(x-2y)^2$
$=A^2-B^2=(A+B)(A-B)$
$=\{(3x+2y)+(x-2y)\}\{(3x+2y)-(x-2y)\}$
$=4x(2x+4y)=8x(x+2y)$

07 $xy-2x+2-y=x(y-2)-(y-2)=(x-1)(y-2)$

08 $ab+a-b-1=a(b+1)-(b+1)=(a-1)(b+1)$
$a^2-ab-a+b=a(a-b)-(a-b)=(a-1)(a-b)$

09 $(x+1)(x-2)-4=x^2-x-2-4=x^2-x-6$
$=(x+2)(x-3)$

10 (주어진 식)$=ab^2-b^3-ac^2+bc^2$
$=b^2(a-b)-c^2(a-b)=(a-b)(b^2-c^2)$
$=(a-b)(b+c)(b-c)$

11 $64^2\times\frac{3}{7}-36^2\times\frac{3}{7}=\frac{3}{7}(64^2-36^2)=\frac{3}{7}(64+36)(64-36)$
$=\frac{3}{7}\times100\times28=1200$

12 $\sqrt{105^2-10\times105+25}=\sqrt{105^2-2\times105\times5+5^2}=\sqrt{(105-5)^2}$
$=\sqrt{100^2}=100$

13 $x^2-y^2=(x+y)(x-y)$
$=\{(\sqrt{2}+\sqrt{3})+(\sqrt{2}-\sqrt{3})\}\{(\sqrt{2}+\sqrt{3})-(\sqrt{2}-\sqrt{3})\}$
$=2\sqrt{2}\times2\sqrt{3}=4\sqrt{6}$

14 $a^2-2ab+b^2=(a-b)^2=(2-\sqrt{5}-2-\sqrt{5})^2$
$=(-2\sqrt{5})^2=20$

15 $p(p+1)-q(q+1)=p^2+p-q^2-q=(p^2-q^2)+(p-q)$
$=(p+q)(p-q)+(p-q)$
$=(p-q)(p+q+1)$
$=(81-18)(81+18+1)=63\times100=6300$

16 $x^2y+xy^2+3(x+y)=xy(x+y)+3(x+y)=(x+y)(xy+3)$
이므로 $(x+y)(6+3)=54$에서 $x+y=6$
$\therefore x^2+y^2=(x+y)^2-2xy=6^2-2\times6=24$

17 $[x-1,\ 1-x]=(x-1)^3+(1-x)=(x-1)^3-(x-1)$
$=(x-1)\{(x-1)^2-1^2\}$
$=(x-1)(x-1+1)(x-1-1)$
$=x(x-1)(x-2)$

18 $(ab+1)(a+1)(b+1)+ab$
$=(ab+1)(ab+a+b+1)+ab$
$=A(A+a+b)+ab$ ← $ab+1=A$로 치환
$=A^2+(a+b)A+ab$
$=(A+a)(A+b)$
$=(ab+a+1)(ab+b+1)$

19 $x^4-7x^2-18=A^2-7A-18$ ← $x^2=A$로 치환
$=(A+2)(A-9)$
$=(x^2+2)(x^2-9)$
$=(x^2+2)(x+3)(x-3)$

20 (주어진 식)$=x^2+4xy+4y^2-y^2-2y-1$
$=(x+2y)^2-(y+1)^2$

$=(x+2y+y+1)(x+2y-y-1)$
$=(x+3y+1)(x+y-1)$
$\therefore a+b+c+d=3+1+1-1=4$

21 $x(x-2)(x-1)(x+1)-24$
$=x(x-1)(x-2)(x+1)-24$
$=(x^2-x)(x^2-x-2)-24$
$=A(A-2)-24$ ← $x^2-x=A$로 치환
$=A^2-2A-24$
$=(A-6)(A+4)$
$=(x^2-x-6)(x^2-x+4)$
$=(x-3)(x+2)(x^2-x+4)$

22 $\sqrt{x^2+2x+1}+\sqrt{x^2-2x+1}$
$=\sqrt{(x+1)^2}+\sqrt{(x-1)^2}=\sqrt{(\sqrt{5}-2+1)^2}+\sqrt{(\sqrt{5}-2-1)^2}$
$=\sqrt{(\sqrt{5}-1)^2}+\sqrt{(\sqrt{5}-3)^2}$
그런데 $\sqrt{5}-1>0$, $\sqrt{5}-3<0$이므로
(주어진 식)$=(\sqrt{5}-1)-(\sqrt{5}-3)=2$

23 1단계 $x+3=A$라 하면
$(x+3)^2-7(x+3)+10=A^2-7A+10$
$=(A-2)(A-5)$
$=(x+3-2)(x+3-5)$
$=(x+1)(x-2)$
2단계 $3x^2-8x+4=(3x-2)(x-2)$
3단계 따라서 구하는 공통인수는 $x-2$이다.

24 1단계 $x^3+x^2y+xy^2+y^3=x^2(x+y)+y^2(x+y)$
$=(x+y)(x^2+y^2)$
2단계 $(x+y)^2=x^2+y^2+2xy=25+2\times12=49$
$\therefore x+y=7(\because x, y$는 양수)
3단계 $x^3+x^2y+xy^2+y^3=7\times25=175$

25 $\left(1-\frac{1}{2^2}\right)\times\left(1-\frac{1}{3^2}\right)\times\left(1-\frac{1}{4^2}\right)\times\cdots\times\left(1-\frac{1}{100^2}\right)$
$=\left\{1^2-\left(\frac{1}{2}\right)^2\right\}\left\{1^2-\left(\frac{1}{3}\right)^2\right\}\left\{1^2-\left(\frac{1}{4}\right)^2\right\}\cdots\left\{1^2-\left(\frac{1}{100}\right)^2\right\}$
$=\left(1-\frac{1}{2}\right)\left(1+\frac{1}{2}\right)\left(1-\frac{1}{3}\right)\left(1+\frac{1}{3}\right)\cdots\left(1-\frac{1}{100}\right)\left(1+\frac{1}{100}\right)$ …… ❶
$=\frac{1}{2}\times\frac{3}{2}\times\frac{2}{3}\times\frac{4}{3}\times\frac{3}{4}\times\cdots\times\frac{100}{99}\times\frac{99}{100}\times\frac{101}{100}$
$=\frac{1}{2}\times\frac{101}{100}=\frac{101}{200}$ …… ❷

채점 기준	배점
❶ 주어진 식을 인수분해하기	3점
❷ 주어진 식을 계산하기	3점

26 $x=\frac{\sqrt{2}}{1+\sqrt{2}}=\frac{\sqrt{2}(1-\sqrt{2})}{(1+\sqrt{2})(1-\sqrt{2})}=\frac{\sqrt{2}-2}{1-2}=2-\sqrt{2}$
$y=\frac{1}{1-\sqrt{2}}=\frac{1+\sqrt{2}}{(1-\sqrt{2})(1+\sqrt{2})}=\frac{1+\sqrt{2}}{1-2}=-1-\sqrt{2}$ …… ❶
$\therefore xy+y+x+1$
$=y(x+1)+(x+1)=(x+1)(y+1)$ …… ❷
$=(2-\sqrt{2}+1)(-1-\sqrt{2}+1)=(3-\sqrt{2})\times(-\sqrt{2})$
$=2-3\sqrt{2}$ …… ❸

채점 기준	배점
❶ x, y의 분모를 각각 유리화하기	4점
❷ 주어진 식을 인수분해하기	2점
❸ 주어진 식의 값 구하기	2점

싹쓸이 핵심 기출 문제 84쪽~87쪽

01 ①, ④　02 ②　03 ㄱ, ㄷ　04 ①　05 ④　06 99개
07 ③　08 ③, ④　09 $4+\sqrt{5}$　10 10　11 1
12 $\sqrt{3}-\sqrt{2}$　13 $\frac{3\sqrt{6}}{2}+\sqrt{3}$　14 ④　15 ⑤　16 ㄱ, ㄴ
17 ③　18 $8+4\sqrt{3}$　19 4　20 ①, ③　21 ②
22 ④　23 $(a-b)^2(a+b)$　24 ④　25 ③

01 ② $\sqrt{64}=8$의 제곱근은 $\pm\sqrt{8}$이다.
③ $\sqrt{9}=3$의 제곱근은 $\pm\sqrt{3}$이다.
⑤ 양수의 제곱근은 2개이지만 0의 제곱근은 1개, 음수의 제곱근은 없다.

02 $(-6)^2=36$이므로 양의 제곱근은 6이고, $\sqrt{81}=9$이므로 음의 제곱근은 -3이다.
따라서 $A=6$, $B=-3$이므로 $A+B=6+(-3)=3$

03 ㄴ. $\sqrt{(-5)^2}=5$, ㄹ. $-\sqrt{(-5)^2}=-5$

04 $x-3<0$, $x>0$이므로
$\sqrt{(x-3)^2}-\sqrt{x^2}=-(x-3)-x=-2x+3$

05 ① $2=\sqrt{4}$이므로 $\sqrt{3}<2$　② $5<6$이므로 $-\sqrt{5}>-\sqrt{6}$
③ $3=\sqrt{9}$　⑤ $4=\sqrt{16}$이므로 $4<\sqrt{18}$

06 각 변에 2를 곱하면 $\sqrt{x}<10$이고, 각 변을 제곱하면 $x<100$
따라서 자연수 x는 모두 99개이다.

07 $24-n=0\rightarrow n=24$, $24-n=1^2\rightarrow n=23$
$24-n=2^2\rightarrow n=20$, $24-n=3^2\rightarrow n=15$
$24-n=4^2\rightarrow n=8$, $24-n=5^2\rightarrow n=-1$
따라서 $\sqrt{24-n}$이 정수가 되도록 하는 자연수 n은 8, 15, 20, 23, 24로 모두 5개이다.

08 ① $0.\dot{2}$는 순환소수이므로 유리수
② $\sqrt{4}=2$
③ π는 순환하지 않는 무한소수이므로 무리수
⑤ $\sqrt{0.49}=\sqrt{0.7^2}=0.7$

09 △ABC에서 피타고라스 정리에 의하여 $\overline{AC}^2=1^2+2^2=5$
$\therefore \overline{AC}=\sqrt{5}$ ($\because \overline{AC}>0$)
$\overline{AC}=\overline{AP}=\sqrt{5}$이므로 점 P에 대응하는 수는 $4+\sqrt{5}$이다.

10 $\sqrt{96}=\sqrt{4^2\times6}=4\sqrt{6}$이므로 $a=4$

$\sqrt{\frac{250}{4}}=\sqrt{\left(\frac{5}{2}\right)^2\times10}=\frac{5\sqrt{10}}{2}$이므로 $b=\frac{5}{2}$

$\therefore ab=4\times\frac{5}{2}=10$

11 $\frac{2\sqrt{24}-\sqrt{18}}{\sqrt{2}}=\frac{2\sqrt{24}}{\sqrt{2}}-\frac{\sqrt{18}}{\sqrt{2}}=2\sqrt{12}-\sqrt{9}=-3+4\sqrt{3}$이므로

$a=-3,\ b=4$

$\therefore a+b=-3+4=1$

12 (주어진 식)$=4\sqrt{3}+2\sqrt{2}-3\sqrt{2}-3\sqrt{3}=\sqrt{3}-\sqrt{2}$

13 $\sqrt{6}(1+\sqrt{2})-3\left(\frac{1}{\sqrt{3}}-\frac{1}{\sqrt{6}}\right)=\sqrt{6}+\sqrt{12}-\frac{3}{\sqrt{3}}+\frac{3}{\sqrt{6}}$

$=\sqrt{6}+2\sqrt{3}-\frac{3\sqrt{3}}{3}+\frac{3\sqrt{6}}{6}$

$=\sqrt{6}+2\sqrt{3}-\sqrt{3}+\frac{\sqrt{6}}{2}=\frac{3\sqrt{6}}{2}+\sqrt{3}$

14 $a-c=(\sqrt{5}+3)-(\sqrt{5}+\sqrt{7})=3-\sqrt{7}=\sqrt{9}-\sqrt{7}>0$이므로 $a>c$

$b-c=(2+\sqrt{7})-(\sqrt{5}+\sqrt{7})=2-\sqrt{5}=\sqrt{4}-\sqrt{5}<0$이므로 $b<c$

$\therefore b<c<a$

15 $(3x-4y)^2=(3x)^2-2\times3x\times4y+(4y)^2$

$=9x^2-24xy+16y^2$

16 ㄱ. $(a-b)^2=a^2-2ab+b^2$ ㄴ. $(b-a)^2=b^2-2ab+a^2$

ㄷ. $(-a-b)^2=a^2+2ab+b^2$ ㄹ. $-(a+b)^2=-a^2-2ab-b^2$

17 $503\times497=(500+3)(500-3)=500^2-3^2=249991$

18 $\frac{4}{2-\sqrt{3}}=\frac{4(2+\sqrt{3})}{(2-\sqrt{3})(2+\sqrt{3})}=\frac{8+4\sqrt{3}}{2^2-(\sqrt{3})^2}=8+4\sqrt{3}$

19 $12x=2\times2x\times3$이므로 $5+a=3^2$

$\therefore a=4$

20 $x^2-4x-12=(x+2)(x-6)$

21 $2x^2+Ax-3=(x+1)(2x+B)$로 놓으면

$B=-3,\ A=2+B$에서 $B=-3,\ A=-1$

22 $a-b=A$라 하면

(주어진 식)$=2A(A+1)-24=2A^2+2A-24$

$=2(A-3)(A+4)=2(a-b-3)(a-b+4)$

23 $a^3+b^3-a^2b-ab^2=a^3-a^2b-ab^2+b^3=a^2(a-b)-b^2(a-b)$

$=(a-b)(a^2-b^2)=(a-b)(a+b)(a-b)$

$=(a-b)^2(a+b)$

24 (주어진 식)$=(501^2-499^2)+(51^2-49^2)$

$=(501+499)(501-499)+(51+49)(51-49)$

$=1000\times2+100\times2$

$=2200$

25 $x-y=(\sqrt{3}+1)-(\sqrt{3}-1)=2$

$\therefore x^2-2xy+y^2=(x-y)^2=2^2=4$

싹쓸이 핵심 예상 문제

88쪽~91쪽

01 ②	02 -1	03 ①	04 ②	05 ④	06 8개
07 ①	08 ③	09 $-1-\sqrt{2}$, $3+\sqrt{5}$		10 33	11 -3
12 $\sqrt{3}-\sqrt{5}$	13 ②	14 $6-2\sqrt{3}<\sqrt{3}+1$		15 ⑤	16 ②, ③
17 ④	18 6	19 49	20 ③	21 ②	
22 $6a-2b-8$		23 ③	24 ②	25 ①	

01 ① $(-7)^2=49$의 양의 제곱근은 7이다.

③ 음수의 제곱근은 없다.

④ 제곱근 16은 $\sqrt{16}$이므로 4이다.

⑤ 121의 제곱근은 ±11이다.

02 $\sqrt{81}=9$이므로 양의 제곱근은 3이고, $(-4)^2=16$이므로 음의 제곱근은 -4이다.

따라서 $a=3,\ b=-4$이므로 $a+b=3+(-4)=-1$

03 ① $(-\sqrt{2})^2=2$ ② $-\sqrt{2^2}=-2$ ③ $-\sqrt{(-2)^2}=-2$

④ $-(\sqrt{2})^2=-2$ ⑤ $-\sqrt{4}=-2$

04 $x<0,\ x-y<0,\ y>0$이므로

$\sqrt{x^2}+\sqrt{(x-y)^2}-\sqrt{y^2}=-x-(x-y)-y=-x-x+y-y$

$=-2x$

05 (음수)$<0<$(양수)이고, $-3=-\sqrt{9},\ 3=\sqrt{9}$이므로

$-3<-\sqrt{7}<\sqrt{8}<3<\sqrt{10}$

따라서 세 번째로 큰 수는 $\sqrt{8}$이다.

06 $-\sqrt{x}>-3$의 각 변에 -1을 곱하면 $\sqrt{x}<3$

각 변을 제곱하면 $x<9$

따라서 조건을 만족하는 자연수 x의 개수는 8개이다.

07 $18-x=1^2\rightarrow x=17,\ 18-x=2^2\rightarrow x=14$

$18-x=3^2\rightarrow x=9,\ 18-x=4^2\rightarrow x=2$

$18-x=5^2\rightarrow x=-7$

따라서 자연수 x의 값 중 가장 작은 수는 2이다.

08 ㄴ. $\sqrt{25}=5$, ㄷ. 3.14, ㄹ. $\frac{1}{5}$, ㅁ. $0.3\dot{2}\dot{7}$은 모두 유리수이다.

09 정사각형 ABCD의 넓이가 2이므로 $\overline{AB}=\overline{PB}=\sqrt{2}$이고,

정사각형 EFGH의 넓이가 5이므로 $\overline{FG}=\overline{FQ}=\sqrt{5}$이다.

따라서 점 P에 대응하는 수는 $-1-\sqrt{2}$이고,

점 Q에 대응하는 수는 $3+\sqrt{5}$이다.

10 $2\sqrt{7}=\sqrt{2^2}\sqrt{7}=\sqrt{4\times7}=\sqrt{28}$이므로 $a=28$

$\sqrt{20}=\sqrt{2^2\times5}=2\sqrt{5}$이므로 $b=5$

$\therefore a+b=28+5=33$

11 $\frac{3\sqrt{2}-\sqrt{12}}{\sqrt{3}}=\frac{3\sqrt{2}}{\sqrt{3}}-\frac{\sqrt{12}}{\sqrt{3}}=\frac{3\sqrt{6}}{3}-\sqrt{4}=-2+\sqrt{6}$이므로

$a=-2,\ b=1$

$\therefore a-b=-2-1=-3$

12 (주어진 식)$=6\sqrt{3}-5\sqrt{3}+3\sqrt{5}-4\sqrt{5}=\sqrt{3}-\sqrt{5}$

13 $\frac{3}{\sqrt{3}}+\sqrt{6}\times\sqrt{30}-\frac{\sqrt{10}+\sqrt{24}}{\sqrt{2}}=\frac{3\sqrt{3}}{3}+\sqrt{180}-\left(\frac{\sqrt{10}}{\sqrt{2}}+\frac{\sqrt{24}}{\sqrt{2}}\right)$

$=\sqrt{3}+6\sqrt{5}-\sqrt{5}-2\sqrt{3}$

$=5\sqrt{5}-\sqrt{3}$

14 $(6-2\sqrt{3})-(\sqrt{3}+1)=6-2\sqrt{3}-\sqrt{3}-1=5-3\sqrt{3}$

$=\sqrt{25}-\sqrt{27}<0$

$\therefore 6-2\sqrt{3}<\sqrt{3}+1$

15 ① $(2a+3)(2a-3)=4a^2-9$

② $(-x-2)^2=x^2+4x+4$

③ $(3x-y)^2=9x^2-6xy+y^2$

④ $(x+3)(x+4)=x^2+7x+12$

16 $(-x+y)^2=x^2-2xy+y^2$

① $(x+y)^2=x^2+2xy+y^2$ ② $(x-y)^2=x^2-2xy+y^2$

③ $(y-x)^2=y^2-2xy+x^2$ ④ $(-x-y)^2=x^2+2xy+y^2$

⑤ $-(x-y)^2=-x^2+2xy-y^2$

17 ① $97^2=(100-3)^2=100^2-2\times100\times3+3^2=9409$

② $101^2=(100+1)^2=100^2+2\times100\times1+1^2=10201$

③ $101\times104=(100+1)(100+4)=100^2+(1+4)\times100+4$

$=10504$

④ $7.1\times6.9=(7+0.1)(7-0.1)=7^2-(0.1)^2$

$=49-0.01=48.99$

⑤ $302^2=(300+2)^2=300^2+2\times300\times2+2^2=91204$

18 $A=\frac{3(2\sqrt{3}+3)}{(2\sqrt{3}-3)(2\sqrt{3}+3)}=2\sqrt{3}+3$

$B=\frac{3(2\sqrt{3}-3)}{(2\sqrt{3}+3)(2\sqrt{3}-3)}=2\sqrt{3}-3$

$A-B=2\sqrt{3}+3-(2\sqrt{3}-3)=6$

19 $14x=2\times7x\times1$이므로 $\square=7^2=49$

20 $x^2+7x+12=(x+3)(x+4)$

$\therefore a+b=3+4=7$

21 $3x^2-5x-2=(3x+1)(x-2)$

$\therefore a+b+c=3+1+(-2)=2$

22 $3a-b=A$라 하면

(주어진 식)$=A(A-8)-20=A^2-8A-20$

$=(A-10)(A+2)=(3a-b-10)(3a-b+2)$

따라서 두 일차식의 합은

$(3a-b-10)+(3a-b+2)=6a-2b-8$

23 $x^2-2x-y^2+2y=x^2-y^2-2x+2y=(x+y)(x-y)-2(x-y)$

$=(x-y)(x+y-2)$

24 (주어진 식)$=\frac{997(999+1007)}{(1000+3)(1000-3)}=\frac{997\times2006}{1003\times997}=2$

25 $x^2+2xy+y^2-2x-2y-2=(x+y)^2-2(x+y)-2$

$=4^2-2\times4-2=6$

중간고사 대비 실전 모의고사

1 회

92쪽~95쪽

01 ②	02 54	03 ②	04 ③	05 ①	06 ③
07 ③	08 ⑤	09 ⑤	10 ①	11 ②	12 ①
13 ④	14 ④	15 ②, ⑤	16 ③	17 ①	18 ③
19 $(x+1)(x+2)(x-2)$			20 ①	21 ③	22 3
23 0	24 7	25 $(x-2)(x-3)$			

01 ① 36의 제곱근은 ±6이다.

③ $\sqrt{64}=8$

④ $\sqrt{30}=\sqrt{3}\sqrt{10}$이므로 $\sqrt{30}$은 $\sqrt{3}$의 $\sqrt{10}$배이다.

⑤ $a>0$이면 $\sqrt{(-a)^2}=a$이고, $a<0$이면 $\sqrt{(-a)^2}=-a$이다.

02 $24=2^3\times3$이므로 $\sqrt{24n}$이 제곱수가 되려면

$n=0$ 또는 $n=2\times3\times$(제곱수)

$40<n<60$이므로 $n=2\times3\times3^2=54$이다.

03 $\sqrt{4x-3}<3$의 각 변을 제곱하면 $4x-3<9$, $4x<12$, $x<3$

따라서 주어진 부등식을 만족하는 정수 x는 1, 2로 모두 2개이다.

04 순환하지 않는 무한소수는 무리수이다.

$\sqrt{0.01}=\sqrt{0.1^2}=0.1$(유리수), $0.333\cdots$(유리수),

$\sqrt{\frac{1}{2}}$(무리수), $\sqrt{3}$(무리수), $\sqrt{5}-1$(무리수)

따라서 보기의 수 중에서 순환하지 않는 무한소수의 개수는 3개이다.

05 빗변이 $\overline{BA}$인 직각삼각형에서 피타고라스 정리에 의해

$\overline{BA}=\overline{BP}=\sqrt{5}$이고, 빗변이 $\overline{BF}$인 직각삼각형에서 피타고라스 정리에 의해 $\overline{BF}=\overline{BQ}=\sqrt{2}$이다.

따라서 $x=2-\sqrt{5}$, $y=2+\sqrt{2}$이므로

$y-x=(2+\sqrt{2})-(2-\sqrt{5})=\sqrt{2}+\sqrt{5}$

06 $\sqrt{225}=\sqrt{3^2\times5^2}=(\sqrt{3})^2\times(\sqrt{5})^2=a^2b^2$

07 (주어진 식)$=\frac{2\sqrt{6}-\sqrt{12}}{\sqrt{3}}-\frac{2\sqrt{3}\times\sqrt{2}}{(\sqrt{3})^2}+4$

$=2\sqrt{2}-\sqrt{4}-\frac{2\sqrt{6}}{2}+4$

$=2\sqrt{2}-2-\sqrt{6}+4$

$=2\sqrt{2}-\sqrt{6}+2$

08 ① $\sqrt{300}=\sqrt{3\times100}=10\sqrt{3}=10\times1.732=17.32$

② $\sqrt{3000}=\sqrt{30\times100}=10\sqrt{30}=10\times5.477=54.77$

③ $\sqrt{0.3}=\sqrt{\frac{30}{100}}=\frac{\sqrt{30}}{10}=\frac{5.477}{10}=0.5477$

④ $\sqrt{0.03}=\sqrt{\frac{3}{100}}=\frac{\sqrt{3}}{10}=\frac{1.732}{10}=0.1732$

⑤ $\sqrt{0.003}=\sqrt{\frac{30}{10000}}=\frac{\sqrt{30}}{100}=\frac{5.477}{100}=0.05477$

09 ① $2\sqrt{3}=\sqrt{12}$, $3\sqrt{2}=\sqrt{18}$이므로 $2\sqrt{3}<3\sqrt{2}$

② $\frac{1}{2}=\sqrt{\frac{1}{4}}$이므로 $\frac{1}{2}<\sqrt{\frac{1}{2}}$

③ $(2+\sqrt{3})-4=\sqrt{3}-2=\sqrt{3}-\sqrt{4}<0$이므로 $2+\sqrt{3}<4$

④ $(3-\sqrt{2})-(1+\sqrt{2})=2-2\sqrt{2}=\sqrt{4}-\sqrt{8}<0$이므로
$3-\sqrt{2}<1+\sqrt{2}$
⑤ $(-1-\sqrt{2})-(-1-\sqrt{3})=-1-\sqrt{2}+1+\sqrt{3}=-\sqrt{2}+\sqrt{3}>0$
이므로 $-1-\sqrt{2}>-1-\sqrt{3}$

10 $(x+Ay)(x-3y)=x^2+(A-3)xy-3Ay^2=x^2+Bxy+6y^2$
이므로
$A-3=B,\ -3A=6$
$\therefore A=-2,\ B=-5$
$\therefore A+B=-7$

11 $(5a-2)(3a-1)+2=15a^2-11a+2+2=15a^2-11a+4$

12 (주어진 식)$=3(x^2-7x+10)+(3x^2-8x-3)$
$=3x^2-21x+30+3x^2-8x-3$
$=6x^2-29x+27$

13 (주어진 식)$=\left(\frac{1}{3}a\right)^2-2\times\frac{1}{3}a\times\frac{3}{4}b+\left(\frac{3}{4}b\right)^2=\left(\frac{1}{3}a-\frac{3}{4}b\right)^2$

14 $3(m-1)=\pm2\times3\times5=\pm30$이므로 $m-1=\pm10$
$\therefore m=-9$ 또는 $m=11$

15 $x^{16}-1=(x^8+1)(x^8-1)$
$=(x^8+1)(x^4+1)(x^4-1)$
$=(x^8+1)(x^4+1)(x^2+1)(x^2-1)$
$=(x^8+1)(x^4+1)(x^2+1)(x+1)(x-1)$

16 $7x^2-3xy-4y^2=(x-y)(7x+4y)$이므로
$a+b+c+d=1+(-1)+7+4=11$

17 (주어진 식)$=y(x+z)+z(x+z)=(x+z)(y+z)$

18 $x+1=A,\ x-4=B$라 하면
$6A^2+AB-B^2=(3A-B)(2A+B)$
$=\{3(x+1)-(x-4)\}\{2(x+1)+(x-4)\}$
$=(2x+7)(3x-2)$

19 (주어진 식)$=x^2(x+1)-4(x+1)=(x+1)(x^2-4)$
$=(x+1)(x+2)(x-2)$

20 (주어진 식)$=(4x+3y)^2-7^2$
$=(4x+3y+7)(4x+3y-7)$
따라서 두 일차식의 합은 $8x+6y$이다.

21 $101^2-99^2=(101+99)(101-99)=200\times2=400$

22 (주어진 식)$=(x+y)(x-y)-(x-y)=(x-y)(x+y-1)$
$=\sqrt{3}(\sqrt{3}+1-1)=3$

23 $2=\sqrt{4}$이므로 $2-\sqrt{5}<0,\ \sqrt{5}-2>0$ …… ❶
$\therefore \sqrt{(2-\sqrt{5})^2}-\sqrt{(\sqrt{5}-2)^2}=-(2-\sqrt{5})-(\sqrt{5}-2)$ …… ❷
$=-2+\sqrt{5}-\sqrt{5}+2=0$ …… ❸

채점 기준	배점
❶ $2-\sqrt{5},\ \sqrt{5}-2$의 부호 알기	3점
❷ 주어진 식의 근호 없애기	2점
❸ 주어진 식을 간단히 하기	2점

24 $(2x+a)^2=4x^2+4ax+a^2=4x^2+2x+b$에서
$4a=2,\ a^2=b$이므로 $a=\frac{1}{2},\ b=\frac{1}{4}$ …… ❶
$(x-c)^2=x^2-2cx+c^2=x^2-8x+d$에서
$-2c=-8,\ c^2=d$이므로 $c=4,\ d=16$ …… ❷
$\therefore ad-bc=\frac{1}{2}\times16-\frac{1}{4}\times4=8-1=7$ …… ❸

채점 기준	배점
❶ $a,\ b$의 값 각각 구하기	3점
❷ $c,\ d$의 값 각각 구하기	3점
❸ $ad-bc$의 값 구하기	2점

25 $(x+2)(x+3)=x^2+5x+6$ ➡ 상수항 : 6 …… ❶
$(x+1)(x-6)=x^2-5x-6$ ➡ 일차항의 계수 : -5 …… ❷
따라서 처음에 주어진 이차식은 x^2-5x+6이므로
$x^2-5x+6=(x-2)(x-3)$ …… ❸

채점 기준	배점
❶ 처음에 주어진 이차식의 상수항 구하기	2점
❷ 처음에 주어진 이차식의 일차항의 계수 구하기	2점
❸ 처음에 주어진 이차식을 바르게 인수분해하기	4점

중간고사 대비 실전 모의고사

2회

96쪽~99쪽

01 ③	02 -5	03 ②	04 ②	05 ④	06 ①
07 $\sqrt{5}$ cm	08 ②	09 ⑤	10 ②	11 15	12 ③
13 ①	14 ②	15 $x-y$	16 ④	17 ③	18 ①
19 ⑤	20 ③	21 1	22 ③	23 26	24 1
25 $3x(x-2)$					

01 $(-2)^2=4$이므로 4의 제곱근은 ±2
(제곱근 144)$=\sqrt{144}=12$이므로 12의 제곱근은 $\pm\sqrt{12}$
$\sqrt{9}=3$이므로 3의 제곱근은 $\pm\sqrt{3}$
$\sqrt{256}=16$이므로 16의 제곱근은 ±4

02 (주어진 식)$=\sqrt{(-7)^2}-\sqrt{9^2}+\sqrt{12^2}\div(-\sqrt{4^2})$
$=7-9+12\div(-4)$
$=(-2)+(-3)$
$=-5$

03 ㄱ. $\sqrt{1.69}=\sqrt{1.3^2}=1.3$(유리수) ㄴ. $1.\dot{6}$(유리수)
ㄷ. π(무리수) ㄹ. $\sqrt{9}-1=3-1=2$(유리수)
ㅁ. 0(유리수) ㅂ. $\sqrt{8}+1$(무리수)
따라서 무리수인 것은 ㄷ, ㅂ으로 모두 2개이다.

04 ② $\sqrt{3}-0.1$은 $\sqrt{3}$보다 작으므로 $\sqrt{3}$과 $\sqrt{5}$ 사이에 있는 수가 아니다.

05 ① $\sqrt{2}+\sqrt{3}$은 더 이상 간단히 할 수 없다.
② $\sqrt{9}-\sqrt{3}=3-\sqrt{3}$
③ $3\times\sqrt{4}=3\times2=6$
④ $\sqrt{2}\times\frac{3}{\sqrt{3}}=\sqrt{2}\times\sqrt{3}=\sqrt{6}$

⑤ $\sqrt{24}\div4=2\sqrt{6}\div4=\dfrac{\sqrt{6}}{2}$

06 (주어진 식)$=5\sqrt{3}+2\sqrt{3}-4\sqrt{3}-3\times2\sqrt{3}=-3\sqrt{3}$

07 (직육면체의 높이)
$=$(직육면체의 부피)$\div${(가로의 길이)$\times$(세로의 길이)}
$=10\sqrt{3}\div(\sqrt{2}\times\sqrt{30})=\dfrac{10\sqrt{3}}{\sqrt{60}}=\dfrac{10}{2\sqrt{5}}=\sqrt{5}(\text{cm})$

08 (주어진 식)$=3a\sqrt{2}-2a+18-6\sqrt{2}=(-2a+18)+(3a-6)\sqrt{2}$
이므로 유리수가 되려면 $3a-6=0$ $\therefore a=2$

09 ① $(a+1)(2b-3)=2ab-3a+2b-3$
② $(-a-b)^2=a^2+2ab+b^2$
③ $(3a+2b)(3a-2b)=9a^2-4b^2$
④ $(x+5)(x-3)=x^2+2x-15$

10 $\left(-2x-\dfrac{1}{3}y\right)^2=\left\{-\dfrac{1}{3}(6x+y)\right\}^2=\dfrac{1}{9}(6x+y)^2$

11 (주어진 식)$=(2^2-1)(2^2+1)(2^4+1)(2^8+1)$
$=(2^4-1)(2^4+1)(2^8+1)$
$=(2^8-1)(2^8+1)$
$=2^{16}-1$
$\therefore A=16,\ B=-1$
$\therefore A+B=15$

12 (좌변)$=-3(6x^2-5x-6)+(20x^2-17x-10)$
$=-18x^2+15x+18+20x^2-17x-10$
$=2x^2-2x+8$
이므로 $a=2,\ b=-2,\ c=8$
$\therefore a+b+c=8$

13 $(x-y)^2=(x+y)^2-4xy=3^2-4\times2=1$

14 ② $9x^2-16y^2=(3x)^2-(4y)^2=(3x+4y)(3x-4y)$

15 $x^2y-xy^2=xy(x-y)$, $-3x+3y=-3(x-y)$이므로
공통인수는 $x-y$이다.

16 $\sqrt{9-6a+a^2}+\sqrt{a^2-10a+25}=\sqrt{(a-3)^2}+\sqrt{(a-5)^2}$
$4<a<5$이므로 $1<a-3<2$, $-1<a-5<0$
$\therefore$ (주어진 식)$=a-3-(a-5)=2$

17 $x^2-196=x^2-14^2=(x+14)(x-14)$이므로 양수 a의 값은 14
이다.

18 $(x+3)(x+a)=x^2+(3+a)x+3a=x^2-bx+9$
$3a=9$ $\therefore a=3$
$-b=3+a=3+3=6$ $\therefore b=-6$
$\therefore ab=3\times(-6)=-18$

19 $6x^2-bx+10=(ax-5)(3x-2)=3ax^2-(2a+15)x+10$
$3a=6$ $\therefore a=2$
$b=2a+15=2\times2+15=19$
$\therefore b-a=19-2=17$

20 $x-3y=A$라 하면
(주어진 식)$=A(A+7)-30=A^2+7A-30$
$=(A+10)(A-3)=(x-3y+10)(x-3y-3)$

21 (주어진 식)$=\dfrac{182(127+73)}{191^2-9^2}=\dfrac{182\times200}{(191+9)(191-9)}$
$=\dfrac{182\times200}{200\times182}=1$

22 (주어진 식)$=x^2(x-y)+y^2(x-y)=(x-y)(x^2+y^2)$
$=4\times25=100$

23 $a=\dfrac{2(\sqrt{7}+3)}{(\sqrt{7}-3)(\sqrt{7}+3)}=-\sqrt{7}-3$
$b=\dfrac{2(\sqrt{7}-3)}{(\sqrt{7}+3)(\sqrt{7}-3)}=-\sqrt{7}+3$ …… ❶
$\therefore a^2+3ab+b^2=(a+b)^2+ab$ …… ❷
$=(-2\sqrt{7})^2+(-\sqrt{7}-3)(-\sqrt{7}+3)$
$=28-2=26$ …… ❸

채점 기준	배점
❶ a, b의 분모를 유리화하여 간단히 나타내기	3점
❷ $a^2+3ab+b^2$을 곱셈 공식의 변형을 이용하여 나타내기	3점
❸ $a^2+3ab+b^2$의 값 구하기	2점

24 $b=\pm2\times1\times\dfrac{1}{3}=\pm\dfrac{2}{3}$ …… ❶
$x^2+bx+\dfrac{1}{9}=x^2\pm\dfrac{2}{3}x+\dfrac{1}{9}=\left(x\pm\dfrac{1}{3}\right)^2$이므로 $a=\pm\dfrac{1}{3}$ …… ❷
$\therefore 5a^2+b^2=5\times\dfrac{1}{9}+\dfrac{4}{9}=1$ …… ❸

채점 기준	배점
❶ b의 값 구하기	2점
❷ a의 값 구하기	3점
❸ $5a^2+b^2$의 값 구하기	2점

25 (주어진 식)$=x^2-6x+8+2(x^2-4)=x^2-6x+8+2x^2-8$ …… ❶
$=3x^2-6x$ …… ❷
$=3x(x-2)$ …… ❸

채점 기준	배점
❶ $(x-2)(x-4)$와 $2(x+2)(x-2)$를 각각 전개하기	2점
❷ 전개한 식을 간단히 하기	3점
❸ 주어진 식을 전개한 후 인수분해하기	3점

중간고사 대비 실전 모의고사

3회

100쪽~103쪽

01 ②, ⑤ 02 ① 03 ④ 04 $1+2\sqrt{2}$, $1-2\sqrt{2}$ 05 ②
06 ⑤ 07 ①, ③ 08 ⑤ 09 ② 10 ① 11 ⑤
12 ③ 13 ② 14 ③, ④ 15 ②, ⑤ 16 ⑤ 17 ⑤
18 ⑤ 19 ④ 20 ④ 21 ⑤ 22 ④ 23 $4x+1$
24 9 25 $(x^2+5x+2)(x^2+5x+8)$

01 ① 0의 제곱근은 1개이고, 음수의 제곱근은 없다.
③ $\sqrt{64}=8$의 제곱근은 $\pm\sqrt{8}$이다.
④ $\sqrt{25}=5$
⑤ $(-2)^2=4$의 제곱근은 ±2이다.

02 $x-y>0$, $xy<0$이므로 $x>0$, $y<0$
따라서 $-2x<0$, $-y>0$이므로
$(\sqrt{x})^2-\sqrt{y^2}-\sqrt{(-2x)^2}+\sqrt{(-y)^2}=x+y-2x-y=-x$

03 정사각형의 한 변의 길이를 x cm라 하면 $x^2=45$이고, $x>0$이므로
$x=\sqrt{45}=\sqrt{3^2\times5}=3\sqrt{5}$
따라서 정사각형의 둘레의 길이는 $4\times3\sqrt{5}=12\sqrt{5}$(cm)

04 $\triangle$OAB에서 $\overline{OB}^2=2^2+2^2=8$ ($\because$ 피타고라스 정리)
$\therefore \overline{OB}=\sqrt{8}=2\sqrt{2}$ ($\because \overline{OB}>0$)
$\overline{OB}=\overline{OP}=\overline{OQ}=2\sqrt{2}$이므로
점 P에 대응하는 수는 $1+2\sqrt{2}$, 점 Q에 대응하는 수는 $1-2\sqrt{2}$이다.

05 $\sqrt{8}\times\sqrt{10}\times\sqrt{15}=\sqrt{8\times10\times15}=\sqrt{2^4\times5^2\times3}$
$=\sqrt{20^2\times3}=20\sqrt{3}$
이므로 $a=20$

06 ① $3=\sqrt{9}$이므로 $\sqrt{8}<3$
② $\sqrt{3}<3=\sqrt{9}$이므로 $\dfrac{1}{\sqrt{3}}>\dfrac{1}{3}$
③ $(5-\sqrt{3})-(1+\sqrt{3})=4-2\sqrt{3}=\sqrt{16}-\sqrt{12}>0$이므로
$5-\sqrt{3}>1+\sqrt{3}$
④ $-2\sqrt{3}=-\sqrt{12}$, $-3=-\sqrt{9}$이므로 $-2\sqrt{3}<-3$
⑤ $(2\sqrt{2}+2)-(3+\sqrt{2})=\sqrt{2}-1>0$이므로 $2\sqrt{2}+2>3+\sqrt{2}$

07 ① $(a-b)^2=(b-a)^2=a^2-2ab+b^2$
② $(x+1)^2-(x-1)^2=(x^2+2x+1)-(x^2-2x+1)=4x$
③ $(-a+3)(-a-3)=(-a)^2-3^2=a^2-9$
④ $(x+3)(x+4)=x^2+(3+4)x+3\times4=x^2+7x+12$
⑤ $\left(x+\dfrac{1}{x}\right)^2=x^2+2\times x\times\dfrac{1}{x}+\dfrac{1}{x^2}=x^2+2+\dfrac{1}{x^2}$

08 $(x+5)(x-A)=x^2+(-A+5)x-5A=x^2-4x+B$이므로
$-A+5=-4$, $-5A=B$
$\therefore A=9$, $B=-45$
$\therefore A-B=9-(-45)=54$

09 $(3x-2)(5x-a)=15x^2-(3a+10)x+2a$이므로
$-(3a+10)=2a$, $-5a=10$ $\quad\therefore a=-2$

10 $\left(x-\dfrac{1}{x}\right)^2=\left(x+\dfrac{1}{x}\right)^2-4=7^2-4=45$

11 (주어진 식)$=\dfrac{3\sqrt{2}(\sqrt{6}-\sqrt{3})}{(\sqrt{6}+\sqrt{3})(\sqrt{6}-\sqrt{3})}+\dfrac{\sqrt{6}(\sqrt{3}-\sqrt{2})}{(\sqrt{3}+\sqrt{2})(\sqrt{3}-\sqrt{2})}$
$=\dfrac{3\sqrt{12}-3\sqrt{6}}{6-3}+\dfrac{\sqrt{18}-\sqrt{12}}{1}$
$=2\sqrt{3}-\sqrt{6}+3\sqrt{2}-2\sqrt{3}$
$=3\sqrt{2}-\sqrt{6}$

12 ① $x^2+2x+1=x^2+2\times x\times1+1^2=(x+1)^2$
② $a^2-14a+49=a^2-2\times a\times7+7^2=(a-7)^2$
④ $9x^2-12xy+4y^2=(3x)^2-2\times3x\times2y+(2y)^2=(3x-2y)^2$
⑤ $36x^2+24x+4=4(9x^2+6x+1)=4\{(3x)^2+2\times3x\times1+1^2\}$
$=4(3x+1)^2$

13 $x^2-5x-14=(x+2)(x-7)$
따라서 두 일차식의 합은 $(x+2)+(x-7)=2x-5$

14 자연수 a, b에 대하여 $ab=6$이므로
$\begin{cases}a=1\\b=6\end{cases}$, $\begin{cases}a=2\\b=3\end{cases}$, $\begin{cases}a=3\\b=2\end{cases}$, $\begin{cases}a=6\\b=1\end{cases}$
이때 A의 값은 $a+b$이므로 A의 값은 5 또는 7이다.

15 $5x^2-17x-12=(5x+3)(x-4)$

16 $3x^2+kx-2=(3x-1)(x+a)$로 놓으면 $a=2$
$\therefore k=3\times2-1=5$

17 $3a^2+30a+72=3(a^2+10a+24)=3(a+4)(a+6)$이므로
직사각형의 세로의 길이는 $3(a+6)$이다.
$\therefore$ (직사각형의 둘레의 길이)$=2\{(a+4)+3(a+6)\}=8a+44$

18 $4x^2(y-1)+(1-y)=4x^2(y-1)-(y-1)=(y-1)(4x^2-1)$
$=(y-1)(2x+1)(2x-1)$

19 $(2x+5)(x-2)+7=2x^2+x-10+7=2x^2+x-3$
$=(2x+3)(x-1)$
따라서 $A=2$, $B=1$, $C=-1$이므로
$A+B+C=2+1+(-1)=2$

20 (주어진 식)$=4x^2+12x+9-y^2$
$=(2x+3)^2-y^2$
$=(2x+y+3)(2x-y+3)$

21 $4^4-1=(2^2)^4-1=2^8-1$
$2^8-1=(2^4+1)(2^2+1)(2+1)(2-1)$
$=17\times5\times3\times1$
따라서 4^4-1의 약수가 아닌 것은 ⑤ 34이다.

22 $x^2-y^2=(x+y)(x-y)$
$=\{(3+2\sqrt{2})+(3-2\sqrt{2})\}\{(3+2\sqrt{2})-(3-2\sqrt{2})\}$
$=6\times4\sqrt{2}=24\sqrt{2}$

23 $0<x<2$이므로
$\sqrt{4x^2}=\sqrt{(2x)^2}=|2x|=2x$
$\sqrt{x^2-4x+4}=\sqrt{(x-2)^2}=|x-2|=-x+2$
$\sqrt{x^2+6x+9}=\sqrt{(x+3)^2}=|x+3|=x+3$ …… ❶
(주어진 식)$=2x-(-x+2)+(x+3)$
$=2x+x-2+x+3=4x+1$ …… ❷

채점 기준	배점
❶ 각 항을 근호없이 간단하게 표현하기	4점
❷ 주어진 식을 간단히 하기	3점

24 (주어진 식)$=\dfrac{1}{\sqrt{1}+\sqrt{2}}+\dfrac{1}{\sqrt{2}+\sqrt{3}}+\dfrac{1}{\sqrt{3}+\sqrt{4}}+\cdots+\dfrac{1}{\sqrt{99}+\sqrt{100}}$
…… ❶

$=(\sqrt{2}-1)+(\sqrt{3}-\sqrt{2})+(\sqrt{4}-\sqrt{3})+\cdots+(\sqrt{100}-\sqrt{99})$ ⋯⋯ ❷

$=-1+10=9$ ⋯⋯ ❸

채점 기준	배점
❶ 각 항을 정의된 식으로 나타내기	3점
❷ 각 항의 분모를 유리화하여 간단히 나타내기	3점
❸ 주어진 식의 값 구하기	2점

25 (주어진 식)$=(x+2)(x+3)(x+1)(x+4)-8$ ⋯⋯ ❶

$=(x^2+5x+6)(x^2+5x+4)-8$

$x^2+5x=A$라 하면 ⋯⋯ ❷

(주어진 식)$=(A+6)(A+4)-8$

$=A^2+10A+16$

$=(A+2)(A+8)$

$=(x^2+5x+2)(x^2+5x+8)$ ⋯⋯ ❸

채점 기준	배점
❶ 상수항의 합이 같은 두 일차식끼리 묶기	3점
❷ $x^2+5x=A$로 치환하기	2점
❸ 주어진 식을 인수분해하기	3점

중간고사 대비 실전 모의고사

4 회

104쪽~107쪽

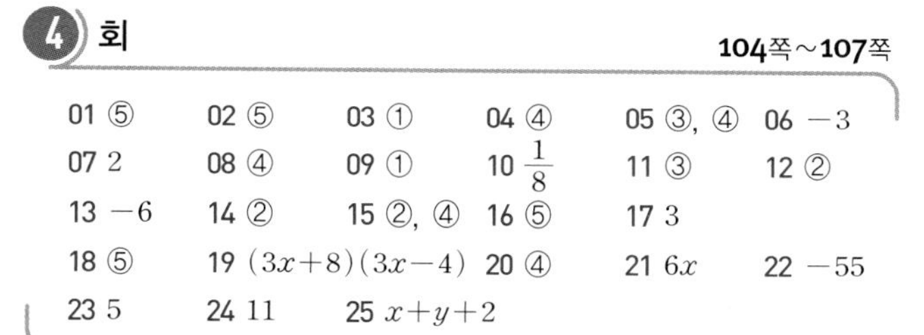

01 ⑤	02 ⑤	03 ①	04 ④	05 ③, ④	06 -3
07 2	08 ④	09 ①	10 $\frac{1}{8}$	11 ③	12 ②
13 -6	14 ②	15 ②, ④	16 ⑤	17 3	
18 ⑤	19 $(3x+8)(3x-4)$	20 ④	21 $6x$	22 -55	
23 5	24 11	25 $x+y+2$			

01 ㄱ. 제곱근 4는 $\sqrt{4}=2$이고, 4의 제곱근은 ±2이다.
ㄷ. $(-3)^2=9$의 제곱근은 ±3이다.

02 ⑤ $-(-\sqrt{5})^2=-5$

03 $-2<x<2$이므로 $-4<x-2<0$, $0<x+2<4$
$\therefore$ (주어진 식)$=-(x-2)-(x+2)=-x+2-x-2=-2x$

04 $x<\sqrt{48}$의 각 변을 제곱하면 $x^2<48$
따라서 이것을 만족하는 자연수 x의 값은 1, 2, 3, 4, 5, 6이므로 구하는 값은 $1+2+3+4+5+6=21$

05 ③ 순환소수는 무한소수이지만 유리수이다.
④ $\sqrt{4}=\sqrt{2^2}=2$와 같이 근호가 벗겨지는 수는 무리수가 아니다.

06 $\sqrt{32}-2\sqrt{24}-\sqrt{2}(1+2\sqrt{3})=4\sqrt{2}-2\times2\sqrt{6}-\sqrt{2}-2\sqrt{6}$
$=4\sqrt{2}-\sqrt{2}-4\sqrt{6}-2\sqrt{6}$
$=3\sqrt{2}-6\sqrt{6}$
이므로 $m=3$, $n=-6$
$\therefore m+n=3+(-6)=-3$

07 $\frac{6}{\sqrt{50}}=\frac{6}{5\sqrt{2}}=\frac{6\sqrt{2}}{10}=\frac{3\sqrt{2}}{5}$이므로 $A=\frac{3}{5}$

$\frac{21}{5\sqrt{3}}=\frac{21\sqrt{3}}{15}=\frac{7\sqrt{3}}{5}$이므로 $B=\frac{7}{5}$

$\therefore A+B=\frac{3}{5}+\frac{7}{5}=2$

08 ① $\sqrt{572}=\sqrt{5.72\times100}=10\sqrt{5.72}$
② $\sqrt{0.056}=\sqrt{\frac{5.6}{100}}=\frac{1}{10}\sqrt{5.6}$
③ $\sqrt{56300}=\sqrt{5.63\times10000}=100\sqrt{5.63}$
④ $\sqrt{5610}=\sqrt{56.1\times100}=10\sqrt{56.1}$
⑤ $\sqrt{0.0553}=\sqrt{\frac{5.53}{100}}=\frac{1}{10}\sqrt{5.53}$

09 ① $(\sqrt{7}-1)-2=\sqrt{7}-\sqrt{9}<0$ $\therefore \sqrt{7}-1<2$
② $2\sqrt{3}-(2+\sqrt{3})=\sqrt{3}-\sqrt{4}<0$ $\therefore 2\sqrt{3}<2+\sqrt{3}$
③ $(3\sqrt{5}-1)-2\sqrt{5}=\sqrt{5}-\sqrt{1}>0$ $\therefore 3\sqrt{5}-1>2\sqrt{5}$
④ $(3\sqrt{2}-2)-(2\sqrt{3}-2)=3\sqrt{2}-2\sqrt{3}=\sqrt{18}-\sqrt{12}>0$
$\therefore 3\sqrt{2}-2>2\sqrt{3}-2$
⑤ $(-3-\sqrt{8})-(-\sqrt{6}-\sqrt{8})=-\sqrt{9}+\sqrt{6}<0$
$\therefore -3-\sqrt{8}<-\sqrt{6}-\sqrt{8}$

10 $(x+a)^2=x^2+2ax+a^2=x^2+x+b$이므로
$2a=1$에서 $a=\frac{1}{2}$, $b=a^2=\left(\frac{1}{2}\right)^2=\frac{1}{4}$
$\therefore ab=\frac{1}{2}\times\frac{1}{4}=\frac{1}{8}$

11 ① $\left(\frac{1}{2}x+4\right)^2=\frac{1}{4}x^2+4x+16$
② $(8x+1)(8x-1)=64x^2-1$
④ $(3x-3y)(x+2y)=3x^2+3xy-6y^2$
⑤ $(a+b)(2a+3b)=2a^2+5ab+3b^2$

12 (주어진 식)$=4x^2+4x+1-(3x^2-x-2)$
$=4x^2+4x+1-3x^2+x+2$
$=x^2+5x+3$

13 $(x+a)(x-6)=x^2+(a-6)x-6a=x^2+2x+b$
$a-6=2$, $-6a=b$에서 $a=8$, $b=-48$
$\therefore \frac{b}{a}=\frac{-48}{8}=-6$

14 $\frac{2018\times2020+1}{2019}=\frac{(2019-1)(2019+1)+1}{2019}$
$=\frac{2019^2-1+1}{2019}=2019$

15 $x^2+3xy-10y^2=(x+5y)(x-2y)$

16 (주어진 식)$=x^2-x-2-4=x^2-x-6=(x+2)(x-3)$

17 $(2x+B)(Cx+1)=2Cx^2+(2+BC)x+B=6x^2-Ax-1$
이므로 $B=-1$, $2C=6$에서 $C=3$
$-A=2+(-1)\times3$에서 $A=1$
$\therefore A+B+C=1+(-1)+3=3$

다른 풀이 $6x^2-Ax-1=(2x-1)(3x+1)$이므로
$A=1$, $B=-1$, $C=3$
$\therefore A+B+C=1+(-1)+3=3$

18 $2x^2+5x+3=(2x+3)(x+1)$

$4x^2-9=(2x+3)(2x-3)$

따라서 두 다항식의 공통인수는 $2x+3$이다.

19 진영 : $(3x+16)(3x-2)=9x^2+42x-32$ ➡ 상수항 : -32

윤희 : $(3x+2)^2=9x^2+12x+4$ ➡ 일차항의 계수 : 12

따라서 처음의 이차식은 $9x^2+12x-32$이므로

$9x^2+12x-32=(3x+8)(3x-4)$

20 $x^2-36-y^2+12y=x^2-(y^2-12y+36)=x^2-(y-6)^2$

$=(x+y-6)(x-y+6)$

21 $x^2=A$라 하면

$4x^4-17x^2+4=4A^2-17A+4=(4A-1)(A-4)$

$=(4x^2-1)(x^2-4)=(2x+1)(2x-1)(x+2)(x-2)$

∴ (네 개의 일차식의 합)$=(2x+1)+(2x-1)+(x+2)+(x-2)$

$=6x$

22 (주어진 식)

$=(1+2)(1-2)+(3+4)(3-4)+\cdots+(9+10)(9-10)$

$=-(3+7+11+15+19)=-55$

23 $\sqrt{45n}$이 자연수가 되려면 $45n$이 제곱수가 되어야 한다. …… ❶

그런데 $45=3^2\times5$이므로 $n=5\times$(제곱수)의 꼴이어야 한다. …… ❷

따라서 $\sqrt{45n}$이 자연수가 되도록 하는 자연수 n의 값 중에서 가장 작은 값은 5이다. …… ❸

채점 기준	배점
❶ $45n$의 조건 알기	2점
❷ n의 조건 알기	3점
❸ 자연수 n의 값 중에서 가장 작은 값 구하기	2점

24 (주어진 식)$=9x^2-4y^2-2(y^2-4x^2)=9x^2-4y^2-2y^2+8x^2$

$=17x^2-6y^2$ …… ❶

이므로 $a=17$, $b=-6$ …… ❷

∴ $a+b=17-6=11$ …… ❸

채점 기준	배점
❶ 주어진 식을 전개하기	3점
❷ a, b의 값 구하기	3점
❸ $a+b$의 값 구하기	2점

25 $x+y=A$라 하면

$(x+y)^2-2(x+y)-8=A^2-2A-8=(A+2)(A-4)$

$=(x+y+2)(x+y-4)$ …… ❶

$x-2=B$, $y+4=C$라 하면

$(x-2)^2-(y+4)^2=B^2-C^2=(B+C)(B-C)$

$=\{(x-2)+(y+4)\}\{(x-2)-(y+4)\}$

$=(x+y+2)(x-y-6)$ …… ❷

따라서 공통인수는 $x+y+2$이다. …… ❸

채점 기준	배점
❶ $x+y=A$로 치환하여 주어진 식을 인수분해하기	3점
❷ $x-2=B$, $y+4=c$로 치환하여 주어진 식 인수분해하기	3점
❸ 공통인수 구하기	2점

새로운 개정 교육과정 반영

중간고사

정답 및 해설